Uni-Taschenbücher 1125

UTB

Eine Arbeitsgemeinschaft der Verlage

Birkhäuser Verlag Basel und Stuttgart
Wilhelm Fink Verlag München
Gustav Fischer Verlag Stuttgart
Francke Verlag München
Harper & Row New York
Paul Haupt Verlag Bern und Stuttgart
Dr. Alfred Hüthig Verlag Heidelberg
Leske Verlag + Budrich GmbH Opladen
J. C. B. Mohr (Paul Siebeck) Tübingen
C. F. Müller Juristischer Verlag – R. v. Decker's Verlag Heidelberg
Quelle & Meyer Heidelberg
Ernst Reinhardt Verlag München und Basel
K. G. Saur München · New York · London · Paris
F. K. Schattauer Verlag Stuttgart · New York
Ferdinand Schöningh Verlag Paderborn · München · Wien · Zürich
Eugen Ulmer Verlag Stuttgart
Vandenhoeck & Ruprecht in Göttingen und Zürich

Manfred Dierks

Autor – Text – Leser:
Walter Kempowski

Künstlerische Produktivität
und Leserreaktionen –
am Beispiel «Tadellöser & Wolff»

Francke Verlag München

ISBN 3-7720-1701-0

Inhalt

PT
2671
.E43
T394
1981

Einleitung

Diese Arbeit verfolgt in der Art einer Fallbeschreibung die Entstehungsgeschichte eines einzigen Romans samt ihrer Vorgeschichte. Sie zeichnet zugleich den Werdegang eines Autors nach: Jemand hat eine höchst eindringliche biographische Erfahrung gemacht – er hat acht Jahre im Zuchthaus gesessen – und will darüber «schreiben». Es stellt sich heraus, daß dies Motiv allein nicht zureicht. Erste Ausdrucksversuche scheitern. Allmählich wird auch deutlich, daß noch ganz andere Motive, tiefer und wirksamer als die Haft-Erfahrung, das Bedürfnis antreiben, sich auszudrükken, zu produzieren. Es kann beobachtet werden, wie sich diese Motivationsstruktur verfestigt und Produktivität aufbricht, die sich in durchhaltender und systematischer schriftstellerischer Arbeit manifestiert. Der Autor wird ihrer inne als einer verläßlichen und das Lebensgefühl hochgradig verstärkenden Kraftquelle. Doch er kann noch nicht «schreiben». Er hat das seinen inneren Bedingungen und seinem Stoff angemessene Darstellungsverfahren noch nicht gefunden. Nach einer Phase interessanter und gleichwohl für literarische Anfänge charakteristischer Experimente eignet sich der Autor in einem schwierigen Prozeß sein ihm eigentümliches Darstellungsverfahren an. Walter Kempowski findet mit der vierten Fassung seines Haftromans *Im Block* (1969) einen Verleger und etwas öffentlichen Beifall. Ein lange angestautes Potential bricht jetzt durch. *Tadellöser & Wolff* wird in zwei Jahren geschrieben; die Arbeitsumstände und konkreten Schreibvollzüge können wir genau rekonstruieren. Schließlich stellt sich der Gesamtplan der Familienchronik her, von der Kempowski bis heute vier Romane vorgelegt hat. Öffentlich etabliert sich eine Autorenrolle, zu der die empirische Person des Autors in Differenz steht. Nicht anders verhält es sich mit seinen Texten: Die Schreibregeln des Darstellungsverfahrens zwingen zu rigiden psychischen und ästhetischen Verzichten; vieles, das zum Ausdruck drängt, wird nicht in den Text zugelassen, ist dort nur noch als Rest vertreten. So gibt es für *Tadellöser & Wolff* eine öffentliche Leseart und dann die des Autors, der sich nicht immer mit seinen Verzichten abgefunden hat und in seinem Verständnis des eigenen Werks das Ganze der Bilder und Themen an die Reste, die sie signalhaft vertreten, wieder anschließen läßt. Auch dieser Differenz zwischen öffentlicher und privater Leseart gehen wir nach.

Schließlich haben wir Leser befragt. Wir haben ihr Textverständnis erhoben insbesondere zu Eigenschaften des Romans, die uns auch schon aus schaffenspsychologischer Sicht interessiert haben und deren Zustandekommen wir analysieren konnten. So ließen sich die Rezeption konkreter Leser und die Selbstinterpretation des Autors miteinander vergleichen und zu einer notwendigen dritten Größe in Beziehung setzen: der «objektiven» Gestalt des Romantextes, wie sie in vorgängiger hermeneutischer Interpretation literaturwissenschaftlich festgelegt worden war. Im Ganzen stellt also unsere Untersuchung den Versuch dar, am Einzelfall die drei bestimmenden Größen des Literaturprozesses: Schaffensvorgang/Autor – Text – Leserrezeption *empirisch* zu erfassen und aufeinander zu beziehen. Insofern stellt sie das praktisch-konkrete Gegenstück zu geläufigen Text-Leser-Modellen dar, die ihrer Anlage nach überdies die schaffenspsychologische Dimension nicht erfassen.

Zu Gegenstand und Untersuchungsmethoden: Der Text, *Tadellöser & Wolff* (1971) ist der sehr erfolgreiche Roman zweier Generationen, der am Beispiel einer Familie die Zeitgeschichte von 1939 bis 1945 als Chronik des lebensweltlichen bürgerlichen Alltags berichtet. Der Autor Walter Kempowski, im Hauptberuf Lehrer, setzt seine bürgerlich-repräsentative Familienchronik nach den Romanen *Uns geht's ja noch gold* (1972), *Ein Kapitel für sich* (1975), *Aus großer Zeit* (1978) mit dem noch unveröffentlichten *Schöne Aussicht* fort. Die Romane sind flankiert von «Befragungsbüchern» zu zeitgeschichtlichen Themen (*Haben Sie Hitler gesehen?*), die ihren quasi-dokumentarischen Charakter verstärken. Die literarische Produktion des «deutschen Chronisten» Kempowski umfaßt mittlerweile auch Kinderbücher, Hörspiele und Filmbeiträge. Zunehmend werden seine pädagogischen Vorstellungen beachtet (*Kempowski der Schulmeister*, 1980); für den Schulgebrauch hat er nach eigenen Praxiserfahrungen eine Fibel erarbeitet. Die Verfilmungen von *Tadellöser & Wolff*, vornehmlich die der beiden Haftromane als *Ein Kapitel für sich* haben Kempowski auch eine erhebliche außerliterarische Bekanntheit eingetragen.

Die Bezugstheorien und Methoden der Untersuchung mußten für den jeweiligen Gegenstandsbereich mit den *empirischen Bedin-*

gungen vereinbart werden. Kompliziert gestaltete sich das für die umfangreichen schaffenspsychologischen Analysen. Die Kreativitätsforschung zeigt vorerst nur Ansätze (wie Curtius 1976 und Mejlach 1977 deutlich machen). Als einzige ausgearbeitete Theorie bietet nur die Psychoanalyse auch in diesem Bereich Erklärungshilfen. Sie ist insbesondere dem Traum-Material in den Werk-Tagebüchern Kempowskis angemessen, das wir zu verstehen haben werden. Andererseits gelten die bekannten Einschränkungen bei psychoanalytisch orientierten Beobachtungsperspektiven und Untersuchungsmethoden, wenn sie außerhalb der psychoanalytischen «Grundsituation» und durch Laien angewendet werden. Diese Einschränkungen wurden jedoch durch sehr günstige Untersuchungsvoraussetzungen erheblich reduziert: Walter Kempowski, der ein ebenso aufmerksames wie sachliches Verhältnis gegenüber psychischen «Sachverhalten», auch den eigenen, hat, war zu einer Mitarbeit bereit. In langen, intensiven Gesprächen, schließlich auch bei praktischer Zusammenarbeit wie der Sichtung des Archiv-Materials oder bei gemeinsamen Versuchen, ein weit zurückliegendes Schreibexperiment Kempowskis auf ein mögliches literarisches Vorbild hin einzuschätzen, stellte sich doch eine entfernte Analogie zu «Übertragung» und «Gegenübertragung» her. Generell möchten wir die Grundorientierung unserer Beobachtungen und Verstehensversuche mit Kohuts psychoanalytisch gefaßtem Begriff der *Empathie* erklären (Kohut 1957) als einer kontrollierbaren Einfühlung, die uns erst zu den Ansatzpunkten für Beobachtungskategorien und Erklärungshypothesen hinführt. Hierin liegt unsere Sicherheit begründet, daß wir bei der Anwendung von Teilen psychoanalytischer Theorie auf klar erkennbare Erscheinungen des Schaffensvorgangs und seiner Voraussetzungen zutreffende Aussagen machen werden. Diese haben allerdings eine strikte Grenze: Tiefenpsychologische (genetische) Ableitungen über klar Erkennbares hinaus werden nicht versucht.

Bevor die Untersuchung in ihr systematisch aufarbeitendes Stadium eintrat, wurden alle bis dahin von Walter Kempowski erhaltenen persönlichen Daten fixiert (als Tonbandprotokolle, Notizensammlungen usw.) und fortan wie alles andere Material (Manuskripte, Archivalien) behandelt. Damit war ausgeschlossen, daß Walter Kempowski und der Untersuchende mit wechselseitigen Interpretationen aufeinander einwirkten.

Gegenstand und Methodik der empirischen Leser-Befragung

sind ganz anders beschaffen. Wir geraten dort in das Überschneidungsfeld von «neopositivistisch» vorgehender Sozialforschung (in den Erhebungs- und Auswertungsverfahren) und literaturwissenschaftlicher Hermeneutik (in der Textinterpretation und in der Datenbewertung). Um hier praktisch werden zu können, mußten wir einen ähnlichen Kompromiß suchen wie bei der Anwendung der Psychoanalyse. Dieser Kompromiß wird eingangs des betreffenden Abschnitts begründet.

Die Ausgangsfragen dieser Arbeit ergaben sich einmal aus einer früheren intensiven Beschäftigung des Verfassers mit der Arbeitsweise eines scheinbar höchst rationalen und wirklichkeitsfixierten Schriftstellers (Thomas Mann). Seitdem hat der Verfasser das Interesse für den Zusammenhang von sozialen und psychischen Bedingungen eines Autors und der *Bauweise* seiner Texte nicht aufgegeben. Ihm hat das »Ideologem von der Literatur ohne Urheber«, wie es der Übersetzer des Sartre'schen *Flaubert*, Traugott König, charakterisiert, nie eingeleuchtet. Ob man «Biographismus» betreiben darf, erscheint ihm einzig als Problem der Methoden und ihrer überlegten, vorsichtigen Anwendung. – Die zweite, komplementäre, Fragestellung nach dem Leserverhalten ergab sich aus einem Hochschulprojekt, in dem (vergeblich) versucht worden war, mit Hypothesen der Rezeptionsästhetik – in Universität und Schule – praktisch umzugehen. Rezeptionsforschung, befaßt mit einem so konkreten Vorgang wie dem Lesen von Texten und seinen Folgen, kann sich jedoch von ihrem Gegenstand her gar nicht anders begreifen als auf dem Wege zur Empirie; sonst bliebe sie eine Form der Textinterpretation. Diese Auffassung ließ uns eben auch manchen methodischen Kompromiß aushalten.

Insgesamt mag diese Studie ein Muster dafür darstellen, wie sich produktions- und rezeptionsempirische Frageinteressen und Vorgehensweisen auch den konkreten Arbeitsmöglichkeiten anpassen, wie sie «in der Wirklichkeit» existieren. Allerdings hatte sie es dort auch wieder mit dem seltenen Glücksfall zu tun, daß im Kräftefeld «Autor-Text-Leser» alle Beteiligten gleichermaßen der Untersuchung zugänglich waren. Wenn dabei insbesondere ein neuartiges und intensiveres Verständnis für das Werk Walter Kempowskis vermittelt würde, wäre das auch eine Form des Dankes für seine Mitarbeit.

Kapitel I: Kreativität

(Motivationszusammenhänge. Themenkreise. Ausdrucksversuche)

1. Vorgehen der Untersuchung

Die Untersuchung verarbeitet Informationen aus Archiv, Werkstatt und den Werktagebüchern (TB) Walter Kempowskis, sowie Gespräche (Tonbandprotokolle) mit dem Autor vornehmlich aus den Jahren 1977/78. Dabei geht sie, bestimmte Entwicklungsphasen herausarbeitend (sich artikulierende Kreativität, ihr Durchbruch zu Produktion, Entstehung von *Tadellöser & Wolff*) in den folgenden Kapiteln immer in drei Schritten vor:

a. Die jeweilige biografische Situation wird gekennzeichnet.

b. Sich herstellende Motive zu künstlerischer Produktion, ihre Befestigung in stabilen Motivationsstrukturen und schließlich ihre Wirksamkeit im Schaffensprozeß werden beschrieben und analysiert.

c. Der biografischen Passage zugehörige Themenkreise und Ausdrucksversuche/Werke werden in einem dritten Schritt vorgestellt und untersucht.

Grundsätzlich ist die Untersuchung von zwei Interessen geleitet: Kernelemente sich allmählich manifestierender, dann in Produktion resultierender Kreativität sollen herausgearbeitet werden. Es wird versucht, ihre psychologische Eigenart und ihre Wirksamkeit im Arbeitsvorgang zu verstehen und, soweit möglich, mit theoretischer Hilfe zu erklären.

2. 1956 – 1960

2.1 «Resozialisierung». Pädagogikstudium. Eheschließung

Am 7. 3. 1956 wird Walter Kempowski nach acht Jahren Haft im Zuchthaus Bautzen nach Westdeutschland entlassen. Die schon früher freigekommene Mutter nimmt ihn in Hamburg auf. Auch der Bruder Robert wird bald darauf begnadigt. Wider Erwarten

wird Kempowski im Westen nicht als politischer Gefangener aufgenommen, ist «anstelle eines Helden Wohlfahrtsempfänger»[1].
Die Verwandtschaft («de Bonsac») reagiert entsprechend kühl.
Gesellschaftliche Wiedereingliederung geschieht mittels Spenden
und staatlicher Sozialhilfen. Der Entschluß, Volksschullehrer zu
werden, scheint einmal der ökonomisch einzig zu verwirklichende,
zum andern realisiert sich damit auch die beständige Zukunfts-
phantasie während der Haft, Lehrer auf dem Lande zu sein.[2]
    In den Jahren 1956 – 1960 holt Kempowski das Abitur nach und
absolviert ein Volksschullehrer-Studium in Göttingen. Dort Bekanntschaft mit einer Kommilitonin, Hildegard Janssen, einer
niedersächsischen Pfarrerstochter, die Kempowski 1960 heiratet.
Das Junglehrerehepaar erhält eine Anstellung in der Dorfschule
von Breddorf bei Rotenburg/Ns. Diese Jahre sind gekennzeichnet
durch die schwierige Anpassung an die politisch zwar restaurative,
aber lebensweltlich neu orientierte westdeutsche Gesellschaft.
Kempowski ist belastet durch ein achtjähriges Erfahrungsdefizit
und durch das scharf empfundene Bewußtsein, sozial nicht angemessen akzeptiert zu werden.

2.2 Dispositionen und Reaktionen: Was dann produktiv wird

Kempowski reagiert auf seine Lage nicht ungewöhnlich, aber für
ihn doch charakteristisch: Er führt vom ersten Tag seiner Entlassung an Tagebuch. Das ausgeprägte Interesse an sich selbst zeigt
sich dabei in kommentarlosen Notizen von Details, die für die
gegenwärtige Situation bedeutungslos sind, ihre Bedeutsamkeit
aber offenbar daher gewinnen, daß sie mit dem eigenen Leben
zusammenhängen. Früh fällt auf, was später die Regel ist, daß die
Notizen wie auf spätere Verwendbarkeit angelegt sind: «Die Sowieso hatte ihren Pullover verkehrt rum angezogen, die Knöpfe
nach hinten.»[3]
    Hier interessiert die triviale Merkwürdigkeit, nicht die Person.
Solche Beobachtungen werden dann für *Tadellöser & Wolff* genutzt.
    Die Tagebücher 1956 – April 1960 weisen drei thematische
Stränge auf, die sich allmählich zu einer phänomenologisch gut
abgrenzbaren kreativen Motivationsstruktur zusammenschließen:
    1. Längst vorhandene charakterliche und intellektuale *Disposi-*

tionen werden erkennbar, über deren Entstehung nur schwache Hypothesen gebildet werden könnten; psychoanalytisch gesehen, würden solche Hypothesen den frühkindlichen Bereich betreffen.

2. Reaktiv auf die Haftzeit und auf die aktuelle Lebenssituation formen sich *Zonen der Erinnerung* an stabile psychische und soziale Orientierungen aus: an die Kindheit, den Vater, die Mutter, aber auch an intensive Eindrücke im Zuchthaus. Diese Reaktionen tragen zuweilen geradezu Merkmale von Regression.

3. Antreibende, zuweilen agressive, Züge tragen die Reaktionen auf soziale Kränkungen (durch die Verwandtschaft), das Schuldgefühl gegenüber der Mutter, sie ins Zuchthaus gebracht zu haben, und schließlich die Erbitterung, im Westen nicht als politischer Häftling anerkannt worden zu sein. Hier liegen die *aktuellen Motive* für Ehrgeiz und Anerkennungsstreben, auch für ein kontinuierliches Interesse an Politik.

2.2.1 *Erhöhung*

Die Tagebücher zeigen Grunddispositionen an, die – in psychoanalytischer Interpretation – sich von individualgeschichtlich recht frühen Organisationen herleiten müssen. Sie werden durch aktuelle Reaktionsbildungen zwar intensiviert, doch erklären diese nicht ihre Konsistenz und ihr Beharrungsvermögen. Nach Ausweis der Tagebücher spielen sie heute eine unveränderte Rolle. Sie drücken sich am häufigsten und besonders deutlich in Träumen und Tagträumen aus.

Sehr klar und häufig treten Träume und Tagesphantasien von der eigenen Größe auf oder von in Aussicht gestellten großartigen Erhöhungen. Ihre manifesten Inhalte zeigen zwei Tendenzen. Einmal geht es den Phantasien um soziales Avancement überhaupt, das über die erträumte Nähe berühmter Männer angezeigt ist: im Gespräch mit Kaiser Wilhelm II.[4], Chrustschow und de Gaulle («beachten mich durchaus, begrüßen mich auch»[5]), in einem Düsenflugzeug mit einem hohen Führer der Nato[6], auch beim Klavierspiel mit Bundespräsident Heuß[7]. In hochgestellten Personen manifest gewordene Erhöhungsphantasien finden ihre Entsprechung in Höhenträumen (psychoanalytisch) klassischer Art: «Ich stieß mich von den Hauswänden ab und stieg dadurch immer höher auf. (. . .) Das war in der Bismarckstraße.»[8]

Umgekehrt entspricht diesen Phantasien die überkritische Beobachtung von durch Renommé und Stellung hervorragenden Hochschullehrern, wie des Professors W.[9]. Dessen Dominanz (Konkurrenz) kann offensichtlich nicht ertragen werden. Dem setzen die Träume ebenfalls herausragende eigene wissenschaftliche Leistungen[10] und hohe akademische Beförderungen entgegen[11].

An den Notizen dieses Themas besticht das unvoreingenommen Protokollarische, in das sich keine Selbstironie mischt. Das psychische Faktum der eigenen Größenwünsche wird eben anerkannt. Es handelt sich allerdings auch nicht um bloße Volutionen. Offensichtlich werden sie getragen von einem zwar bis zur Niedergeschlagenheit irritierbaren, aber in seinem Beharrungsvermögen stabilen Grundgefühl:

> «Vielleicht war die *Einzelhaft* deshalb so unerträglich, weil man große Möglichkeiten in sich ahnte, die ungenutzt brachlagen.»[12]

Der Wunsch beruhigt sich charakteristischerweise nicht im Potentiellen:

> «Marionette im umgekehrten Sinn sein. Mit jeder Bewegung etwas wirken, gänzlich ausgenutzt zu werden, ohne Leerlauf.»[13]

Sehr früh erscheint eine Vorstellung davon, wie solch außergewöhnlich intensive «Wirksamkeit» realisierbar wäre:

> «Du willst doch immer ein Dichter sein?» (1957)[14]

Die Phantasieziele «Größe» und «Dichten/Schreiben» bleiben konstant angenähert[15], ein Traum pointiert:

> «Kafka ‹mein Großvater›»[16].

Ideen zu Gestaltungsversuchen – Filmen [17], Gedichten[18], Büchern[19] – stellen sich früh ein, teilweise werden sie aus den Traumaufzeichnungen formuliert. Retrospektiv fällt auf, daß in den Entwürfen hier bereits Kontinuität einsetzt, bestimmte thematische Trends etablieren sich; so:

> «Buchidee: ‹Hitler, wie wir ihn sahen.›» (1960)

Das dann noch häufiger bedachte Projekt wird 1973 realisiert (*Haben Sie Hitler gesehen?*). Überblickt man, wie sich jetzt auch in anderen Lebensbereichen Kempowskis Dominanzen artikulieren oder neu bilden, die später in die schriftstellerische Produktion eingegangen sind, wird man die folgende Notiz von August 1959 (die natürlich eine Lesefrucht sein kann) als Indiz für die nun einsetzende Bemühung werten, sich eigene Bestände zu schaffen.

> «Wichtig ist, daß man sich als Schriftsteller Elemente schafft, mit denen man dann, als eine eigene Welt, arbeitet, in der man lebt.»

Diese Notiz steht im unmittelbaren Kontext zu Aufzeichnungen aus der Familiengeschichte.[20]

2.2.2 Erinnerung. Regression

Nach diesen Feststellungen wird man nicht einseitig nur als Flucht aus der Tagesrealität werten, was sich als weitere Grundbewegung durch die Notizbücher zieht: *Erinnerung.* Sie stellt sich als Traum und Tagtraum ein und auch als zweckhaft erarbeitete bewußte Reproduktion. Insofern haben die Erinnerungen unterschiedliche Herkunft und damit psychologisch potentiell unterschiedliche Qualität; diejenigen aus dem Unbewußten mögen latenten Traumgedanken nur zum verbergenden Ausdruck dienen. Doch werden wir beide Erinnerungstypen gleich behandeln. Beide repräsentieren besetzte Erinnerungsspuren, von denen nur die vorbewußte, heraufrufbare, relativ unverstellt durchschlägt, die andere einem manifesten Inhalt vornehmlich das Material liefert, aber doch auch vom latenten Traumgedanken nicht absolut qualitativ geschieden ist (siehe dazu 4.3.2). Es kommt uns erst einmal auf die Tatsache an, daß beide Erinnerungstypen kontinuierlich und in Menge dieselben Inhalte haben.

Eine erste Gruppe reproduziert die Erfahrungen in der *Haft*, sie verrät die ständige psychische Bearbeitung dieses Themas, wie erwartbar: Ausarbeitungen von Episoden wie eine Freundschaft im Kirchenchor[21], Skizzen von Häftlingstypen[22], zum Vortrags- und Zirkelwesen[23], aber auch bedrängende Zwangsvorstellungen:

> «Wenn ich in meiner Stube sitze und Angst habe, dann kuck ich sofort die Tür an. Ich brauche nur die Tür anzusehen, und gleich habe ich Angst. Zellentür. Von ihr kam die Bedrohung. Sie war die einzige Bedrohung . . .»[24]

Es existieren nun aus der Zeit 1957/58 bereits kleinere Versuche, Haftthemen für eine private Zuhörerschaft in schriftstellerischer Bearbeitung darzustellen. Sie begründen zwar, auch nach dem

damaligen Selbstverständnis des Verfassers, noch nicht den Anfang einer schriftstellerischen Produktion. (Wir behandeln sie in
2.3.3.) Doch macht ihr Vorhandensein deutlich, warum manche
Hafterinnerungen in den Tagebüchern eine spürbare Gerichtetheit
aufweisen. Charakteristisch dafür sind häufige Beobachtungen wie
diese:

> «Die Zelle war so sauber wie ein mustergültiger (ausgekachelter)
> Schweinekofen.»[25]

Diese Formulierung zielt auf Wirkung. Auf die selbstgestellte
Frage «Worin unterscheiden sich die Tage in der Untersuchungs-
haft?» folgt eine penible Inventarisierung aller Tagesverrichtun-
gen, die schon eine Stoffsammlung darstellt.[26]

Wenig später – November 1959 – erscheint der Plan eines
«Bautzenbuches»[27] als Tatsache. Die künftigen Erinnerungsnoti-
zen verraten dann deutlich nicht nur den Prozeß einer psychischen
Bearbeitung der Haft, sondern sind – in Formulierung, Zusätzen
udgl. – bereits auf spätere Nutzung eingestellt.

Im Zusammenhang mit den Haft-Erinnerungen muß schließlich
noch eine Beobachtung mitgeteilt werden: Kempowski beschreibt
hier eine bestimmte bei ihm vorherrschende Form der Erinnerung.
Es ist die eidetische Erscheinungsform von Erinnertem:

> «(. . .) Ich sitze vor dem Steinway-Flügel und spiele. Und Bilder auf
> Bilder kommen von damals. Es war doch zu stark.» (1958)[28]

Auf sein ausgeprägtes *eidetisches Vermögen* macht Kempowski
später in den Selbstinterpretationen mehrfach aufmerksam. Da es
überdies mit der starken Assoziativität seines Denkens in einer
noch zu bestimmenden Verbindung steht, verdient dies frühe
Zeugnis – noch unbelastet vom Zwang, sich in diesem Bereich
selbst zu definieren – besondere Beachtung. Eine zweite Erinnerungsprovinz grenzt sich in den Aufzeichnungen gegen die Tages-
wirklichkeit ab, eine geradezu als Rekonstruktionsprozeß faßbare
Heraufrufung der Kindheit, der noch versammelten Familie, der
Person des Vaters vor allem. Auch für dies Material gilt, daß seine
funktionale Bedeutung für die sich ausbildende Motivationsstruktur Kempowskis uns nicht primär über die (natürlich auch lebensweltlich «trivialen») Inhalte an sich erkennbar wird, sondern dadurch, daß der Tagebuchschreiber sie für so wichtig hält. Und zum
anderen, analog den Größenphantasien: Gegen die Regressivität

18

der Rückorientierung bilden sich Tendenzen aus, sie durch Bearbeitung wirksam in die Gegenwart einzuführen.

Die Dominante dieser Erinnerungsgruppe ist das intensive Interesse an frühen Lebensphasen. In den Träumen tritt immer wieder so genau die Szene der Kinderjahre auf – Wohnung, vertraute Straßen, Kirchen –, daß Kempowski das später als genaue Beschreibung in *Tadellöser & Wolff* übernehmen kann[29]; so auch Tages-Assoziationen:

«Lange Straße: alte Kirchen, dabei denke ich auch an die Jacobi-Kirche, die kürzlich gesprengt wurde. Teppich-Haus Zaeck ist auch in der Nähe. Als Kind war ich mit meiner Mutter mal dort, ich weiß nicht, was da war, irgend ein Ärger oder Scham, ich glaub, wir, Mutter kaufte nichts. Sehe noch die Teppiche vor mir, war noch Kind, faßte meine Mutter an der Hand.»[30] (1959)

Noch dem Dreißigjährigen ist wichtig, was dem Vierjährigen erspart geblieben ist:

«Ich habe immer noch Angst bei dem Gedanken, meine Mutter hätte auf den Gedanken kommen können, mich in den Kindergarten zu geben.»[31]

Charakteristisch auch die aktuell orientierende Kraft der Früherinnerungen. Bei einem Selbstgespräch über die nun einmal drängende Frage, ob man auch ökonomisch wirtschafte:

«(. . .) Da brannte das Röstbrot an, und ich dachte urplötzlich an Ulli Z. in der Stephanstraße, wo wir uns oft auch Brot rösteten. Z. aber war leichtsinnig im Geldausgeben!»[32]

Das Erinnerungsmaterial zum Vater ruft prägnante Einzelzüge herauf, die Person des vor anderthalb Jahrzehnten Gefallenen gleichsam restituierend:

«Vorstellung von Tätigkeit des Vaters: Er zählt Geldstücke, Wirtschaftsgeld!»[33]

«Vater liest Zeitung und ängstigt Mutter nach dem Besuch eines Films.»[34]

(. . .) «Das Fest, auf dem Vati als Koch erschien.»[35]

Einige Träume zeigen die Anstrengung, die Tatsache seines Todes ungeschehen zu machen, eine noch lange währende Thematik in den Reproduktionen des Unbewußten.[36]

«Vati steht bei Schlachter Timm. So ist er also doch noch zurückgekehrt. Er hat in Sibirien als Gärtner gearbeitet. Schlotternde Hose mit

19

Gürtel (den er sonst nie trug). Ich begrüße ihn stürmisch, aber er scheint sich mehr für die Auslagen in der Schlachterei zu interessieren.»[37]

Insbesondere an der Person des Vaters, die nie mit gegenwärtigen Inhalten verbunden ist, immer in der alten Rostocker Umgebung vorgestellt wird, zeigt sich die primär regressive Tendenz der Phantasien; auch wichtige Personen der Gegenwart wie die eigene Verlobte werden mit in die Rostocker Kindheitsvergangenheit genommen: «Vati, Mutti und ich gehen auf den Blücherplatz, Hildegard hat sich eben von uns getrennt (. . .)»[38]. Die Grundgestimmtheit aller Familienerinnerungen dieser Zeit – Restitutions- und Geborgenheitswunsch – gibt in schöner Ausgeformtheit eine ausgearbeitete Assoziation wieder, die hier alle anderen Zeugnisse vertreten mag:

> «Kindheitserinnerung an die Schlachterei Max Müller ganz besonders intensiv. Draußen Regen, 5 1/2 Uhr nachmittags im Dezember, vielleicht Schlackerschnee, erleuchtete Schaufenster und Laternen, die sich im feuchten Pflaster spiegeln. Drinnen (denn die Straße wird mit hineingenommen) alles glänzend, die Kacheln und blanken Glasscheiben werfen strahlendes Licht zurück. Geruch zwischen Äpfeln, Gänsefleisch und geräucherter Mettwurst. Dann das Klingeln der Kasse. Säcke mit Nüssen, der Korkfußboden naß, das ist die mit hineingenommene Straße. Und die Hand der Mutter beim Hinausgehen, warm, geborgen. Und zuhause klingeln die Teegläser. Betrieb um das Abendbrot. Alle trudeln ein.»[39]

In seiner Genauigkeit und Intensität hat dies Erinnerungsbild für Kempowski hier noch nicht den Zweck, für eine spätere schriftstellerische Verarbeitung notiert worden zu sein (wie man dies für die Haft-Erinnerungen immer schon annehmen kann). Beachtet man jedoch, daß es in einer ganzen Reihe so thematisierter und ähnlich ausgearbeiteter Phantasien steht, wird später eine Eigenbewegung dieses Materials nicht überraschen. Es ist über weite Strecken bereits thematisch geschlossen und gewinnt allmählich die Rohform einer Biographie.

Wie die Größenphantasien sind natürlich auch die Kindheits-/ Familienerinnerungen durch die aktuellen lebensweltlichen Erfahrungen dieser Jahre neuer Sozialisation und der Errichtung eines tragfähigen Selbst-Konzeptes mit bedingt. Wir schätzen beide Motivationsgruppen jedoch als auf *Grunddispositionen* aufruhend ein, wofür sowohl deren Intensität und heute noch anhaltende Kontinuität spricht wie auch die noch vorzunehmende psychoanalytische Bewertung. Anders verhält es sich mit der dritten Gruppe aktuell durch Reaktion neu gesetzter Motive – Schuldbewußtsein, Leiden an sozialer Unterschätzung, Enttäuschung der in der Haft geradezu hypertrophierten Erwartungen auf Anerkennung des Erlittenen. Sie bilden die Antriebe zu kompensierenden Aktivitäten, die sich schließlich zu schriftstellerischer Produktion sammeln. Die Tagebücher verzeichnen auch hierzu die Zeugnisse.

2.2.3 *Schuldbewußtsein und Legitimation*

Die Informationstätigkeit der Brüder Kempowski für die Amerikaner hatte mit der Zeit ungewollt auch die Mutter zur Mitwisserin gemacht. Auch sie wurde zu Zuchthaus verurteilt und sechs Jahre inhaftiert. Ihre Mitwisserschaft hatte sich auf hilflose Duldung beschränkt, die politische Überzeugung, die die Aktionen ihrer Söhne begründete, war ihr kaum zugänglich gewesen. Diesem Sachverhalt war, wenn überhaupt eine Verurteilung, das Maß der Haft völlig unangemessen. Daß Walter Kempowski sich dennoch die volle Schuld an ihrem Schicksal zumißt, ist psychologisch trotzdem folgerecht. Nach der Haftzeit wird dies Schuldgefühl erhalten und genährt durch Vorwürfe der Verwandten, schließlich auch durch den sozialen Abstieg der Familie im Westen, wohin auch die Mutter entlassen worden war.

Zwei verwandte Formen der Bearbeitung dieses Schuldbewußtseins zeigen sich, beide versuchen, ihm einen «Sinn» zu geben. Schon während der Haft wird es mit Hilfe religiöser Vorstellungen zu einem Wert hochgetrieben:

«Ich versuchte gerne zu leiden (Einzelhaft). Aber immer wieder glitt mein Denken vom Rausch in die bittere Gegenwart, vom Kettensträfling zum Untersuchungshäftling.»[40]

Zu den Orientierungen, die in der Not durchgespielt wurden, gehörte

«Identifizieren mit Christus (. . .)»[41]

Die hier anklingende intensive («Rausch»-) Phantasie vom schuldlos Büßenden tritt mit einer Legitimations-Vorstellung zusammen:

«So war denn auch bei meiner Verhaftung das erste Gefühl: Sensation und Triumph. (. . .) Ich ‹jauchzte, der Beleidigte zu sein›. Gleichzeitig

21

meinte ich, meiner Welt, dem demokratischen Gedanken, einen großen Dienst erwiesen zu haben.»[42]

Hier scheint eine Identifizierung mit Schillers Don Carlos durch, «würdiger» zu sein als der Tyrann: «Du jauchztest, der Beleidigte zu sein; denn Unrecht leiden schmeichelt großen Seelen.» Die Don Carlos – Anspielung (eine durchaus beliebte Identifikations-Figur für Jugendliche, wie beispielsweise die klassische «Tonio Kröger»-Stelle zeigt) deutet an, wie sich Größenphantasien mit dem Erlebnis der «Beleidigung» und damit mit dem ethisch-politischen Verständnis der Zuchthausstrafe verbunden haben. Dieser, in den Haftphantasien natürlich hypertrophierte, Gedanke, gleichsam repräsentativ für die Demokratie gelitten zu haben, bleibt noch lange – in realistisch gedämpfter Form – erhalten. Einer der ersten Entwürfe zum Haft-Buch erwägt den Titel «Der Vertreter».[43]

Solche ethisch-politische Überhöhung von Tat und Schuld hatte, auf durchaus realistischem Hintergrund, eine unrealistische Belohnungserwartung produziert. Als diese nach der Haftentlassung durch die Nichtanerkennung als politischer Häftling tief enttäuscht wird, festigt sich eine Überzeugung des ungerecht Zurückgesetztseins. Sie trägt erheblich dazu bei, daß der Komplex «Haft» für Kempowski virulent bleibt.[44] Das wird insbesondere wirksam als Bestreben, Tat und Verurteilung nach außen zu legitimieren, eine angemessene Anerkennung der «Beleidigung» und auch die ihrer politischen Sinnhaftigkeit zu erzwingen. Die Träume zeigen besonders deutlich, in welchen Vorstellungsbereichen sich dies Motiv (Schuld und ihr Sinn) festgesetzt hat. Einmal legiert es sich mit der «Angst, von GPU-ähnlichen Institutionen neuerlich verhaftet zu werden»[45], wie überhaupt seit der Haft bestehende Verfolgungs-Befürchtungen aus dieser Richtung (= sich feindlich stellende staatliche Instanzen) noch Verstärkung erfahren[46]. Zum andern verbindet sich das Motiv mit dem Thema Kirche und Religiosität. Dies ist jetzt aufgerufen über das schwiegerelterliche Pfarrhaus und die dort erfahrene Ablehnung des ehemaligen Häftlings: Die Träume phantasieren das Motiv häufig in Kirchenräumen durch[47], und rücken Kirche als Bauwerk und als Institution mit der Haftanstalt nahe zusammen[48]. – In den Traumnotizen sammelt sich so in systematisch verschlüsselndem Zusammenhang symbolträchtiges Material.

Einen anderen, vorerst nicht nach außen gerichteten, Weg

nimmt die Bearbeitung des Schuldgefühls gegenüber der Mutter und «der Familie». Zwar gelingt offenbar die Selbstverständigung über eine «metaphysische Schuld»[49], die die empirische Verursachung überhöhte und umwertete. Das Bewußtsein der Verantwortlichkeit war jedoch damit nicht zum Schweigen zu bringen. Hier bildet sich ein starkes Motiv, in dem sich die Schuld-Sinn-Frage auf die Familie verengt. Es wirkt bald nachdrücklich auf den Bereich der Erinnerungsphantasien mit ihren doch genetisch früher und anders begründeten Restitutions- und Geborgenheitswünschen ein. 1958 erscheint in einem Traum erstmals die Gestalt des «Restaurators», den die Kirchenbehörde gerufen hat. Offensichtlich soll er Namen und Bilder wieder freilegen, die im Laufe der Zeit zugedeckt worden waren.[50] (Wie noch zu zeigen sein wird, wertet Kempowski dies als Schlüssel-Phantasie, als er später an eine Auswertung seines Traummaterials geht.) «Restaurieren» als Auftrag, Schuldabtrag wird zu einem Leitthema der Aufzeichnungen. Spätere Überlegungen werden das scheinbar Metaphorische von Zitaten wie dem folgenden nehmen, das aus der Zeit der Entstehung einer Familienchronik stammt:

> «Ich habe die Familie zerstört, nun suche ich sie auf Papier wieder aufzubauen.»[51]

Als Kommentar zur Rekonstruktion der mütterlichen Lebensgeschichte findet sich:

> «So wäre dann also mein Bemühen um die Biographie ein sublimiertes Schuldgefühl.»[52]

Schuldbewußtsein, die Versuche, es aufzuwerten («metaphysische Schuld») und die daraus folgenden Kompensationsanstrengungen sind die dominierenden Antriebe, die Erinnerungsfelder «Haft» und «Kindheit/Familie» – die an sich heteronom und eigenständig auftauchen – so zu bearbeiten, daß ihnen Argumente für die eigene Rechtfertigung abgewonnen werden konnten. Solche Absichten allein setzen noch kein kreatives Potential frei. Sie bedeuten aber starke Anreize und schließlich auch eine Kraftquelle, die eine im Grunde anders motivierte Kreativität im Experimentieren, im Scheitern und wieder Neuanfangen unterhält, bis dereinst die stabilisierte Lust an der Produktion diese Kraftquelle allmählich zu ersetzen vermag.

2.3 «Knast» und Familienerinnerungen. Pläne, Stoffsammlungen und erste Schreibversuche

Die Jahre 1956 bis 1960 bringen noch keine zielgerichtete kontinu-
ierliche Produktion. Sie sind Latenzzeit, ausgefüllt mit intensivem
Sammeln von Material zu den beiden großen Themen, die die
Tagebücher so reichlich und präzise kennzeichnen: die achtjährige
Zuchthauszeit und die Rekonstruktion der Rostocker Jahre der
Familie Kempowski. Einige Ausdrucksversuche zum Haftthema
werden zwar unternommen, doch handelt es sich um Skizzen in
schlichtem Wiedergabe-Realismus, die noch keinen ästhetischen
Ausdruckswillen verraten – mit einer Ausnahme, in der ein Sym-
bolisierungsverfahren versucht wird. Diese Experimente verraten
uns noch wenig darüber, wie ein kreatives Potential zu Produktion
gelangt, wohl aber interessiert der Mitteilungskern dieser Texte,
mit denen Kempowski sich erstmals an ein Publikum wendet: Als
Ausdruck der Größenphantasien ist er völlig verschieden von dem,
was später die in dieser Hinsicht gänzlich neutralen Vorfassungen
des *Block* und schließlich dieser selbst mitteilen wollen. Die psychische Grundspannung, wie sie aus den Tagebuchnotizen deutlich
wird, unterhält als Vorform von Produktivität ab 1957 eine oft
erregte Sammeltätigkeit und die sich erst allmählich artikulierende
Planung eines «Buches über Bautzen». Daß sich ab 1959 unter der
Hand (und heute als zusammenhängende Entwicklung rekonstruierbar) auch die Konzeption eines Familienromans herstellt, bleibt
Kempowski noch lange Zeit verborgen.

2.3.1 Pläne zum «Bautzen-Buch». Die Mutter erzählt. Eine Fami-
lien-Chronik entsteht

Daß ein Häftling, der eine wichtige Entwicklungsphase seines
Lebens in der Subkultur einer «totalen Institution»[53] verbracht hat,
«ein Buch darüber schreiben» will (soweit ihm diese Mitteilungsform persönlich erreichbar scheint), mag sozialpsychologisch eine
Notwendigkeit sein. Kempowski bezeugt, daß viele seiner Mithäft-
linge diese Absicht noch Jahre nach der Entlassung nicht aufgegeben hatten. Unter den Gründen für diese Notwendigkeit heben
sich zwei hervor: Die Leiden und die als werthaft empfundenen
Erfahrungen sollen über die Veröffentlichung sozial anerkannt

und damit dem Betroffenen als sinnvoll bestätigt werden. Zum anderen, eng damit zusammenhängend, soll die entstandene Differenz zwischen sozialer und Ich-Identität[54] wieder auf das gesellschaftliche Normalmaß zurückgeführt werden, das Stigma des Zuchthaushäftlings etwa durch eine nicht diskreditierte Begründung der Verurteilung (als irrtümlich, unangemessen, «politisch») aufgelöst werden. In der Regel entstehen aus solchen Motiven allenfalls informative Haftberichte mit moralischem Appell wie Eva Müthels *Für Dich blüht kein Baum*. Daß daraus ästhetisch eigenwertige Texte hervorgehen, ist schließlich doch nur mit einer heteronomen Grunddisposition zu Kreativität und mit dem Einschießen ganz anders gelagerter persönlicher Motive in die Absicht «darüber zu schreiben» erklärbar.

Auch Kempowski hat gleich nach seiner Entlassung Pläne, das Thema der Haftzeit für ein Publikum zu bearbeiten. Einige Schreibversuche werden angestellt. Sie scheitern im Darstellungsverfahren. Ein für längere Arbeit zureichender Schreibimpuls stellt sich nicht her. So nehmen die schriftstellerischen Pläne einen – möglicherweise kreativitätspsychologisch charakteristischen – anderen Verlauf. Wie gezeigt, ergaben sich auch für Kempowski bald soziale Legitimationszwänge, das «Stigma» des ehemaligen Strafgefangenen haftet ihm an, auch das des verschuldeten sozialen Abstiegs. Der nächste und dringendste Weg einer Problemlösung hierfür war allerdings erst einmal die Erringung einer neuen persönlichen und sozialen Identität über Studium, Heirat und Beruf. Für die Jahre 1956 bis 1959 konstatieren wir zwar eine intensive Erinnerungsproduktion an die Haftzeit, die in den Tagebüchern allmählich eine Fülle von bearbeitungsfähigem Material bereitstellt. Auch finden sich ab 1959 darunter verstreut Überlegungen zu seiner schriftstellerischen Darstellbarkeit: «Die Einzelschicksale auch wirklich einzeln beschreiben (. . .)»[55], schließlich ein erster Werkplan: «Buch über Bautzen»[56]. Dazu will erinnert werden, daß als Realisierungschance für die Größenwünsche ganz früh schon notiert wird: «Du willst doch immer ein Dichter sein?» (1957)[57]. Doch die Motivationsstränge laufen noch nicht zusammen. Als sei es ein völlig neuer Einfall, taucht 1961 im Tagebuch auf: «Buchidee: ‹Im Gefängnis›»[58].

Der Grund für diese lange Inkubationszeit des Haftbuches liegt einmal in der Erprobung von Darstellungsmodellen, die die Unterbringung der Realerinnerungen nicht zulassen, wie bald gezeigt werden wird. Insbesondere aber wird der Verlauf der Vorgeschichte des *Block* (und implizit des *Tadellöser*) bestimmt durch die Informationen, die Kempowski von seiner Mutter erhält. Ursprünglich hatte er sie zu ihrer eigenen Haftzeit befragen wollen. Dies Thema war für ihn außerordentlich stark mit Schuldgefühlen besetzt; noch im *Block* vermag er es nicht zu bearbeiten (und kann das erst ab 1974 im *Kapitel für sich*, als zeitliche Distanz und das über gelungene schriftstellerische Produktion und öffentliche Anerkennung entstandene Bewußtsein, Schuld abgetragen zu haben, es erlauben)[59]. So läßt es Kempowski zu, daß die Mutter in ihren Berichten sich bald ihren früheren Lebensphasen zuwendet. Sie diktiert sie ab 1957 und bald auf Tonband, das dann Erzählführung, Intonation und die vielen alltagssprachlichen Wendungen im Original festhält. Die Tonbandprotokolle weisen Material zum mütterlichen Elternhaus, zu ihrer Hamburger Jugend, der Eheschließung wie höchst detaillierte Erinnerungen zum Familienleben in Rostock auf. So liefert die Mutter den Realkontext zu den Kindheitsträumen des Tagebuchschreibers (und stimuliert diese Traumthematik sicherlich auch). Zum Vater:

> «Eigentlich hätte Vati studieren müssen. Der hatte ja viele Interessen, 'n gutes Gedächtnis. Hatte eine erstklassige Allgemeinbildung. Wenn er in irgend eine Stadt kam, er besorgte sich gleich über die Geschichte der Stadt ein Buch, einen Plan, und dann eroberte er sich sozusagen die Stadt, indem er sich eben alles ansah, Museen und Kirchen und alles, was sehenswert war. Und dies Interesse hast Du, glaube ich, geerbt von ihm. Er liebte seine Heimatstadt und Du ja schon als kleiner Junge. Nachmittags verschwandest du plötzlich und das, was ihr in Heimatkunde durchgenommen hattet, hast du dir persönlich angekuckt. Als ganz kleiner Stippke. So hattest du die lateinische Inschrift am Steintor entdeckt und schlepptest Vati damit hin und der mußte dir das übersetzen (was er übrigens auf Anhieb konnte). Musik war ihm alles. (. . .)» (Mitte 1959).

Solche Beschreibungen werden später den Erzählstoff des *Tadellöser* abgeben (vgl. hier *Tadellöser*, 21), ihr Redestil genau referiert werden («eigentlich hätte Vati studieren müssen»). Es spricht in den Jahren bis 1960 jedoch nichts dafür, daß Kempowski die Eignung des Materials als Erzählvorwurf deutlich wird, der sich als Alternative zum Haft-Buch anböte. Fasziniert ist er allerdings (1959) bald von der Rekonstruktion der Familiengeschichte, zu der sich die biographischen Schilderungen der Mutter auswachsen. Hier treffen sich die durch die Träume als so intensiv markierten

Motivationslinien «Erinnerung» (Kindheit, Familie), «Schuldbewußtsein» (gegenüber der Mutter) und Legitimationsdruck und
finden eine erste Möglichkeit, bearbeitet und vor einer (begrenzten) Öffentlichkeit ausgedrückt zu werden. Kempowski faßt 1954
den Plan, eine gemeinsame Chronik der elterlichen Herkunftsfamilien zu erstellen. Die Absicht ist leichter zu konkretisieren als
die ebenso vagen wie anspruchsvollen Spekulationen zum Haft-
buch, die sich offensichtlich eng mit den Größenphantasien verbunden hatten. Das Thema «Haft» bleibt nach Ausweis der Tagebücher zwar durchgängig und intensiv, es existiert ja ein erster
Werkplan aus eben dem Jahre 1959, auch werden weiterhin Informationen dazu gesammelt. Doch es wird überdeckt von dem neuen
Projekt, das machbar war, ohne den eigentlichen schriftstellerischen Ehrgeiz zu berühren, und in das doch ein gut Teil der
psychischen Grundspannung abfließen konnte. Wie nur einer aus
der großen Zahl der Familienforscher legt sich Kempowski ein
Archiv an, das sich rasch füllt: mit Zeugenberichten aus Verwandtschaft und Bekanntschaft, Fotos, Dokumenten, Requisiten. Das
Ziel (wie es schließlich auch realisiert wird), eine Chronik im
seriösen, leicht gespreizten, Berichtston wird dabei von der Art der
Sammeltätigkeit in anderer, noch nicht nutzbarer, Richtung unterlaufen:

Kempowski provoziert recht persönlich gehaltene Interviews
(oft auch auf Tonband), erhält auf Anfragen Schilderungen lebens-
praktischer Details («Das ganze Filet ihrer Gardinen machte sie
selbst»), schließlich immer wieder Personenbeschreibungen. Wieder zum Vater; eine alte Freundin der Familie:

> «Dabei war er sehr geschickt, wunderbar las er Fritz Reuter. Er konnte
> sich auch gut unterhalten, aber manchmal schien es so, als käme er mit
> sich selbst nicht zurecht. Wir hätten gerne mal gehabt, daß er uns auf
> dem Klavier etwas vorspielte, aber das tat er nie. ‹Das ist nur so für den
> Hausgebrauch›, sagte er dann.»[60]

Kempowski nimmt mit seiner Enquete bis in Einzelzüge Verfahren
vorweg, die heute weithin in der «ethnographisch» vorgehenden
Soziologie, aber auch in einer Kunsttendenz der siebziger Jahre,
der fiktiv wissenschaftlichen «Spurensicherung», gebräuchlich
sind: eine Erforschung vergangener Lebenswelt aus den Abdrük-
ken, die das historische Individuum in ihr zurückgelassen hat.
Noch einmal hervorzuheben: Neben der gesicherten Realie kann

der Chronist oft auch den Redestil konservieren, in dem sie bezeugt wird. Insbesondere das Inventar der eigenen Kindheit erhält dem Rechercheur die Sprache, in der damals zu ihm gesprochen worden war.

Die *Familiengeschichte der Collasius, Hälssen, Kempowski, Nölting* kann der Chronist 1961 den Verwandten vorlegen. Sie besteht aus fünf Bänden Vervielfältigungen und legt genaue Rechenschaft ab über die genealogischen und ökonomischen Schicksale vierer gutbürgerlicher Familienzweige. Zurück behält Kempowski 45 Hefte mit Zeugenberichten vor allem zur eigenen Familie, mehrere Ordner mit Dokumenten, Zettelkästen, Fotomappen – und vor allem das stete Interesse an der Fortführung des Familienarchivs, die (bis heute) mit seltener Zähigkeit vorangetrieben wird.

Die Verwandtschaft reagiert beifällig. Auch ein integrierender Effekt macht sich bemerkbar, selbst entfernte Familienkontakte werden intensiver, die Restfamilie Kempowski ist wieder aufgenommen. Der Nachweis gutbürgerlichen Abstammungshintergrunds verfehlt auch auf die schwiegerelterliche Familie nicht ihre Wirkung. Nach Studium, Heirat, Beruf war so etwas wie ein Abschluß der Resozialisierung Kempowskis erreicht, auch die Familie war «auf dem Papier wieder aufgebaut»[61].

Der schriftstellerische Ehrgeiz, von mächtigeren Motiven unterhalten, hatte allerdings noch wenig profitiert. Das «Buch über Bautzen» ist noch nicht einmal begonnen. Die Schreibversuche bisher sind durchweg gescheitert.

2.3.2 Kontext. Ertrag des Studiums für die schriftstellerische Produktion: Literarische Formanalysen. Pädagogisierung der Hafterfahrung

Die Latenzzeit 1956 bis 1960 brachte literarische Orientierungsmöglichkeiten, Nachahmungsangebote (wie Kafkas Romane) als auch die präzise analytische Beschäftigung mit Verfahren ästhetischer Darstellung. Das Zeugnis für eine solche Formanalyse soll hier vorgeführt werden, da sie bereits ausgebildete Fähigkeiten Kempowskis deutlich macht, auf die er sich aber zu eigener Produktion noch nicht verlassen mag.

Aus der Studienzeit Kempowskis liegen zwei Göttinger Arbeiten vor, die in die hier behandelte Phase gehören: eine Seminararbeit zu Borcherts *Draußen vor der Tür* («Versuch einer Form- und Sinndeutung») und die Examensschrift *Pädagogische Arbeit im Zuchthaus. (Ein Erfahrungsbericht)*, beide aus dem Jahr 1959.

Die Seminararbeit zu Borchert interessiert hier, weil sie ein erhebliches Maß kritisch-analytischer Einsicht in ein poetisches Verfahren zeigt und es mit literaturwissenschaftlichen Mitteln darstellt. Man sollte zwar die rituelle Einleitung dazu nicht überbewerten, sie findet sich in vielen der damaligen «werkimmanent» ausgerichteten Analysen:

> «Wir wendeten uns in besonderem Maße der Deutung der Form zu und tasteten uns, in der Beschäftigung mit den ihr innewohnenden Gesetzen, an den Sinn heran.» (S. 1)

Für eine intensivere Beschäftigung Kempowskis mit einer «werkimmanenten» Beschreibungsmethode, etwa der, wie es in Göttingen nahegelegen hätte, Wolfgang Kaysers, findet sich dann auch kein Zeugnis. Es sollte aber berichtet werden, daß Kempowski eine exakte Darstellung der Dialog- und Szenenstrukturen gelingt und er dabei eine ausgeprägte Neigung zur schematischen Rekonstruktion zeigt. Das Ineinandergreifen der Szenen und die Personenkonfiguration werden in Tabellen und graphischen Verlaufsdarstellungen erfaßt, wobei stimmigerweise auf Borcherts Expressionismus kaum eingegangen wird. Zumindest auf der Analyseebene beweist Kempowski bemerkenswertes konstruktivisches Geschick, das erheblich über einer nun einmal abgeforderten Seminarleistung liegt. Dies ist bemerkenswert, weil sich für Kempowskis eigene Ausdrucksversuche hier bereits die Möglichkeit zeigt, die Bearbeitung seines Stoffes an vorentworfenen Konstruktionen (der thematischen und inhaltlichen Verteilung) zu orientieren, wie er es dann zu *Tadellöser* praktiziert.

Das Zitat fährt mit einer Begründung für das formalistische Vorgehen fort, die insofern interessant ist, als sie vorwegnimmt, womit Kempowski später seine degagierte Darstellungsweise begründet:

> «Die Deutung des Sinns beschränkten wir auf das Notwendigste, da wir eine Gefährdung der gebotenen Sachlichkeit durch starke subjektive Anteilnahme fürchten.»

Man sollte das Zitat nicht pressen, in ihm etwa schon den Ansatz eines ästhetischen Programms sehen wollen. Eine wenn auch nicht überraschende Grundbefindlichkeit spricht es jedenfalls aus:

Kempowski findet noch schwer Distanz zu Inhalten, die ihn unmittelbar biographisch betreffen. Die Examensarbeit bot Kempowski die erste Gelegenheit, sich über seine Hafterfahrung vor einer Instanz, dem hier gutachtenden Hochschullehrer, objektivierend zu äußern. Akademischer Beschreibungsstil und die Kategorien der Reformpädagogik – vor allem auf «Entwicklung» und «Persönlichkeit» angelegt – zwangen allerdings zu Verzicht auf das veristische Detail und zu idealisierender, auf «inneren Zusammenhang» bedachte, Interpretation – zu Herstellung von «Sinn»:

> Neben der Situationsschilderung «wurde die innere Entwicklung des Verfassers, die eine wichtige Voraussetzung seiner späteren Tätigkeit war, angedeutet» (S. 5).

Gemeint ist die beabsichtigte Tätigkeit als Pädagoge. Insofern bringt Kempowski eine Art Teleologie in seine Haftzeit, die wohl nur in der auswählenden und deutenden Retrospektive ihre Wahrheit hat. So wird die «Arbeit am Kirchenchor» des Zuchthauses, die im literarischen Ausdrucksversuch *Das Auge* (1958) sich mit Größenphantasien verbindet («Ich führe eine Gemeinschaft nach meinem Willen»), hier zu einer pädagogisch-formerischen Leistung. Auch die im Versuch *Knast* (1958) durchphantasierten übergroßen Belohnungen für das Erlittene werden jetzt unter den pädagogischen Aspekten von «Erfahrung» und «Reifung» ethisiert:

> «Die Haft erschien mir . . . als eine große Gnade, die mich verpflichtete. Diese Verpflichtung, dessen war ich gewiß, hatte ich eines Tages einzulösen.» (S. 6)

Diese Verpflichtung soll fortan im Erzieherberuf abgegolten werden.

In der Examensarbeit organisierte Kempowski seine Erinnerungen jetzt konsequent mit pädagogischen Deutungsmustern. Natürlich sind hier die Umstände – Studium und künftiger Beruf – als äußere Steuerung zu veranschlagen, die die Realerinnerungen umformt. Man wird ja auch sehen, daß für Kempowski diese Sinngebungsebene nicht ausreicht. Aber, das ist das Folgenreiche, sie bleibt immer als mögliche erhalten. Es muß also festgehalten werden, daß die erste geschlossene Darstellung und Deutung der Bautzener Jahre sich an Konzeptionen der Reformpädagogik ausrichtet. Das ist werkbiographisch deshalb wichtig, weil die später von Kempowski behauptete doppelte Absicht, berichterstattend zu erziehen, allzu leicht als künstlerisches Element einer öffentlichen Rolle als «Volksschullehrer und Schriftsteller» denunzierbar ist. Auch als ständig mitlaufendes Deutungsangebot zu den weiteren ästhetischen Darstellungsversuchen muß die Pädagogisierung (hier des Bautzen-Stoffes) beachtet werden.

2.3.3. *Die Hafterfahrung: Ausdrucksversuche 1957 bis 1958*

In einigen Skizzen[62] und einem längeren Fragment *Knast*[63] hat Kempowski in diesen beiden Jahren schon versucht, wichtige Erfahrungen der Haft auszudrücken. Er faßt sie in nüchternen Berichtsstil oder experimentiert mit der Erzählform und versucht sich schließlich auch in symbolisierender Verschlüsselung. Dabei gelangt er jedoch zu keinem tragfähigen Darstellungsverfahren, an dem weiterzuarbeiten sich gelohnt hätte. Eine intensive Anstrengung, sich eine ästhetische («literarische») Ausdrucksmöglichkeit anzueignen, unternimmt Kempowski erst ab 1960.

An dieser ersten Probierphase interessiert uns jedoch zweierlei: die Selbstdarstellung und der Grund, warum Kempowski seine Versuche verworfen hat.

Die Selbstdarstellung in allen Texten hat einen gemeinsamen Kern. *Es soll mitgeteilt werden*:

«Ein junger Mann ist zu Unrecht in der Gefangenschaft einer anonymen Macht. Er ist durch besondere Gaben dieser Macht und seinen Mitgefangenen überlegen. Dieser Häftling bin ich.»

Hier sollen die Größenphantasien ihren Ausdruck finden, wie sie aktuell bestehen und sicherlich auch während der Haft (und dort wohl noch intensiver) bestanden haben.

2.3.3.1 *Wiedergabe-Realismus.*

Im Fragment *Knast* schränkt der Berichtsstil, der unmittelbar Historisches und vom lebenden Autor zu Vertretendes verbürgt, die Darstellung der eigenen Besonderheit stark ein. Sie wird hauptsächlich über die seelischen Anstrengungen vermittelt, mit denen sich der Gefangene in seiner Lage einrichtet.

«Ich beschäftigte mich mit mir selbst, d. h., ich wollte ergründen, was oder wer ich sei.»[64]

31

Der Kontext gibt auf Realerinnerungen beruhende Episoden aus dem Zuchthausalltag, Verhaltensskurrilitäten, beschreibt das Funktionieren einer totalen Institution.

Auch die als Er-Erzählung gehaltenen Skizzen haben offenen Mitteilungscharakter und verlassen sich auf die Wirkung des Dargestellten. Der Text teilt, auch was an Sinn bedeutet werden soll, ausführlich mit und läßt dem (intendierten) Leser keinen semantischen Spielraum. Vordringliche Wirkungsabsicht ist, den Leser an der psychischen und materiellen Notsituation der jeweiligen Hauptperson so zu engagieren, daß er wahrnimmt: Diese Person reagiert auf «besondere», «geistige» und andere überlegene Weise auf ihre Lebensumstände:

> «Klaus-Peter wunderte sich über das alles. (. . .) Kerle wie Schränke waren schon 'rübergegangen, und er, der Schmächtige, Verzärtelte, lebte immer noch. Er lag tagsüber mit verdecktem Gesicht auf der Pritsche und sann, oder schaute aus dem Fenster, hinüber zu den fernen Bergen.»[65]

> «Die Pritsche war für seine Beine etwas zu hoch, er mußte sich nach vorne beugen, wenn er bequem sitzen wollte. Er war aber gezwungen, auf den Terrazzofußboden zu starren. Die schwarzen und weißen Steinchen, so kraus und zufällig sie auch nebeneinanderlagen, schienen ihm eine Sprache zu bergen, um die man sich bemühen müsse, um von ihr unterhalten zu werden.»[66]

Kempowski setzt hier auf die Wirkung des literarischen Typus des Unrecht erleidenden Helden, durch dessen geistige Anstrengung und Sensibilität die Dinge höhere Bedeutsamkeit gewinnen. Im Gegensatz zum Inhalt dieser Mitteilung steht ihre Darstellung. Sie ist bis in die Wortwahl klischeehaft. Das Verfahren stammt aus einem abgegoltenen Repertoire und beschreibt überdies eine stereotype Situation, die längst verbrauchtes Muster der Haftliteratur war.

Aus dem Wiedergabe-Realismus der Texte von 1957/58 heraus fällt eine Passage in *Zelle*[67]. Der Gefangene hat seine Lage auf der Pritsche verändert, möglicherweise gegen das Reglement; er wartet auf die Reaktion des Wärters hinter der Zellentür:

> «Nun mußte abgewartet werden, was das Guckloch zu dieser neuen Stellung sagte. In wenigen Minuten mußte es erscheinen. Das Loch öffnete sich und sah ihn an. Es schien zu überlegen. Zögernd wurde es halb wieder geschlossen, öffnete sich aber wieder. Dann aber wurde diese Art zu sitzen doch wohl genehmigt, denn der Schieber ging energisch zu.»

Natürlich ist auch dies eine oft beschriebene Grundsituation: Hier der Gefangene, dort das anonyme Wächterauge. Auch die Technik, diese Anonymität durch Personifizierung des Requisits auszudrücken, ist hier ebenso psychologisch plausibel wie schon lange tradiert. Diese Verschiebung liegt auf der Bedeutungslinie, der Gefangene wisse «geistig» sich aus der Haftsituation «etwas zu machen». Daß jetzt allerdings das explizite Textsignal fehlt: «der Häftling macht folgende Beobachtung», sondern die Personifikation im Indikativ erscheint, gibt die Möglichkeit eines anderen Darstellungsmodus. Wir haben hier ein thematisches Grundmotiv, das den Kern und Ansatz symbolisierender Darstellung bildet, die Kempowski ebenfalls in dieser Schreibphase versucht.

Dies Grundmotiv kehrt in Kempowskis schriftstellerischen Versuchen bis hin zur Endfassung des *Block* wieder. Wir werden es zur Charakterisierung der stilistischen Zwischenstufen in seinem jeweiligen Darstellungsmodus interpretieren. Darüber hinaus hat es indiziellen Wert dafür, wie Kempowski seine Selbstdarstellung verändert (das Einbringen der Mitteilung von der Besonderheit des Häftlings unter dem Einfluß der Größenphantasien). Es wird der interessante Vorgang zu konstatieren und später zu begründen sein, daß der Autor allmählich «sich selbst» rigoros zurücknimmt, die Besetzung seiner Person scheinbar abzieht.

2.3.3.2. *Symbolisierung*

Den für Haftberichte klassischen Gegensatz «Guckloch/Wächterauge vs. Häftling», der ja viel Raum freigibt für Konnotationen zum Thema «Gefangenschaft vs. Freiheit», übersetzt Kempowski in ein Bedeutungsfeld, das ihm ein 1958 notierter Vergleich einträgt. Dieser findet sich in *Knast* verarbeitet. Die Fahrt ins Gefängnis:

> «Was ich empfand, wohnte zwischen Sensation und Katastrophe. Ich war mit einem Käscher herausgefischt und in ein fremdes Bassin gesetzt.»

Metaphorisch werden hier die Merkmale von «Haft/Zelle» und «Aquarium» (= «Bassin») miteinander vereinbart: Eingeschlossenheit, räumliche Enge, durch Glas zu beobachten usw. Die Skizze *Das Auge* (1958) ist dann das Ergebnis symbolischer Ersetzung von Elementen der Haftsituation mit dem Ziel der Komprimierung auf eine Sinnfigur für die gesamte Hafterfahrung.[68]

Das Auge (1958)

«Blaugekochte, aber lebendige Fischchen standen unbeweglich im Raum. Das Wasser war kalkig grün – blau und von winzigen Bläschen durchsetzt, als stünde es kurz vorm Sieden.

In der Mitte schwebte ein quallengroßer Augapfel,
5 ernst, wie ein Schweinsauge, von dem man sich die
Wimpern fortdenkt. Sehnen und Äderchen hingen hinten
herunter, als sei es erst kürzlich ausgerissen. Der
ernste Ausdruck enthielt etwas Beleidigtes. Mit den
Sehnen und Äderchen, die hinten herabhingen und leise
10 hin- und herpendelten, bewegte es sich zuweilen ein
wenig. Ob es sich nun etwas zur Seite oder nach oben
wandte, die gekochten Fischchen folgten ihm mit kleinen
Bewegungen ihrer abstehenden, erstarrten Flossen, als
müßten sie beobachten, wes Sinnes das Auge geworden sei.
15 Als hinge von einer Sinnesänderung Befehl, dem es eilig
zu folgen gälte, oder irgendein Urteil ab.
Das Auge indessen äußerte sich nicht.
Durch ein kleines, mit Glas verschlossens, rundes
Loch konnte man in den Raum hineinsehen. Das Loch war
20 von außen mit einem kleinen Metallschieber versehen. Der
Schieber wurde in diesem Augenblick sacht zur Seite
geschoben und ein Menschenauge erschien in der kreisrunden Öffnung.
Darauf hatte das große Auge gewartet. Je länger das
25 Menschenauge hineinschaute, desto deutlicher wurde die
Geringschätzung, mit der das große, selbstsichere
Auge auf das andere blickte. (. . .)
Das große Auge schaute dem Treiben unbewegt zu, im Begriff, sich gelangweilt abzuwenden.
30 Dem Menschen aber, der von außen hineinsah, war es,
als schlössen sich die feuchten, muskulösen Mäuler
der andrängenden Fischchen saugend um seine Finger.
Der Mensch war aber nicht angewidert oder erschreckt.
Er war beunruhigt, weil er unverständliche Forderungen
35 an sich gestellt sah und weil er die Tierchen nicht
lieben konnte. Andererseits verdeckten sie ihm die
Sicht.
Auch wenn er sich auf die Zehenspitzen stellte, er
konnte das große Auge nicht mehr sehen. (. . .)»

34

Am Text interessieren die Verschiebungen in der Entsprechungs-struktur zur erinnerten Realsituation und – rezeptionsästhetisch – der Fortfall der Symbolreferenz, das Symbol hat keinen Beziehungshintergrund.

Die symmetrischen Entsprechungen dürften evident sein: Die gekochten, dennoch lebendigen Fischchen, die sich saugend an den indifferenten Menschen hinter der Tür zu hängen scheinen, stehen für die haftzermürbten Gefangenen und ihre Beziehung zum freien Wächter. Für den «quallengroßen Augapfel» aber gilt das nicht. Er steht für die «Helden» (also immer für das *Ich* des Autors) der realistischen Schreibversuche, wie ja bereits über den aus dem «Knast»-Bericht eingegangenen Vergleich (7: «Mit dem Käscher herausgefischt»=«als sei es erst kürzlich herausgerissen worden») deutlich wird. War jenen schon «geistige» Besonderheit und Überlegenheit über die Umstände zugeschrieben, kann das jetzt im Symbol potenziert werden. Mit den Zuschreibungen: «etwas Beleidigtes» (8), «Geringschätzung» (26), «gelangweilt abwenden» (29), auch durch seine Quallengröße wird dem «großen selbstsicheren Auge» (27) Dominanz über das kleine Menschenauge verliehen. Überdies schon, als die «gekochten Fischchen» es als Führer ansehen (11–17). Das Symbol trägt also im Vergleich mit der Hauptperson der realistischen Texte ein erhebliches Maß an Größe und Macht. Psychologisch vertritt es Vorstellungen aus dem Bereich des Größen-Selbst, die hier über die Lizenzen symbolischer Darstellung zum Ausdruck kommen können. Die uns bereits bekannte Auffassung von Schuld und Strafe findet ihre angemessene Dimension:

> «So war es denn auch bei meiner Verhaftung erst das Gefühl: Sensation und Trimph. (. . .) Ich ‹jauchzte, der Beleidigte zu sein›. Gleichzeitig meinte ich, meiner Welt, dem demokratischen Gedanken, einen großen Dienst erwiesen zu haben.»[69]

Die *Don Carlos*-Phantasie des vom Tyrannen «Beleidigten» (vgl. 8) findet ihr Unterkommen, auch die des politischen «Stellvertreters»[70], der für den russischen Wächter nur «Geringschätzung» (vgl. 26) hat, dann der Wunsch, sozial zu dominieren. «Ich führe eine Gemeinschaft nach meinem Willen», lautete eine Notiz zum «Bautzen-Buch» (den Kirchenchor betreffend).[71]

Festzustellen ist, daß die symbolische Konfiguration der Skizze *Das Auge* ein ungleich höheres Maß an Ich-Idealisierung aufnehmen kann, als dies die auf realistische Wiedergabe angelegten Darstellungsweisen vermochten. Die Frage ist, ob sie diesen Mitteilungskern auch vermitteln konnte. Unsere Hypothese ist, daß Kempowski die symbolische Darstellungsweise vordringlich deshalb aufgibt, weil sie keine zureichende Rezeption garantierte. Wohl konnten die durch Konfiguration ausgedrückten Motive (Überlegenheit usw.) vom Leser verstanden werden. Die Entsprechung zur Haftsituation (damit der biographisch-persönliche Bezug) kann sich dem nicht vorinformierten Leser jedoch nicht mitteilen, sie war nur für den Autor gegeben.

Natürlich wäre es möglich gewesen, durch einen Kontext die fehlende Symbolreferenz herzustellen. *Das Auge* hätte beispielsweise als Größentraum des Gefangenen eingeblendet werden können. In dem realistischen Fragment «Knast» findet sich eine Stelle, aus der sichtbar wird, welche Konsequenzen das notwendig gehabt hätte. Kempowski berichtet über seine Tagträume in der Haft:

> «Man erkennt meine Unschuld, verleiht mir Würden und Orden, läßt mich vor einem ergriffen lauschenden Publikum Reden halten oder legt mir nahe, mit Rücksicht auf die Staatsraison ein stilles Landhaus zu beziehen. (. . .)
>
> Nicht immer fiel mir ein Ansatz für solche Träume ein. Nach immer ungeheuerlicheren Vorstellungen erschöpfte sich meine Phantasie allmählich.»[72]

Mit ihrer Kennzeichnung als Tagtraum wird die Größenphantasie hier für den Leser zum verständlichen Haftsymptom. Diesem Tagtraum hätten sich «Mitträumer» (Sachs 1924) verweigert, weil er als private Phantasie zu deutlich ausgewiesen war. In dieser Relativierung hätte die Symbolik der Skizze *Das Auge* ihre hochgradige psychische Besetzung ebenfalls nicht mehr transportieren können.

Kempowskis Versuche enden in einem Dilemma: Die Symbolfiguration kann den Mitteilungskern (Präsentierung des Größen-Selbst) voll aufnehmen, aber nicht mitteilen. Die realistischen Darstellungen wiederum können ihn nur relativiert aufnehmen, sofern sie bei der (überprüfbaren) äußeren Wahrheit bleiben wollen.

Kempowski hat den Versuch einer absoluten Symbolisierung nicht mehr unternommen. Die den Text *Das Auge* aufbauenden thematischen und strukturellen Elemente hat er allerdings nicht aufgegeben, sondern versucht, ihnen mit anderen Verfahren Geltung zu verschaffen. Es wird dabei dann die Differenz abzumessen sein, die sich notwendig herstellen mußte zwischen der im *Auge* noch einschränkungslos ausgedrückten tatsächlichen biographisch-psychischen Besetzung und dem jeweiligen Darstellungsmodus, der sich aus Rücksicht auf den «intendierten Leser» ergibt.

2.3.4 *Reale Adressaten der Schreibversuche und der «intendierte Leser»*

Das erste «natürliche» Vorlesepublikum bestand aus Ehefrau, Verwandten, Freunden, Kollegen. Von hier kam Beifall, wichtige psychologische Unterstützung. Der Nachteil eines solchen Publikums ist anfänglich jedoch der, daß es die gewußten Fakten unabhängig vom Darstellungsmodus zu identifizieren vermag, diesen damit schwerlich auf seine mögliche Wirkung bei fremden Lesern einzuschätzen weiß. Überdies ist ein solches Publikum wohl auch selten in seinen Reaktionen repräsentativ für das gerade aktuelle Zusammenspiel ästhetischer Normen und Innovationen[73], an dem vorbei ein eigenes Darstellungsprinzip schwerlich mit Aussicht auf Akzeptanz entwickelt werden kann. (Ist ein solches erst einmal etabliert – wie der «Kempowski-Ton» – wird gerade ein Publikum aus persönlich Vertrauten sein weiteres Einhalten zuverlässig überwachen.)

Kempowski war, nach seiner Erinnerung, dieser Sachverhalt von Anfang an klar. Er schreibt auf einen (undeutlich) imaginierten Leser zu, keine ständige Kontrollinstanz, doch eine Entscheidungshilfe bei prinzipiellen Überlegungen zur Schreibweise. Dieser Leser konnte nur einer sein, der nicht nur semantisch die «Botschaft» verstand, sondern der auch aufgrund ihrer ästhetischen Mitteilungsform affektiv bewogen wurde, sie zu akzeptieren.

Die kreative Motivation, die sich in den ersten Texten Kempowskis konkretisiert, die Mitteilung der eigenen Besonderheit zu machen, verlangt nach einer psychoanalytischen Bestimmung des von ihm «intendierten Lesers»[74]. Erinnern wir uns, daß der Mitteilungskern der Texte aus dem Bereich der Größenphantasien – Nacht- und Tagträumen – stammt. Nach der Hypothese Hanns Sachs' handelt es sich damit bei Kempowskis Texten um den Versuch, die privaten Phantasien zu «vergesellschaften», sie zu sozial akzeptierten zu machen. Das kann aber nur gelingen, wenn «Mitträumer» gewonnen werden, deren «Strebungen und Affekte»[75] die gleichen sind. Diese lassen sich auf einen «gemeinsamen Tagtraum» nur unter bestimmten Bedingungen ein, wozu gehört, daß der Autor die eigene biographische Persönlichkeit verwischt. Stattdessen muß er «einen unpersönlichen, oder besser gesagt, einen überpersönlichen Helden erschaffen, mit dem er sowohl wie alle Hörer sich identifizieren können, weil er gleichzeitig jeder ist und keiner»[76]. Seinen Narzißmus, die «Lust, seine eigene Person im Spiegel des Tagtraumes groß und ruhmreich, schön, mächtig und geliebt zu sehen»[77], opfert er dabei nur scheinbar auf. Er wird von seiner Person auf das Werk verschoben. Diesem wird über die Arbeit an der «künstlerischen Form» Größe und Macht über andere verliehen, wie sie ursprünglich dem eigenen Ich des Autors zugeträumt worden war. Indem schließlich das Werk dem Schöpfer Macht, Liebe, Größe einträgt, kann auch ein (gegebenenfalls hoher) Betrag an narzißtischer Befriedigung wieder für die eigene Person gewonnen werden. (Wir haben Sachs' in diesem Punkte zu schwache Argumentation verstärkt.) Der Verzicht, die Tagtraum-Wünsche für die eigene Person auszuphantasieren, bleibt allerdings Voraussetzung. Man kann die Entwicklung von Kempowskis Darstellungsverfahren als die allmähliche Gewinnung dieser Einsicht verstehen.

Da wir im Folgenden für unsere Beobachtungen und Analysen die Psychoanalyse als Bezugs-Theorie wählen und insbesondere das in zwei Arbeiten von Hanns Sachs entfaltete literaturpsychologische Konzept «gemeinsamer Tagträume» als Erklärungshypothese einsetzen werden, ist eine ausführlichere Vorstellung dieses Konzepts nötig. Es soll dabei um die Fortentwicklung des Narzißmus-Begriffs durch Kohut ergänzt und in einigen wenigen Punkten modifiziert werden.

2.3.5 *Exkurs: Der kreative Sonderfall: Verschiebung psychischer Energie auf das Werk*

Hanns Sachs hat die Ansätze zu einer psychoanalytischen Produktionsästhetik, wie sie in Freuds *Der Dichter und das Phantasieren* (1908)[78] vorlagen, in zwei Arbeiten zu einer geschlossenen Hypothese ausgefaltet: *Gemeinsame Tagträume* (1924), *Psychoanalyse und Dichtung* (1926).

38

Er geht aus von der Auffassung des Tagtraums als einer Wunsch-
erfüllungsphantasie, die den Phantasierenden selbst zum Helden
hat. In dieser inhaltlich bis zum «Privatroman» ausgearbeiteten –
jedoch weitgehend formlosen – Vorstellung dominieren ehrgeizige
und erotische Motive. Der Erwachsene lebt in ihr die ihm verblie-
bene libidinöse Besetzung seines Ich aus. Hier stellen sich, nur
oberflächlich realistisch bearbeitet, infantile Größenphantasien
oder frühkindliche erotische Wünsche (die für Sachs immer ödipale Wurzeln haben) ein. Diese Phantasien sind asozial, insofern sie
vom reifen Ich und der es kontrollierenden Gesellschaft für unrea-
listisch, ja für gefährlich erachtet werden (als sie an kulturnotwen-
dige Verdrängungen rühren). Unter besonderen Bedingungen
(Verdichtung und Symbolisierung des Gemeinten) können zwei
Menschen einen gemeinsamen Tagtraum ausspinnen. Die gegenseitige Zustimmung setzt dabei das schlechte Gewissen außer
Kraft. Dies Konzept dient Sachs als Erklärungsmodell für den
Bedingungszusammenhang «Künstler – Werk – Publikum».

Am Anfang steht auch hier der asoziale Tagtraum (Größenvorstellungen, Liebeswünsche gegenüber frühkindlichen Objekten)
eines Einzelnen. Will er ihn mitteilen – ihm Zuhörer (Leser)
gewinnen – müssen bestimmte Bedingungen erfüllt sein: Die Inhalte müssen kaschiert werden, gerade weil sie bei den Zuhörern auf
tiefes, aber nicht zugelassenes und deshalb als peinlich empfunde-
nes Interesse treffen, nämlich die eigenen narzißtischen Strebungen. Der Gewissenskontrolle entzogen durch Verhüllung, Ersetzung durch Verwandtes usw. werden sie vom Publikum jedoch
willig mitphantasiert – unter zwei weiteren Voraussetzungen. Die
erste betrifft einen höchst schmerzlichen Verzicht für den mittei-
lungsbedürftigen Tagträumer: Damit die Zuhörer sich identifizieren können, muß er die Merkmale der eigenen besonderen Person
tilgen, sich selbst also als Helden eliminieren. Damit hat er sich
eigentlich um den Zweck der Veranstaltung gebracht, nämlich
«seine eigene Person im Spiegel des Tagtraumes groß und ruhmreich, schön, mächtig und geliebt zu sehen« – er hat auf seinen
Narzißmus verzichtet. Erfüllt er jedoch die zweite Bedingung,
kann sich dieser Verzicht auf besondere Weise wieder aufheben:
Der von Natur aus formlose Tagtraum muß in eine ästhetische
Verfassung gebracht werden, die eine doppelte Funktion hat.
Indem sie Wohlgefallen erregt, bringt sie die Zuhörer dazu, sich
auf die Phantasie einzulassen. Durch diese Lust am Ästhetischen

lenkt sie überdies vom eigentlichen Lustgewinn an den zwar deformierten, doch unbewußt richtig erfaßten Inhalten ab. Dies alles gerät, wenn der Tagtraum zum Kunstwerk gelungen ist (das Sachs natürlich nur über einige Formelemente und über seine Wirkungsweise beschreiben kann). Damit das Kunstwerk gelingt, muß der Schöpfer von «einem übermächtigen Trieb gedrängt [werden], diesem Werke Schönheit zu verleihen, über dem er . . . sich selbst vergißt». Es ist der nur scheinbar aufgeopferte Narzißmus. Der «Narzißmus, der für die eigene Person unverwendbar geworden war, ist von ihr auf das Werk verschoben worden, das ja nur ein Stück dieses Ich ist». Hat der Schöpfer Glück, wird über das beim Publikum erfolgreiche Werk ein gewisser Betrag der nicht direkt mitteilbaren narzißtischen Tagtraum-Wünsche – sei es die Größenphantasie oder der (frühkindlich begründete) Liebeswunsch – von der Wirklichkeit erfüllt.

Nach unserer vorgängigen Einschätzung des am Material Beobachteten erscheint uns Sachs' Hypothese höchst erklärungskräftig. Natürlich impliziert sie einiges, worüber man auch heute noch wenig weiß (beispielsweise den Sublimierungsvorgang), und sie argumentiert vom Standpunkt klassischer Wirkungsästhetik («Schönheit» des Werks). Darüber an seinem Ort.

An einigen Stellen muß sie jedoch modifiziert oder aktualisiert werden.

1. Es ist nachzutragen, daß substanziell der Tagtraum sich von der nächtlichen Phantasie nicht unterscheidet. Tagträume der oben beschriebenen Art sind «Kern und Vorbilder der nächtlichen Träume» (Freud)[79]. Da unser Material beide Phantasieformen bietet, ist uns das wichtig.

2. Der Narzißmus-Begriff kann präzisiert werden. Seit seiner Einführung durch Freud (1914) wurde er recht unterschiedlich aufgefaßt. Sachs benutzt ihn offenbar im Sinne einer von der «Objekt-Libido» unterschiedenen, dem primären (infantilen) Narzißmus entstammenden «Ich-Libido».[80] Für Freud gehört er in eine normale «permanente Struktur des Subjekts»[81]: «auf der ökonomischen Ebene heben die Objektbesetzungen die Ich-Besetzungen nicht auf, aber es besteht ein echtes energetisches Gleichgewicht zwischen beiden Besetzungsarten»[82] (Laplanche/Pontalis). Kohut (1976), dem die Psychoanalyse jetzt die genaueste theoretische Ausarbeitung des Narzißmus-Konzepts verdankt, ist prinzipiell der Freud (1914) und Sachs entsprechenden Auffassung, daß «das

Selbst im allgemeinen mit narzißtischer Libido besetzt ist». Für ihn ist Narzißmus «nicht durch das Ziel der Triebbesetzung bestimmt (sei dies die Person selbst oder andere), sondern durch die Natur oder Qualität dieser Besetzung».[83] Durch diese erst entscheidet sich, ob es sich um förderliche oder pathologische Besetzungen handelt. Diese Differenzierung ist notwendig, da in der neueren – gerade durch Kohuts Arbeiten ausgelösten – Diskussion der Narzißmus-Begriff häufig ungerechtfertigt auf pathologische Erscheinungen eingeengt wird. Wir verstehen also unter Narzißmus höhere Entwicklungsformen einer primären (frühkindlichen) Besetzung des Selbst. Wo Kohuts Arbeit von diesen entwickelten Erscheinungsformen handelt, haben wir sie mit viel Gewinn nutzen können.[84]

3. Rigoroser noch als Freud besteht Sachs auf den ödipalen Wurzeln des narzißtischen Tagtraums, dem Inzest-Wunsch, auf den auch alle Größen-Phantasien zulaufen. Diesen Sachverhalt kann man, unserem Material auch angemessener, mit Kohut genetisch differenzierter – vor allem als früher entstanden – fassen:

> «Das Gleichgewicht des primären Narzißmus wird durch die unvermeidlichen Begrenzungen mütterlicher Fürsorge gestört, aber das Kind ersetzt die vorherige Vollkommenheit (a) durch den Aufbau eines grandiosen und exhibitionistischen Bildes des Selbst: das *Größen-Selbst*; und (b) indem es die vorherige Vollkommenheit einem bewunderten, allmächtigen (Übergangs-) Selbst-Objekt zuweist: *der idealisierten Eltern-imago*.»[85]

Diese archaischen (oft gleichzeitig entstandenen) Besetzungsformen werden – mit der ödipalen als wichtigster Umformungsphase – später aber mehr oder weniger integriert: das Größen-Selbst dem Ich, die idealisierten Elternbilder dem Über-Ich, dem Ich-Ideal. Erst wo diese neutralisierende Integration nicht zureichend gelingt, treten «narzißtische Störungen» auf; eines ihrer Merkmale ist die Abwesenheit von schöpferischem Vermögen. Kreativität dagegen definiert Kohut klassisch als gesunde Entsprechung dazu: Künstlerische Produktion kann als Umwandlung erheblicher Beträge von nicht neutralisiertem Narzißmus verstanden werden, so des Größen-Selbst.[86]

4. Mit Kohut ziehen wir im Folgenden die Bezeichnung «Selbst» dem «Ich» vor. Das «Selbst» ist keine psychische Instanz wie das «Ich», es ist umfassender, Selbstrepräsentanzen sind in allen Instanzen des «psychischen Apparates» enthalten.[87] Als Kategorie ist

es weniger differenziert, entspricht mehr der empirisch konkreten Erscheinungsform psychischer Äußerungen – eigentlich dem, was man populär als «Ich» bezeichnet. – Wo es die Bezugnahme auf andere psychoanalytische Arbeiten erfordert, verwenden wir weiterhin den Begriff des «Ich» im dort gebrauchten Verstande.

5. Zum Schluß: Wir benutzen die erörterten Kategorien und Sachs' Hypothese als Orientierungsgerüst. Dabei werden wir im Einzelnen zurückhaltend vorgehen und auf Analysen und Erklärungen dort verzichten, wo es der theoretische Ableitungsapparat wohl erlauben würde, nicht aber die Untersuchungssituation. Sie kann nun einmal einige psychoanalytische Grundvoraussetzungen nicht erfüllen. Es ist letztlich auch die Frage, ob sie das bei einem lebenden Autor überhaupt sollte.

Kapitel II: Kreativität und Produktion

(Stabile Motivationsstrukturen. Verdichtung der Thematik. Ausdrucksversuche. Schließlich ein eigenes Verfahren: *Im Block* (1969))

3. 1961 – 1968

3.1 *Äußerlich beruhigte Biographie. Das Schreiben wird zur Dauerbeschäftigung. Schließlich der erste literarische Erfolg*

Die Kempowskis richten sich beruflich und als Familie ein. 1963 absolviert Walter Kempowski die zweite Lehrerprüfung. 1961 wird der Sohn Karl-Friedrich, 1962 die Tochter Renate geboren. 1965 Versetzung nach Nartum bei Rotenburg an der Wümme, wo beide Kempowskis an derselben Schule unterrichten. Als 1973 die dortige Grund- und Hauptschule aufgelöst und beide an die Mittelpunktschule der Kleinstadt Zeven versetzt werden, bleiben sie in Nartum wohnen. 1969 stirbt die Mutter Margarethe Kempowski.

Die äußere Biographie dieser Zeit ist wenig bewegt, bis auf zwei Ereignisse: Hildegard Kempowski macht von 1962 bis 1964 eine schwere psychische Krankheit durch, deren zeitweilig ungewisser Verlauf für die neugegründete Existenz bedrohlich erscheint. Walter Kempowski tritt 1969 mit dem Haftbericht *Im Block* als Schriftsteller an die Öffentlichkeit. Es wird kaum gereist. Kempowski ist vertraut mit den nahen Großstädten Hamburg und Bremen, zu deren Kulturbetrieb er jedoch keinen persönlichen Zugang hat. Das Leben ist bestimmt durch Beruf, Familie und eine beharrliche Beschäftigung mit kreativen Ausdrucksmöglichkeiten (Fotographie, Hausbauentwürfe usw.), unter denen das Experimentieren mit schriftstellerischen Verfahren bald in systematisch und fast täglich betriebenes Schreiben mündet.

Die Arbeit als Lehrer ist – nach dem Ausweis der Tagebücher[88] – gekennzeichnet durch die allmähliche Ablösung des idyllischen «Landlehrer»-Selbstentwurfs zugunsten einer realistischen Berufsauffassung. Kempowski endet allerdings nicht in einem positiv resignierenden Arrangement mit der «Schulwirklichkeit». Grundelemente des Entwurfs hatten sich gut vertragen mit der in Göttingen gelehrten Reformpädagogik, die in den 60er Jahren durch staatlich verordnete neue Konzepte abgelöst wurde. Kempowski hält an ihren Ansätzen (Persönlichkeitsformung vor Stoffwissen, Dominanz von Begegnung, «Situation» und «Gespräch» usw.) fest und verarbeitet mit ihrer Hilfe die täglichen Erfahrungen in umfänglichen kritischen Notizen und Gegenentwürfen zu aktuellen Trends. Daß manche konkreten Unterrichtsvorschläge sich in den Tagebüchern neben Ideen zu Filmen oder zum Fortgang der schriftstellerischen Arbeit finden, deutet auf ihre verwandte Herkunft. Schon 1964 notiert sich Kempowski, daß die «Schule» «vielleicht später mal *mein* Thema ist»[89]. Durchaus vorhandener beruflicher Ehrgeiz findet allerdings nur mäßige Befriedigung. Das Familienleben trägt offensichtlich Züge halb spielerischer Stilisierung zu hergebrachten bürgerlichen Verkehrsformen (Tischgespräche, Autorität des Vaters udgl.), die aber nicht bestimmend werden. Der notwendige Rückzug Kempowskis auf seine schriftstellerische Arbeit überläßt viele patriarchalische Rechte und Pflichten der Ehefrau. Ausgeprägter Wirklichkeitssinn und Liberalität tragen den Gegenwartsbedingungen in einer vorurteilsfreien Kindererziehung Rechnung.

Den Kindern kommen intensives Interesse und Zuwendung zu, die noch vor der künstlerischen Produktion rangieren. Für die Jahre der erheblichen existenziellen Belastung durch die Krankheit seiner Frau beeindrucken Zeugnisse die Tatsachen klar konstatierender, durch nichts irritierter Verbundenheit. Allerdings dürfte es gerade auch dem Einsatz Hildegard Kempowskis zu danken sein, daß die Bedürfnisse der Familie befriedigt und damit ein (zeitlicher) Schaffensfreiraum gesichert blieb. Das allerdings bedeutete nicht, daß permanente Rücksicht auf die kreativen Interessen Kempowskis das Zusammenleben prägte (wie es heute der Fall ist). Immerhin gab es dafür zwar Verständnis, aber keinerlei soziale Bestätigung mit daraus folgenden Rechten.

Über die schriftstellerische Produktion wird an eigenem Ort zu reden sein. Anzumerken ist hier – denn es bestimmte mit den Produktionsbedingungen auch den Bekanntenkreis – daß Kempowski sich für seine Produktionen ein kleines Publikum zu schaffen wußte. Freunde trafen sich bei ihm regelmäßig im «Klub». Gruppen von Lehrerkollegen stellten ein literarisches Publikum. Einzelne: Der Maler B. wird als langjähriger Freund zum Mitspieler in «Happenings» und zum Gesprächspartner über moderne bildende Kunst. (Der Beuys-Schüler versteht schon recht früh etwas von Objekt-Kunst). Der renommierte Autor K., der Lektor Ri., der Journalist F. sind angezogen von der Person dieses Volksschullehrers, der soviel bereits geschrieben und doch nichts veröffentlicht hat. 1962 schon macht Kempowski die Bekanntschaft des damaligen Rowohlt-Cheflektors Fritz J. Raddatz, dem seine Ausdrucks-Experimente entscheidende Korrekturen und Anleitungen verdanken – der schließlich 1969 auch das erste Buch zur Veröffentlichung bringt. Kempowski ist nicht unvermittelt ins literarische Leben eingetreten. Die Merkwürdigkeit ist hier allerdings, daß das Talent sich in diesem Falle nicht zum Literaturbetrieb gedrängt hat, sondern daß dieser zu ihm gekommen ist.

3.2. *Die schriftstellerische Produktion setzt ein*

Ab 1961 beginnt Kempowski eine systematische und kontinuierliche literarische Produktion. Das «Schreiben» wird zu einer täglichen Institution, die er seiner Berufsarbeit allmählich gleichstellt. Es entstehen umfangreiche, abgeschlossene und durchkomponierte Texte, die auch mehrfach überarbeitet werden. Zwar handelt es sich immer noch um Experimente, die zu einem eigenen Darstellungsverfahren führen sollen, doch haben sie nicht mehr das Vorläufige, Skizzenhafte der vorangegangenen Versuche. Ein Darstellungskonzept wird konsequent über weite Strecken durchgehalten, und Kempowski hat deutlich hinzugelernt, wenn er es aufgibt.

Die Motivationsstruktur – wie wir sie in Teil I aus Dispositionen und Reaktionen als tendenziell rekonstruiert haben – hat sich verfestigt. Kempowski erkennt selbst, daß von hier die Antriebe kommen, den literarischen Ausdruck zu suchen. Er anerkennt vor allem die Komplexität der Motivationen, die sich nicht allein auf die Hafterfahrung und auch nicht auf den Ausdruck der eigenen Größenvorstellungen reduzieren lassen. Er läßt nun die Motivationsstränge unmittelbar thematisch werden, indem er zum Beispiel Träume, in denen sie sich ausdrücken, als Stoffe verwertet.

1962 kommt für die schriftstellerische Produktion eine entscheidende äußere Orientierung hinzu. Der Rowohlt-Verlagslektor Raddatz interessiert sich für Kempowskis Texte und läßt sie begutachten. Die Beurteilungen lassen zwar keine Veröffentlichungen zu. Doch die Verbindung zu Raddatz bleibt. Über sieben Jahre kommen von ihm kritische Anerkennung, Ratschläge, (scheiternde) Veröffentlichungschancen – eine äußere Stabilisierung der zäh durchgehaltenen Schreibarbeit von Seiten einer Autorität.

Kann man im einzelnen rekonstruieren, wie bei Kempowski die Latenz aufbricht und Kreativität sich in durchhaltender und systematischer schriftstellerischer Arbeit manifestiert? Ein psychisches oder äußeres Ereignis ist nicht dinghaft zu machen, das diesen Vorgang plötzlich einleitete. Es handelt sich vielmehr um einen Prozeß, in dem veränderte äußere Bedingungen und eine Verfestigung in der Selbstwahrnehmung zusammenspielen: Zweifellos stellt erst die Stabilisierung der sozialen Situation durch Berufstätigkeit und Ehegründung ab 1960 einen äußeren Rahmen her, der schriftstellerische Versuche systematischer und mit mehr Kontinuität und Arbeitsaufwand ermöglicht. Und als fundamentale Selbsterfahrung ist zu veranschlagen, daß Kempowski sich seiner produktiven Kreativität inne wird als einer verläßlichen und das Lebensgefühl hochgradig verstärkenden Kraftquelle. Nach Ausweis seiner Tagebücher macht Kempowski diese Erfahrung erst jetzt (1961) während kontinuierlicher und systematischer Arbeit an *Margot*.

Kempowski hat 1961 die *Familienchronik* abgeschlossen und sie den Verwandten unter einigem Beifall vorgelegt. Gleich darauf beginnt er die Arbeit an einer Thematik, zu der Ideen und Entwürfe seit 1958 vorliegen. Bei den Grundzellen dieser Thematik handelt es sich um Träume, die jetzt vielfältig wirksam werden: als Stoff, als Anregung zu einer bestimmten Stillage, schließlich auch als Vorschlag zur Textkomposition. In seinem Kern verarbeitet der gesamte Traum-Komplex die Schuld- und Haftthematik und reagiert auf die aktuelle biographische Situation der Jahre 1958 bis 1960.

1961 beendet Kempowski die Erzählung *Der Restaurator*. Sie ist Vorarbeit zu einem Briefroman *Margot*, auf dessen verschiedene Fassungen die (bisher ungewöhnlich lange) Zeit von zwei Jahren verwendet wird. Ein literarisches Modell, das dem Charakter des Traummaterials entspricht, bietet dafür die Orientierungsmuster: Kafkas Romane.

3.2.1 *Dispositionen und Reaktionen: Die Motivationsstruktur verfestigt sich*

Im Bereich der psychischen Grunddispositionen wird es nicht überraschen, daß die Tagebücher auch weiterhin Erhöhungsträume notieren, deren Kern, der narzißtische Größenwunsch, unverändert ist. Neu ist allerdings, daß die Größenphantasien jetzt im Kontext besonders intensiv erlebter Produktivität auftreten und ihr Material oft auch aus diesem Bereich nehmen. Zum andern verstärkt sich in tagträumerischen Präsumptionen künftiger Erhöhung deren Gewißheit. Diese Erscheinungen stellen sich ein, seitdem Kempowski systematisch und kontinuierlich schreibt (1961, am *Margot*-Komplex) und die Texte ihm, wie zu zeigen sein wird, in höherem Maße gelingen, sodaß auch subjektiv berechtigte, realistischere, Erfolgserwartungen mit der Produktion verbunden werden können.

So fördert der Träumer eine außerordentlich wertvolle «Statuette von Karl dem Großen» aus seinem Keller. Er übergibt sie einem «Museumsverwalter» und einem «höheren Bibliothekar» in einer Bibliothek, «die davon ganz entzückt sind» (1961)[90]. Hier verbindet sich das Thema «Größe» mit eben dem einzigen Mittel, mit dem sie – wie sich auch in der Tagesrealität allmählich herausstellt – potentiell erreichbar ist: den (zu schreibenden) Büchern. Daß die Statuette jetzt aus dem Keller hervorgeholt werden kann, entspricht – auf unserer Interpretationsebene für den Traum – auch dem realen Sachverhalt des Aufbrechens konkreter Produktivität.

Höhenträume («Hoch oben arbeite ich nun auf einem schwankenden Eisengerüst, einem weiten freien Blick in die Landschaft.»[91]) wechseln mit jenen, in denen «Größen» sich dem Träumer familiär zugesellen («Adenauer und de Gaulle wohnen bei uns. . . . Dann frage ich mich, warum ich die beiden für mein Familienalbum noch nicht fotographierte.»[92]) Daß sich auch Thomas Mann häufig darunter befindet, könnte im übrigen geradezu einem Traum-Topos entsprechen, der in den Phantasien ihm folgender Schriftstellergenerationen kaum bei jemandem gefehlt haben dürfte.[93]

Charakteristisch ist das Auftreten der Höhen- und Größenphantasien in Perioden glücklicher Erfülltheit vom «Schreiben». Das gilt für die eben zitierten Beispiele, zu denen der Kontext von der «Freude an meinem Schreiben»[94] spricht und auch die Gewißheit festhält: «Bei mir ist alles Intuition»[95]. Auch ist zu bemerken, daß das Bewußtsein der tatsächlich erbrachten Leistung in die Phantasien von Größe und Erfolg eindringt, letztere quasi «begründet». Nach der Logik narzißtischer Größenphantasien sind solche «Begründungen» unnötig, sie sind mit der Person des Träumers vorausgesetzt und waren bis 1961 in Kempowskis Traumaufzeichnungen auch nicht festzustellen. Ein typisches Beispiel:

> «Heute träumte ich, ich machte andern, jungen Leuten das Gewichtheben vor. Ich erklärte vor allem den Unterschied zwischen Reißen und Stoßen. Dann wählte ich eine mittelschwere Hantel und stieß sie hoch, dies tat ich mit so großer Kraft, daß mich die Hantel an die Zimmerdecke riß, ich schwebte.»[96]

Wir wollen hierfür nur soviel feststellen, daß die (wie noch zu sehen sein wird) realiter als lustvoll erfahrene Arbeit des Schreibens sich in den unbewußten Äußerungen des Größen-Selbst als «Arbeit in großer Höhe», «Schweben» nach außerordentlicher Leistung udgl. mit der phantasierten Erfüllung des Größenwunsches deutlich verbindet. Dies ist interpretierbar als ein Zusammenrücken zweier Formen narzißtischer Besetzung: der prinzipiell unrealistischen des eigenen Selbst und der durchaus realistischen der schöpferischen Arbeit, die so zumindest einmal konkret erfahrbare und durch Anstrengung gerechtfertigte (nicht erphantasierte) Steigerung des Lebensgefühls einträgt und schließlich auch ein in der Wirklichkeit betriebener Versuch ist, den Forderungen der Größenphantasien zu entsprechen.

Auch die präsumptuosen Tagträume von künftigem «Glück» und «Erhöhung» verlieren das gänzlich Illusionäre. Sie zeigen an, daß Kempowski auch in der Realität eine Erfüllungschance erkennt. Dadurch muß sich die Gewißheit dieser Erfüllung als Arbeitsstimulanz und als Durchhaltevermögen verstärken. Denn wo auch immer diese Gewißheit genetisch ihre Wurzel hat (wir haben sie als Haftphantasie kennengelernt; 2.2.1), sie bedurfte der Unterstützung aus der Wirklichkeit, um nicht in Resignation oder Illusionismus zu pervertieren:

> «‹Sommertage im Försterhaus.›
> Rätselhaft, weshalb es mir so gut gefiel. Intuitive Vorausschau meines Glücks.»[97]

Diese Notiz vom Juni 1964 steht in einem biographischen Kontext, der höchst spannungsvoll ist. Eine erneute schwere Erkrankung seiner Frau mit ungewisser Prognose belastet Kempowski schwer; Sorge, Mitleid, Trauer beherrschen die Tagebucheintragungen. Kontrapunktisch aber finden sich Zeugnisse tiefer Erfüllung durch gelingendes Produzieren (Beginn des *Protokolls*): «Das ist herrlich: So im ‹Vollbesitz seiner physischen und psychischen Kraft›.»[98] «Herrliche Zeit, ein Tag wie der andere herrlich! Ich fühle mich so leistungsfähig!»[99] Diese für Kempowski bezeichnende Möglichkeit der Gleichzeitigkeit von hoher Belastung und ungestörter Produktivität – kreativitätspsychologisch durchaus keine Seltenheit – wird an anderer Stelle interessieren. Hier soll deutlich werden, was sich als Kern der «Glücks»-Vorstellung herausschält: nicht die Landlehrer-Idylle, sie wird ein wichtiger Rahmen sein, seit der Haftzeit durchphantasiert und nun Tatsache. Das «Glück» aber ist die Gehobenheit des Selbstgefühls in der schöpferischen Arbeit, wie Kempowski jetzt entdeckt. Zu beobachten bleibt an der obigen Eintragung zwar weiterhin ein irrationales Zutrauen zu einer Art Vorausbestimmtheit, die sich früh erahnen läßt («intuitive Vorausschau» des Zehnjährigen). Doch ihr Eintreffen ist von realer Beschaffenheit und bedarf nicht des nachhelfenden, wirklichkeitsüberhöhenden Ausphantasierens. Damit soll gesagt werden, daß auch ein märchenhafter Lebensentwurf, wie ihn die folgende Notiz aus demselben biographischen Kontext festhält, als Setzung des Größen-Selbst eine Realitätsprüfung (vorläufig) aushalten konnte:

«Hans mein Igel = meine Biographie»[100]

«Hans mein Igel» ist eines jener archetypischen Märchen von Verstoßung, Knechtsarbeit und schließlicher Erhöhung des Helden, wie es sicherlich in den Tagträumen märchenkundiger Kinder eine Rolle spielt. In jenen Fällen, in denen beim Erwachsenen der kindliche Narzißmus im ganzen Umfang seiner Größenerwartungen erhalten geblieben ist (oder als «sekundärer» erneuert wurde), können solche Märchenmuster zur vorbewußten Lebensorientierung werden. Thomas Mann gibt das große Beispiel für den, der «im Leben zu verwirklichen sucht, was kindlicher Traum und Märchenglaube ihm gezeigt haben» von «Segensaufstieg und Erhöhung»[101]. Immer wieder erzählt sein Werk nach diesem Märchenmuster, und das Werk wurde auch zum Mittel, daß sich das Muster im Leben realisierte. Wir können Kempowskis oben zitiertem Vergleich nicht dasselbe Gewicht zumessen. Er erscheint in seinen Notizen nur einmal, im Werk findet sich erst recht nichts von einem solchen Lebenskonzept, Kempowski folgt in seinen Phantasien keinem persistierenden Tagtraummuster, das auch in seiner stofflichen Ausbildung unverändert aus der Kindheit überkommen wäre. Doch, wie die Größenphantasien zeigen, sind die Strukturen notwendig dieselben wie bei Thomas Mann, und für ihre frühkindliche Entstehung spricht nach psychoanalytischer Ansicht viel[102]. Insofern erhellt die Analogie von Kempowskis glücklichem Märchenvergleich zu Thomas Manns märchenhaftem Lebensmuster doch etwas sehr Wichtiges: Daß Kempowskis Größenwünsche mit einiger Wahrscheinlichkeit die Kraft eines im Unbewußten festgelegten Lebensplans haben, dessen biographische Wirksamkeit ungleich stärker ist als pure Größenphantasie, die weder Zwang zu ihrer Realisierung ausüben muß noch gewöhnlich sich sukzessive in der Zeit entfaltet, wie eine unbewußt vorgeprägte Lebensbahn, in der auch Verkennung und Scheitern ihren Ort haben.[103] Psychoanalytisch ist ein Lebensplan keine genetisch festumrissene Kategorie, sie kann vielerlei unbewußte Konstellationen einbegreifen, die ein Leben (etwa durch Identifikation mit einem Vorbild[104]) steuern. Sie soll uns hier genügen als Bezeichnung eines Befundes, zu dem wir die genetische Erklärung nicht geben können. Er wird uns die Zähigkeit und Erfolgsgewißheit erklären helfen, mit der Kempowski auch unter sehr ungünstigen Bedingungen an seiner schriftstellerischen Arbeit festhält, die – wie sich Anfang der sechziger Jahre herausstellt – als einzige die Lebensziele erreichbar machen könnte.

Im Bereich der Größenphantasien haben wir mit der Zeitspanne 1961 – 1964 den kreativitätspsychologisch interessantesten Vorgang darstellen können: Wie auch im Unbewußten die Größenwünsche zusammentreten mit den Repräsentationen der konkreten Chancen ihrer Realisierung – der Lust an der produktiven Arbeit des Schreibens und seinem Ergebnis, dem «Buch»; wie in den Tagesassoziationen eine einigermaßen realitätskonforme Gewißheit künftigen Erfolges sich einstellen kann durch zunehmendes Gelingen der Texte und immerhin das intensive Interesse einer renommierten Autorität, des Rowohlt-Lektors Raddatz, an ihnen. – Das Tagebuch-Material bis 1969 sichert diesen Befund, erlaubt aber keine neuen Beobachtungen. Die Größenwünsche haben sich fest mit dem Bereich «Literatur» verbunden.[105] Eine abschließende Überlegung: Phantasien wie die Größenvorstellungen haben ja nicht nur eine Funktion im Unbewußten, sondern müssen, wahrgenommen, notiert, zuweilen gedeutet, auch einen Eindruck im Tagesbewußtsein hinterlassen. Vorstellbar wären Verlegenheit, ironische Abwehr des Träumers vor ihrer grandiosen Übersteigerung, jedenfalls Verzicht auf ihre Mitteilung an andere. Es kennzeichnet die unverstellte und aufmerksame Beziehung Kempowskis zu seinem Unbewußten, daß er die Phantasien ohne ein Indiz einer solchen Abwehr als Gegebenheiten seiner Konstitution akzeptiert. Über die Wirkung auf sein damaliges Selbstverständnis läßt sich, bei fehlenden Zeugnissen dafür, heute vermuten: Sie mag in der Richtung von Selbstbestätigung und Vergewisserung erfolgt sein. Überdies verbindet Kempowski schließlich völlig unbefangen einen anderen Grundzug des schöpferischen Narzißmus mit den Texten seiner Größenphantasien, einen (nach Kohut[106]) bei Kreativen in geringerem Maße neutralisierten Exhibitionismus. 1968 stellt er aus diesen Texten ein zur Veröffentlichung bestimmtes Manuskript zusammen, das er später noch einmal einer aufwendigen Überarbeitung unterzieht: «Umgang mit Größen». Kempowski findet allerdings kaum positive Beurteilungen des Manuskripts und sieht von einer Veröffentlichung ab. Da es sich dabei um durchaus interessante Texte mit verblüffenden und witzigen Wirkungen handelt, sehen wir für die fast einhellige Ablehnung nur einen Grund: Der hier thematisierte Narzißmus ist wahrnehmbar zu eng mit der Person des Autors verbunden und überdies unverhüllt. Ebendies sind die beiden Schranken, die (nach Sachs[107]) dem Tagtraum fremde «Mitträumer» fernhalten. «Umgang mit Größen» ist der Sonderfall, in dem Kempowski diesen Sachverhalt noch einmal exemplarisch ignoriert. Seine literarische Produktion allerdings bezeugt 1968 (Fertigstellung des *Block*), daß er das dahinter stehende psychologische Gesetz längst erfaßt und befolgt hat.

3.2.2 *Erinnerungen*

Im wichtigen Bereich der Erinnerungen – von deren Stimulanz und deren geförderten Stoffen die nun in Gang gekommene schriftstellerische Produktion überwiegend lebt – müssen wir das Material jetzt anders auswählen. Seit Mitte 1961 (*Der Restaurator*, dann bis 1963 *Margot*, schließlich bis 1968 die Vorfassungen des *Block*) arbeitet Kempowski an Texten, in denen auf wechselnde Weise die Hafthematik einschlägig ist. Deshalb sind die meisten Tagebuch-Eintragungen zum Haftthema zweckhaft provozierte Erinnerungen, Entwürfe, Materialsammlung. Sie gehören in die Entstehungsgeschichte des *Block*. Darum werteten wir zum Thema «Haft» nur die Traum-Notizen aus, in der – durch das Material gerechtfertigten – Annahme, daß sich hier die Erfordernisse des Schreibens weniger einmischen und ein überzeitliches Grundthema kenntlich wird. Man kann es benennen als beständige Furcht, die Russen würden den Häftling in ihren Gewahrsam zurückholen. Eine konstante Traumfigur bedeutet: «Die Russen dringen in der Bundesrepublik ein». Sie erscheinen als «Besucherdelegation»[108], meist agressiver, als über der Lüneburger Heide abgesprungene Fallschirmtruppe, die nach einem «Deserteur» sucht[109], sie sind «eben in Berlin einmarschiert»[110]. Der Träumer sieht sich verfolgt, flieht mit wechselndem Glück. In einem thematisch analogen Traum wird er nach seiner Entlassung aus Bautzen bereits an der Zonengrenze verhaftet und wieder zurück ins Gefängnis geschickt.[111] Es handelt sich hierbei um die wohl typische Bearbeitung des Gefangenschaftstraumas, an der uns für Kempowski die Intensität und häufige Wiederkehr interessiert. Signifikant ist dabei ein Nebenthema, mit dem sich der manifeste Traumgedanke legiert hat. Es hat offensichtlich Abwehrfunktion, versucht die Bedrohung zu neutralisieren: Mit der eingedrungenen russischen Delegation sieht sich der Träumer einig im Wunsch nach dem «Weltfrieden»[112], träumt von der «festen Freundschaft»[113] des russischen und amerikanischen Volkes, ist gerührt über das Ordensgeschenk eines russischen Arbeiters an Thomas Mann («Wo wir Rußland doch solchen Schaden zugefügt haben.»[114]).

Die antithetische Grundbewegung dieser Träume ist in ihrer Bedeutung evident. Mag sich die Thematik auch auf andere Vorgänge im «Primärvorgang» aufstützen, so hat sie doch auch eine eigene Interpretationsebene als Bearbeitung der Hafterfahrung. Uns sind diese Beobachtungen wertvoll als Zeugnisse des Unbewußten für Begründungen einer politischen Haltung, die Kempowski ja nur als Rationalisierungen geben kann, wenn sie auch zuweilen von öffentlichen Fehlhandlungen unterlaufen werden, wie von jener im «Autorskooter» (NDR 1977) bekannten Angst vor der «Gefahr aus dem Gully», womit oberflächig extreme Linkstendenzen in der Bundesrepublik gemeint schienen. Die

Gegenbewegung «Verfolgungsangst» vs. Versuche der Pazifizierung der verfolgenden «Russen», wie sie in den Träumen vorherrscht, hat auch ihre Korrelate im Werk Kempowskis: Schon die frühen Versuche («Knast», «Das Auge»), dann die beiden Haftbücher neutralisieren die russischen Bewacher zur Instanz, zeigen sie nicht als Objekt des Hasses, der Anklage.

Das ändert nichts an einem beständigen Gefühl der Bedrohtheit, das – wie unsere Gespräche deutlich machten – Kempowski weiterhin gegenüber «den Russen» (und für einen politischen Gesamtkomplex, mit dem diese Macht assoziativ verbunden wird) empfindet. Ein Traum zeigt klar, daß Kempowski vor allem bedroht sieht, was zu diesem Zeitpunkt (1964) bereits zur existentiellen Mitte geworden ist: seine Produktion, das Schreiben. «Berlin. Die Russen sind einmarschiert. . . . Ich gehe in meine Buchhandlung, um die Buchhändlersfrau zu warnen, sie soll ihre wertvollen Bücher noch nicht wieder aufstellen.»[115]

Für die wichtigste Erinnerungsprovinz «Familie/Kindheit» machen wir bei unseren Beobachtungen eine ähnliche Einschränkung, wie sie für die Haft-Thematik gilt:

Durch die Arbeit an der *Familienchronik* sind die Bereiche Familie und Kindheit vor allem über die Berichte der Mutter verstärkt ins Tagesbewußtsein gerufen worden. Bruchstücke solcher Informationen, die Kempowski besonders beschäftigen, notiert er sich noch einmal in den Tagebüchern. 1962 skizziert er sich dort ausführlich die charakterlichen Eigenarten von Eltern und Geschwistern (um sich quasi genealogisch die Herkunft seines Erzähltalentes zu erklären), was sich geradezu wie der erste Entwurf zum *Tadellöser* liest; doch ein solcher Entwurf hat sich bewußt noch nicht befestigt[116]. Beobachtungen an solchem Material gehören in die Vorgeschichte des *Tadellöser*. Wir konzentrieren uns im Folgenden auf Zeugnisse des Unbewußten, deren Zusammenhang mit bewußten und zweckhaften Beschäftigungen jedenfalls nur als vermittelt eingeschätzt werden kann. Der hier feststellbare thematische Trend hat eine topisch «tiefere» und damit machtvollere Herkunft. Es handelt sich in den Träumen und Tagesphantasien aus dieser Zeit (1961–1969) zum Thema Familie und Kindheit vorwiegend um eine durchlaufende und gleichartige Tendenz, die die bereits beschriebene ohne Veränderung fortsetzt: Die Szene der frühen Kindheit wird mit großer Exaktheit reproduziert – so «unser Zimmer in der Augustenstraße» (die Wohnung ab

1933)[117] wie das Badezimmer in der Rostocker Alexandrinenstraße (wo man vorher gewohnt hatte)[118], der Klassenraum des zweiten Grundschuljahres taucht auf[119]. Die regressiven Restitutionswünsche finden sich allerdings nicht mehr so ausgeprägt, sind aber natürlich durch die Thematik selbst vertreten. Deutlich wird noch einmal eine Notiz, deren Überschrift «Ein schöner Traum» bereits die Gestimmtheit charakterisiert: «Ich sah ein Buch, zerstörte Städte, auch Rostock, gezeichnet. Die ausgebombten Häuser weiß. Ich finde unser Haus. Da haben wir gewohnt. Es ist noch heil. . . .»[120] Es sei wiederholt: Nicht die Tatsache solcher Kindheitserinnerungen, sondern daß sie eben zu einem Gesamtkorpus von Phantasietexten gleicher Thematik gehören, gibt ihnen von dort her Signifikanz. In welchem Maße Kindheitserinnerung noch für den Fünfunddreißigjährigen Aktualität und Orientierungswert hat, demonstriert eine Tagesassoziation, die für notierenswert gehalten wird:

«Denke an den Sachsen K. (der nicht nur unseren schönen Ziehwagen versaubeutelt hat), sondern sich eines Tages auch meinen Füller lieh, in der Schule. Das war einer zum Rausschrauben. Er vergaß die Feder reinzuschrauben und zerstörte damit die Feder. Ohne sich zu entschuldigen, gab er ihn mir wieder. Das ist ja ein komisches Ding. Da hätte man doch aggressiv werden sollen. Auch im Fall des Ziehwagens! Man darf sich doch sowas nicht gefallen lassen. Nur kein Streit . . .»[121]

Zu dieser Notiz gibt es keinen Kontext an Schreibarbeit oder Stoffsammlung, der sie provoziert und ihre Niederschrift zweckdienlich gemacht hätte. Allenfalls durch eine aktuelle Erfahrung hervorgerufen, steigt die Erinnerung in genauen Einzelzügen herauf, bezeichnet die historische Kränkung («Ohne sich zu entschuldigen . . .»), zeitigt sie neu («Da hätte man doch aggressiv werden sollen») und scheint überdies auf einen noch immer gegenwärtigen Verhaltenskonflikt zu deuten («Nur kein Streit . . .»).

Die phantasierten oder assoziierten Erinnerungen an den Vater bleiben sich in der Zeit bis 1968 in zwei Grundzügen gleich: Immer wieder tauchen genaue Einzelzüge seiner Person und seines Verhaltens auf und nie verbindet sich das Erscheinen der Vaterfigur mit der Gegenwart, sie verharrt in der Rostocker Kindheitskulisse – im Büro der Reederei[122], beim Klavierspiel[123], bei einem Familienbesuch in seinem Militärstandort[124]; der schon

vermerkte regressive Charakter insbesondere der Vatererscheinung hat sich nicht verändert.

Das notierte Phantasiematerial macht uns nun auf eine merkwürdige Diskrepanz aufmerksam, die auch für die schon bearbeitete Phase gilt. In Gesprächen weist Kempowski dem Vater die
wichtigste Rolle in seiner Kindheit zu, als positive Identifikations-
und Orientierungsfigur. Dieter E. Zimmer kann das nach einem
Interview wiedergeben als «Erinnerung an eine dominante Vaterfigur, die den Appell zurückgelassen hat, es ihr gleichzutun, etwas
Ordentliches zu werden im Leben»[125]. Diese «Dominanz» findet
sich aber nun weder im familienbiographischen Werk (was natürlich Gründe sui generis haben kann) noch in den Erinnerungsträu-
men der Tagebücher, wo man sie in irgendeiner Erscheinungsform
sekundärer Bearbeitung doch erwarten sollte. Es wird in diesem
Zusammenhang interessant sein, welche Eigenschaften Kempowski an seinem Vater hervorhebt, als er in der schon erwähnten
Herkunfts-Skizze[126] das erste Mal seine Familie beschreibt. Das
geschieht im März 1962, zwar erkennbar einem (potentiellen)
Publikum zugewandt, aber doch noch ohne die Verlockung oder
den Zwang, zwischen bereits veröffentlichtem Werk und der Real-
erinnerung Harmonie herzustellen:

> «. . . mein Vater nämlich war ein eigenartiger Kauz, der stets Späße
> machte, schrullige Einfälle hatte und alle Vogelichkeiten, die er an
> seiner Umgebung wahrnahm, bereitwillig annahm. Alles dies aber war
> nur ein Panzer für seine bereits im allerfrühesten Alter unheilbar ver-
> wundete Seele. . . .
> Humor und Vorliebe für die Groteske umgaben mich in reinster Form
> von frühester Kindheit an. Dazu vom Vater her viel Musik, Feinfühlig-
> keit und Neigung zum Heroisch-Gewaltigen.»

Der Wert dieser Beschreibung ist überwiegend nur indiziell. Wir
können ja nicht ausschließen, daß hier eine späte Idealisierung von
Eigenschaften vorliegt, die erst dem älteren Kinde als wertvoll
erscheinen können und die ganz andere Züge eines frühkindlichen
Vateridealts auf einer reiferen Stufe ersetzen. Es sollte doch bedacht sein, daß «Kauzigkeit» die Bildung eines frühen idealen
Vater-Bildes durchaus nicht verhindern muß, die Notwendigkeit,
ein solches Ideal zu revidieren und umzuformen, sich schließlich
erst in der Pubertät ergibt. (Wir werden über diese Zusammenhänge später eine Hypothese erörtern.) Jedenfalls müssen wir feststellen, daß der Vater in der zitierten Skizze vom bewußt erinnernden

Erwachsenen mit Eigenschaften ausgestattet wird, die das Fortleben eines positiven Vater-Bildes sehr plausibel machen. Wo aber bleibt das Merkmal «Dominanz»? Müßte sich nun nicht der «dominierende Vater» in den Traum-Aufzeichnungen finden? Wenn wir «Dominanz» mit den klassischen (ödipalen) Zügen von Einschüchterung oder Bewunderung übersetzen, trifft das sicherlich nicht zu. Setzen wir sie jedoch gleich mit einem Vorherrschen der Vatererscheinung in den Kindheitserinnerungen, so wäre das richtig. Und noch auf eine andere Weise bestätigt sich hier die Annahme eines persistierenden Vater-Bildes – in den Zeugnissen für den fortdauernden unbewußten Restitutions-Wunsch, der sich seit frühen Traumaufzeichnungen findet: «So ist er also doch nicht gefallen.» (1959)[127] Eine ganze Sequenz von Traumphantasien begründet, warum er nicht zurückgekehrt sei, obschon er doch überlebt habe: «Er hat sich geschämt zu uns zurückzukehren. Scham war es. . . . Alle haben gewußt, daß er lebt, nur ich glaubte an seinen Tod.» (1962)[128] «Traum: Vater säße mit Robert im Kontor und erklärte ihm, wie er damals in Ostpreußen weggekommen ist . . .» (1968)[129] Eine Notiz faßt den evidenten Grundzug dieser Träume: «Die Suche nach meinem Vater.»[130] Dieser Satz drückt die «Vatersehnsucht»[131] geradezu klassisch aus und bezieht sich auf den Wunsch der leiblichen Wiederherstellung des Vaters. Andere Traumphantasien erfüllen diesen Wunsch. Man kann also eine intakt gebliebene Verbindung des historischen Vaterbildes mit dem Ich-Ideal, das es dann ersetzt hat, annehmen.[132] Hervorzuheben ist dabei für unseren Zusammenhang die regressive Tendenz, die sich im Unbewußten damit verknüpft.[133] Warum sich aber zwischen der realen Bedeutung des Vaterbildes und seiner Darstellung im *Tadellöser* eine solche Diskrepanz hergestellt hat, können wir erst an späterer Stelle zu erklären versuchen. Auf eine andere Frage jedoch kann eine abschließende Antwort gegeben werden: Wir haben zwar die von Kempowski behauptete «Dominanz» des Vaters an den Zeugnissen des Unbewußten nachweisen können. Doch bleibt ein erklärungsbedürftiger Rest. Warum erscheint der Vater in den Träumen in solch alltäglicher Gestalt, wie sie wohl der Realität entsprochen hat?

Wenn wir feststellen, daß dies für eine bestimmte Art von Träumen nicht gilt, müssen wir an das Axiom psychoanalytischer Traumdeutung erinnern, jeder Traum sei überdeterminiert. Er sei geeignet, «Überdeutungen zuzulassen, in einem Inhalt verschiedene, oft ihrer Natur nach sehr abweichende Gedankenbildungen und Wunschregungen darzustellen»[134]. Betrachten wir unter diesem Aspekt die Träume unter den Größenphantasien, so erschließt sich in ihnen eine zweite Deutungsebene: «Ich sitze mit dem abgedankten Kaiser Wilhelm zu Tisch.»[135] «Bin mit Heuß zusammen irgendwo eingeladen. Er sitzt und spielt auf dem Klavier ein Stück vor, das ich kenne . . .»[136] «Chrustschow und de Gaulle wohnen bei uns . . . Dann frage ich mich, warum ich die beiden für mein Familienalbum noch nicht fotografierte.»[137]

Bereits in der *Traumdeutung* konnte Freud feststellen, daß «fast allgemein eindeutig . . . Kaiser und Kaiserin . . . die Eltern» bedeuten[138]. Entsprechend kommt er in der Analyse des «großen Mannes» (des Führers usw.) zu dem Schluß, «daß alle Züge, mit denen wir den großen Mann ausstatten, Vaterzüge sind . . . wer anders als der Vater soll denn in der Kindheit der ‹große Mann› gewesen sein!»[139] Es bedarf nach Anführung dieses psychoanalytisch gesicherten Zusammenhangs wohl kaum einer umfänglicheren Beweisführung dafür, daß Kempowskis «Umgang mit Größen» der Umgang mit dem eigenen idealisierten Vaterbild ist. In dem reichen Material der Größenphantasien gibt es kaum einen Text, in dem nicht identifizierbare Vaterzüge dem herbeizitierten «großen Mann» anhaften. So weist in den obigen Beispielen der «abgedankte» Kaiser Wilhelm II. auf sein bekanntes Gebrechen hin[140] (Karl Kempowski hatte seine notorische Hautkrankheit), Heuß' Klavierspiel erinnert an ein Lieblingsstück des Vaters[141], Chrustschew und de Gaulle gehören ins Familienalbum. Die Intensität dieser «Vatersehnsucht» wird gerade dort deutlich, wo sich der Traum überhaupt nicht mehr geniert und die Identifizierbarkeit zur Komik steigert: «In unserm Keller ist aus Nachkriegszeiten noch eine alte Statuette von Karl dem Großen. . . . Sie hat natürlich einen riesigen Wert.»[142] Auch die Entfernung zu jener Zeit, als das grandiose Vaterbild (als Selbst-Objekt) noch seine Tagesgültigkeit hatte, wird indiziert: Die meisten der geträumten Größen sind verstorben oder haben «abgedankt». Denn in seiner Grundform muß dies Vaterbild in der frühen Kindheit errichtet worden sein.

Unsere Informationen reichen nun nicht aus, um wirklich schlüssig bestimmen zu können, ob es sich bei den Ersetzungen des realen Vaterbildes durch «Größen» (in denen es jedoch faktisch enthalten bleibt) um die Reste eines ausgearbeiteten «Familienromans» handelt. Mit «Familienroman» bezeichnet die Psychoanalyse jenen Vorgang seit der Vorpubertät, in dem – von den realen Personen enttäuscht – «sich nun die Phantasie des Kindes mit der Aufgabe (beschäftigt), die geringgeschätzten Eltern loszuwerden und durch in der Regel sozial höher stehende zu ersetzen», was allmählich die Einschränkung erfährt, nur noch «den Vater zu erhöhen»[143]. Theoretisch spricht viel dafür, daß wir es bei den Größenphantasien mit der Fortsetzung des früheren «Familienromans» zu tun haben. Einzig die Konstellation hätte sich verschoben; es kann dem Erwachsenen nicht mehr um «vornehme Abkunft», sondern um Parität oder Anerkennung durch die «Größe» gehen. Wir stellen die Hypothese eines «Familienromans» jedoch nicht auf (so interessant sie überdies in Beziehung gesetzt werden könnte zu den von Kempowski ja nun tatsächlich geschriebenen Familienromanen). Schließlich handelt es sich dabei nur um den Sonderfall einer Idealisierung des frühkindlichen Vaterbildes durch Ersetzung der realen Person, die das Ideal nicht mehr vertreten kann. Dieser Vorgang kann sich auch abgespalten ohne bewußte und intensive Phantasiearbeit im Unbewußten hergestellt haben, wofür spricht, daß in den Träumen und Tagträumen neben dem «Umgang mit Größen» die realistische Erscheinung der Vaterfigur ebenfalls eine wichtige Rolle spielt. Entscheidend ist, daß wir in einer Deutungsschicht der Größenphantasien hinter den «großen Männern» das erhalten gebliebene frühkindliche Vaterbild erkannt haben. «Die Überschätzung der frühesten Kinderjahre tritt also in diesen Phantasien wieder in ihr volles Recht.» (Freud)[144]

Die Beobachtung, daß in den Phantasien das Größen-Selbst mit dem idealisierten Vaterbild zusammentreten kann, ist kreativitätspsychologisch schwer unterzubringen, will man sich nicht auf Konstruktionen einlassen, die uns sowohl von unserer Erklärungshypothese wie vom Material zu weit entfernen. Zwei Feststellungen aber lassen sich wohl rechtfertigen:

1. Das Ich-Ideal (eine Modifikation des Größen-Selbst) hat sich am Vater orientiert (dem frühen Selbst-Objekt). Es spricht nichts gegen den Eindruck Zimmers von «einer dominanten Vaterfigur, die den Appell hinterlassen hat, es ihr gleichzutun». In schaffenspsychologischer Hinsicht hieße das, daß aus dieser Orientierung sich Eigenschaften wie die außerordentliche Arbeitsdisziplin und -ökonomie Kempowskis verstehen lassen – notwendige Regulative

einer zuweilen überschießenden Produktivität, die sich auf unterschiedliche Vorhaben zugleich richtet.

2. Wie das idealisierte Vaterbild das Gelingen des Werkes garantieren hilft – also die biographische Zukunftssicherheit – prägt es mit seine inhaltliche Rückwärtsgewandtheit. Es ist Ausdruck und Gegenstand mächtiger narzißtischer Restitutionswünsche, die mit den Kindheitserinnerungen konvergieren. In einem produktiven Schub von außerordentlicher Intensität schreibt Kempowski noch 1979 in sechs Stunden ein Hörbild in einem – dem Jiddischen angeglichenen – erfundenen «Dialekt»: *Moin Vaddr läbt*[145].

3.2.3 *Schuldbewußtsein wird kaum noch artikuliert. Sozialer Legitimationsdruck bleibt ein Hauptthema*

Wir hatten in Teil I (1956–1960) unterschieden in Dispositionen zu Kreativität und aktuelle Antriebe, die das kreative Potential einsteuern (auf Ausdrucksformen und Themen hin), bis es produktiv wird. In der Disposition, das hat sich erhärtet, dominieren die narzißtischen Größenwünsche und (ihnen verbunden) eine ausgeprägte psychische Rückneigung in Phasen der Kindheit. Zur Disposition rechneten wir auch die Hafterfahrung, einmal insofern sie diesen Motivationskomplexen Raum bot zur Entfaltung (Tagträumen, systematisch provoziertes Erinnern), zum andern, indem sie Gegenstand unausgesetzter psychischer Bearbeitung geblieben war. Aus den Realfolgen von Tat und Verurteilung hatten sich starke Antriebe ergeben, die Themen «Haft» und «Kindheit/ Familie» so zu bearbeiten, daß ihnen Argumente für die eigene Rechtfertigung abgewonnen werden konnten. Als diese Antriebe waren erkennbar Schuldbewußtsein, die Versuche, es aufzuwerten («metaphysische Schuld») und die Anstrengungen, einer tief gespürten, moralisch getönten, sozialen Inferiorität zu begegnen.

Wenn wir nun in den Tagebüchern der Jahre 1961–1969, also in dem Zeitraum, in dem die schriftstellerische Produktion einsetzt und schließlich auch zum äußeren Erfolg führt, nach Zeugnissen für diese äußeren Produktionsantriebe forschen, machen wir eine paradoxe Entdeckung: Die Verbitterung Kempowskis über soziales und moralisches Verkanntsein wird weiter bezeugt, noch in Zeiten bereits respektabler sozialer Stabilisierung (bis 1966).

Zeugnisse der Befassung mit der «Schuld» (an der Leidenszeit der Mutter, an der Zerstörung der Familie) fehlen völlig.[146]

Ist dieser Antrieb erloschen, ist er «abgearbeitet» worden oder einfach durch die Jahre abgenutzt? Er dürfte dann eigentlich nicht so abrupt fehlen. Gegen eine «Abnutzung» oder eine gelungene Verdrängung spricht auch, daß die Texte, die Kempowski in diesen Jahren schreibt, sich im Kern immer mit dem Thema der Haft und den Gründen dafür beschäftigen und damit auch die Schuldfrage weiterhin virulent geblieben sein müßte. Schließlich ist auch Tatsache, daß in den Tonbandinterviews mit der Mutter deren eigene Haftzeit bis 1960 gleichsam hinausgeschoben, zugunsten der Familienerinnerung vermieden wird; die Vermeidung muß also einen gespürten Grund gehabt haben, das Thema «Schuld» für Kempowski konkret geblieben sein. Bis 1973 – «ich weiß noch genau den Tag»[147] – will es Kempowski selbst mit seiner Frau nicht besprochen haben, dies ja wohl als Folge beiderseitiger bewußter Vermeidung. Da das Schuldbewußtsein also nicht abgegolten sein kann, muß sich seine Spur finden lassen. Sie findet sich in den Texten. Wir werden noch sehen, daß diese ab 1961 sich an das Modell Kafka halten. Vor allem die Grundsituation der Helden Kafkas wird nachgestaltet (vom *Restaurator* 1961 bis zur letzten Fassung von *Margot* 1965): die Ausgeliefertheit der subjektiv Unschuldigen an einen anonymen Apparat, der aber eine Schuld festgesetzt hat, die Vergeblichkeit der Sinnsuche für den Helden, nicht aber für den Leser. Dieser (in der historisch bestimmten Rezeptionsphase Kafkas, in der Kempowski die Texte schreibt) findet einen existentialistisch begründeten Sinn für das Schicksal des Helden, die mit seiner Existenz begründete «Schuld», für die er einzustehen hat. Mit dieser Deutung ist das Kafka-Modell besetzt, als Kempowski es nachgestaltet. Hier nun finden wir die Spur des Schuldbewußtseins wieder: in seiner Umsetzung zur «metaphysischen Schuld», wie sie schon früh versucht wurde[148] und nun in der Fiktion ausgearbeitet werden kann; übrigens in der Form von Briefen an die Mutter. Die scheiternde Sinnsuche von Kempowskis Protagonisten, ihr (in zwei Fassungen) unbegründetes grausames Ende impliziert das Konzept der «metaphysischen Schuld». Was leistet dies Konzept? Es verschiebt das Bewußtsein der realen Schuld (am realen Leiden der Mutter durch die reale Tat – gleichviel, ob durch Unbedachtheit oder falsche Einschätzung der möglichen Folgen geschehen) in eine Kategorie, die mit dem Ich-Ideal vereinbar ist. Es handelt sich um genau den analogen Vorgang, den Sachs für die literarische Sublimierung der verpönten narzißtischen Phantasien und die damit einhergehende Entlastung des Schuldbewußtseins beschreibt:

«Das vom Gewissen schonungslos kritisierte und verurteilte Ich sucht für seine Selbstliebe ein Asyl zu finden, wo ihm der Verfolger nichts anhaben kann. Das ist ihm vortrefflich gelungen, wenn es seine Phantasien . . . soweit veredelt, daß dieser Teil dem Ich-Ideal . . . annehmbar und wohlgefällig wird.»[149]

In der schöpferischen Produktion wird das Konzept der «metaphysischen Schuld» ein höheres Maß an Objektivierung und damit Stabilisierung erlangt haben, als die lebenspraktische Entlastungsspekulation, die es bis dahin war. Jedenfalls spielt es noch heute eine wichtige Rolle in Kempowskis künstlerischem Selbstverständnis:

«Und doch hat mich natürlich, ab 1948, wenn Sie so wollen, diese Frage nach der Schuld, nach der metaphysischen Schuld, denn direkt habe ich mir nichts vorzuwerfen, sehr beschäftigt. Und von daher hat es mir einen Motor zu arbeiten gegeben.»[150]
(Über die Arbeitslast, zu der er sich verpflichtet sieht:)
«Das ist nur ein Teil der Sühne, glaube ich, oder der Buße, nicht der Sühne, die man sich freiwillig auferlegt.»[151]

Dieser «Buße»-Begriff steht im Zusammenhang einer Selbstverständigung Kempowskis über Begabung, Produktion und Wirkungsabsichten, die er nachdrücklich in ethische Kategorien wie «Verpflichtung» oder «Auftrag» faßt. Deren nicht gerade zeitgenössisches Pathos hat seine lebensgeschichtliche Berechtigung und ist nicht erst mit der Rollenzuweisung im Literaturbetrieb («Deutscher Chronist») entstanden. Unter dem Aspekt unserer Untersuchung allerdings ist zu fragen, ob es sich heute noch bei den Selbstorientierungen Kempowskis an «metaphysischer Schuld» und «Buße» um «Motoren zu arbeiten» handelt. Sind sie noch «Antriebe» im engeren (psychoökonomisch wie auch immer definierbaren) Verstande von akut werdenden Zwängen oder Resourcen, wo neue Arbeit geplant wird, Arbeitsschwierigkeiten überwunden, Wirkungsabsichten kalkuliert werden müssen? Wir vermuten ein anderes: Sie sind Stücke der künstlerischen Privatideologie geworden. Als Antriebe der Produktion sind sie erloschen, nachdem sie sich in den Texten selbst objektiviert hatten, als aus der historisch-personalen Schuld endgültig die (über ein großes literarisches Muster legitimierte) «metaphysische Schuld» werden konnte.

Wir stellen diese Überlegung an, um uns ein Phänomen zu erklären, das genau der Beobachtung an den Größenvorstellungen entspricht, deren allmähliches Zurücktreten, dann gänzliches Verschwinden aus den Texten wir bereits konstatiert haben: Nachdem das Konzept der «metaphysischen Schuld» vier Jahre lang (in den verschiedenen *Margot*-Fassungen bis 1965) literarisch bearbeitet wird, verschwindet es zusammen mit dem Rest der noch erhalten gebliebenen Hinweise auf die Außerordentlichkeit des autobiographischen Helden (in der ersten Vorstufe des *Block*). Gehört beides zu *einer* Entwicklung? Ein gemeinsames Stück davon haben wir jedenfalls erkannt. Der Grund für die Veränderungen war in beiden Fällen die Sicherung des Narzißmus: Unter dem Druck des Ich-Ideals wird die Schuld literarisch «veredelt»; angesichts der Unmöglichkeit, anders fortexistieren zu können, verschiebt sich der Größenwunsch von der inhaltlichen Darstellung auf die Form. Nach gewissen Fortschritten der Untersuchung werden wir diese Fragestellung noch einmal aufgreifen.

Nachdrücklich vertreten ist in den Tagebüchern weiterhin ein Motiv zur Produktion, das von außen aufrechterhalten wird: Das mit großer Empfindlichkeit und negativem Interpretationsgeschick für soziale Reaktionen genährte Bewußtsein mangelnder sozialer Anerkennung. Da ist die eingesessene Pastorenfamilie, die den Schwiegersohn immer noch unterschätzt. Die immer noch ihr abschätziges Urteil über seine Inhaftierung bewahrt hat.[152] Die nicht wahrzunehmen scheint, mit welcher Vorbehaltlosigkeit und Solidarität er sich zu der schweren Erkrankung seiner Frau verhält.[153]

Während der Arbeit an einem Vorläufertext des *Block* resümiert Kempowski einmal Diskriminierungen, die den äußeren Antrieb dazu gaben («Für mich sind Sie ein ganz gewöhnlicher Krimineller!»), in der Feststellung: «Damit fing alles an! Daß Frau J. (die Schwiegermutter) sich erkundigte, ob mein Vater auch wirklich 'ne Reederei gehabt hat.-»[154]

Auch die Verbitterung lebt fort, in der Bundesrepublik nicht als politischer Häftling anerkannt worden zu sein. Die soziale Bedrohung aus dieser Tatsache ist minimal, wenn auch für den in diesem Punkt Überaufmerksamen noch 1966 gefürchtet: «Schlaflose

Nacht» ist die Folge einer unerbetenen (und unzutreffenden) Rechtsauskunft über die Haft als bestehende «Vorstrafe».[155] Doch erst, wenn man sich erinnert, wie hochdeterminiert das Bedürfnis nach «politischer» Anerkennung gewesen war, wird man die fortbestehende Enttäuschung als Arbeitsantrieb richtig veranschlagen. Offizielle Anerkennung – das bedeutete Legitimierung der Tat und ihrer Folgen durch äußere Autorität, normative Sinngebung für die Haft, soziale Tilgung der Schuld und damit (als wohl erhoffter Reflex) auch Minderung des subjektiven Schuldbewußtseins, Unterstützung seines «metaphysischen» Aspekts schließlich. Auch hatte, so haben wir ja festgestellt, sich das Motiv der «Beleidigung» in den Größenphantasien während der Haft eng mit der Erwartung von Belohnung und Erhöhung verbunden. Wenn diese von Kempowski realistischerweise natürlich bald nicht mehr aufrechterhalten wird, so wird man doch annehmen müssen, daß die Enttäuschung einer so intensiv und lange bestehenden Phantasie aus einem psychischen Kernbereich ebenso Hemmung wie aber auch anhaltende Mobilisierung psychischer Energie bedeuten kann. 1963 erwägt Kempowski für das geplante Haft-Buch den Titel «Die Anerkennung»[156]. Noch heute bezeichnet er das Ausbleiben eben dieser «Anerkennung, dieses Scheins» als einen Entstehungsgrund für seine Bücher. Allerdings, «das ist jetzt ein bißchen konstruiert, aber es ist ein bißchen Wahrheit darin. Wir sind da ganz in der Nähe»[157]. Diese eigene Einschränkung zeigt, daß Kempowski selbst spürt, daß der historische Inhalt von Erwartung und Enttäuschung nicht mehr aktuell sein kann. Dieser historische Inhalt aber war einmal die deutlichste und nachhaltigste Artikulation eines mächtigeren Antriebs der Durchsetzung der eigenen Selbst-Vorstellung, wie sie jetzt über das Bücherschreiben ja gelingt. Insofern «sind wir da ganz in der Nähe». Für die Zeit bis zur Veröffentlichung des *Block* (1969) wird man zwar eine allmähliche Verschiebung des historisch begründeten Strebens nach «politischer» Anerkennung auf die ihm zugrunde liegende Tendenz überhaupt annehmen müssen, diesen Antrieb aber auch noch zu veranschlagen haben.

Mit dem Jahr 1961 datiert der Beginn systematischer und kontinuierlicher schriftstellerischer Produktion. Die Texte werden zunehmend umfangreicher, sind thematisch durchstrukturiert, die jeweils gewählte Stillage wird gleichmäßig durchgehalten. Bis 1969
wird keiner von ihnen gedruckt. Retrospektiv stellen sie sich als
eine Experimenteserie dar, die schließlich in die Erarbeitung eines
eigenen Darstellungsverfahrens mündet. Kann man eine Art zielgerichteten Prozeß beobachten, in dem sich allmählich ein «entele-
chisch» angelegtes Potential herausbildet? In einigen Dimensionen
eines solchen Prozesses ist das möglich. Er schließt ab mit *Tadellöser & Wolff* (1971). Von da an kann man Kempowskis Darstellungsverfahren und seine thematischen Wahlen als gelungene begreifen, als gelungene dialektische Vermittlung von ästhetischer
Norm, psychologischen Rezeptionsvoraussetzungen und eigenen
Ausdruckstendenzen. Das Darstellungsverfahren scheint heute in
hohem Grade ich-synton zu sein. In seiner Komplexität ist der
langjährige Vorgang, in dem es zu diesen Resultaten kommt, nicht
rekonstruierbar. Mittels analytischer Trennungen können wir jedoch seine beiden wichtigsten Dimensionen erfassen. Auf der
psychologischen Ebene (Beziehung Kempowskis zum Prozeß des
Schreibens, Beziehung zu seinen Texten, Verzicht auf Darstel-
lungswünsche usw.) ist eine konsequente Entwicklung zu beobachten, die schließlich beides sichert – gelingende Rezeption beim
Leser und Konstanz der Produktion (von der Stetigkeit des Ar-
beitsantriebs über die Arbeitsökonomie bis hin zur Verfügung
über die technischen Mittel). Auf der Ebene der Anwendung
bestimmter Stilmittel (vor allem von Verfremdungstechniken) und
auch in der Auswahl von Stoffen zeigt sich eine vergleichbare
Konsequenz, die sich verstehen läßt als die Heranführung Kempowskis an die gültige ästhetische Norm bei gleichzeitiger Ausbildung eines begrenzten systematischen Verstoßes gegen sie («Inno-
vation»). Es ist ja nicht so, wie es die Rollenzuweisung gerne will,
daß Kempowski in hermetischer Vereinzelung schreibt, bis er
unvermittelt auf der literarischen Szene erscheint. Wohl ist er
ausgeschlossen vom Literaturbetrieb, nicht aber vom Literaturprozeß. An diesen hat er Anschluß gerade über einige seiner
einflußreichsten Akteure. Fritz J. Raddatz, dem Kempowski seit

1962 immer wieder einmal vorlesen kann, kritisiert, bestärkt auch, zeigt aber doch vor allem, «was nicht geht». Überdies läßt er andere Kritiker gutachten, die vielfältig begründen, warum sie beim jeweils vorgelegten Text nicht zum Druck raten können. (Durchweg Autoritäten übrigens, neben Raddatz Enzensberger, Joachim Kaiser, Peter Rühmkorf, Jürgen Becker, Jürgen Manthey.) Bei so mancher Widersprüchlichkeit in den einzelnen Beurteilungen stellen diese doch die Orientierung des Einzelfalles am ästhetischen Kanon dar. So gut es geht, hält sich Kempowski an diese Ratschläge, arbeitet um, schreibt manchen Text noch einmal neu. Eine abrupte Beendigung seiner «Kafka-Phase» und ein verblüffender Stilwandel ist 1963 *auch* eine Reaktion auf das schlechte Abschneiden von *Margot* bei den kritischen Instanzen: «Ich habe mich sogleich auf den Bautzenstoff geworfen. Vielleicht ist dies der richtige Weg!» (18. 12. 1963)[158] Er war es schließlich.

Im Folgenden werden wir die schriftstellerische Produktion Kempowskis bis zum *Block* paradigmatisch an Texten analysieren, die für eine Experimentalphase jeweils charakteristisch sind. Dies geschieht auf den eben beschriebenen zwei Ebenen, einer kreativitätspsychologischen und einer darstellungsästhetischen.

3.3.1 *Nachahmung eines Musters: «Der Restaurator», «Margot» (1961 – 63)*

Erinnern wir uns der Ausgangslage für einen neuen Versuch Kempowskis, einen ästhetischen Text zu schreiben: Verschiedene – realistische wie symbolisierende – Ansätze, die Hafterfahrung zu gestalten, waren gescheitert. Die verwendeten Verfahren standen im Konflikt mit dem Mitteilungskern – der Präsentierung des Größen-Selbst –, drückten ihn überdeutlich aus oder blieben gerade hierbei unverständlich. Anhaltende bewußte und unbewußte Bearbeitung des Themas «Bautzen» (Erinnerungsproduktion, Schuldbewußtsein) übt allerdings einen Druck aus, der das davon unabhängige Bedürfnis zu produzieren verstärkt. Die *Familienchronik* (1961) hatte dies Bedürfnis nicht befriedigen können. Der in ihr zusammengetragene Stoff zusammen mit den regressiven Kindheits-Träumen reizt natürlich zu Erwägungen:

> «Buchidee: Meine Familie. Hier die große Kälte und Anteilnahmslosigkeit, Geschichten aus der Familie erzählen. Man könnte vielleicht sogar eine Sonde in die Vergangenheit führen.» (TB, 17. 11. 1961)

Es ist deutlich, Kempowski hat die hier liegende Chance erkannt, auch, daß sie stofflich über die eigene Familie hinausreicht («Sonde in die Vergangenheit»). Mit solchen Einfällen bereitet sich unter der Hand das später «Sysiphus» genannte Programm der genealogischen Romane vor. Kempowski kann die Chance noch nicht nutzen. Er läßt sich weiterhin durch eine von außen bestimmte Vorstellung von «Literatur» leiten, die insbesondere durch ihren Verfremdungscharakter (Symbolisierung, Irrealisierung) gekennzeichnet ist.

Von hier aus wird verständlich, wenn Kempowski im *Restaurator* seine erste intensive Schreib-Phase begründet durch Rückgriffe auf Traum-Aufzeichnungen und eine bis zur Imitation gehende Orientierung an Kafka:

> Ein Restaurator reist im Auftrag der Landeskirchenbehörde in eine alte Hafenstadt. In St. Marien, der größten Kirche der ganzen Provinz, soll er nach übermalten Fresken suchen. Er gerät in unverständliche Situationen, erhält Auskünfte, mit denen er nichts anfangen kann. Im Pfarrhaus werden wartende Fragesteller von Diakonen in Schränken bewacht. Zum Pfarrer vorgelassen, wird er mit der Ausführung seines Auftrags hingehalten. Mit diesem ist offenbar ein geheimnisvoller Sinn verbunden, der dem Restaurator nicht mitgeteilt wird. Auch in die Marienkirche läßt man ihn nicht. Schließlich wird er darauf verwiesen, sich in seine Kammer zu setzen und dem Wort nachzugrübeln, das man ihm als Schlüssel zum Sinn aller unverständlichen Vorgänge genannt hat. Man erwartet offenbar aber nicht, daß er ihn findet.

Der Abriß kann nur andeuten, welche inhaltlichen Bedeutungsebenen in dem Text konvergieren: Die Stadtszenerie und St. Marien bilden das Rostock der Kindheit ab. Die Haftsituation wird, oft ins Groteske verzogen, über Entsprechungen verfremdet (Schränke-Zellen, Diakone-Wächter, Pastor-Untersuchungsrichter, Landeskirchenbehörde-Militärregierung usw.). Alles aber steht vor einer Kafka-Folie, die penetrant sichtbar bleibt: als Auftrag an den Landvermesser K., der ihm dann nicht bestätigt wird, jedenfalls mit einem ganz anderen, von ihm zu ergründenden Sinn belegt ist; als Personagen und Requisiten des *Schloß* wie der Sekretär, K.s Wirt, Frieda, die Diener, der Schrank der Wirtin usw.

Unter unserem Untersuchungsaspekt lassen sich am Text und an seiner Entstehungsgeschichte folgende Beobachtungen machen:

1. Das Haftthema wird bearbeitet mit starker Akzentuierung des Schuld-Motivs, das durch die vergebliche Sinn-Suche und die subjektiv schuldlose Verstrickung des Helden vertreten ist. Kempowski greift dabei zurück auf eine Schlüsselphantasie, die er sich 1958 notiert hat. Die Motive «Schuldbewußtsein» und «Legitimation» finden sich dort durch die Traumarbeit bereits symbolisiert und überdies in einen Zusammenhang gebracht (siehe 2.2.3): Ein «Restaurator» wird von der Kirchenbehörde aufgefordert, «Namen unter dem Kalk» freizulegen, er sucht auch im eigenen Zimmer nach alten Fresken unter der Tapete.[159] Wir haben bereits gezeigt (2.2.3), daß im Gesamtkontext dieses Traums «Restaurieren» den Restitutionswunsch zweifach bedeutet, Restitution einmal der Kindheit und dann die der Familie als Schuldabtrag gegenüber der Mutter. Ähnliches gilt für den Bedeutungskern von «St. Marien», dem Gegenstand der Restauration. Kempowski greift hier eine Assoziation auf, die in seinem Tagebuch unmittelbar auf den Restaurator-Traum folgt und sich mit dieser Rostocker Kirche befaßt.[160] Auch hier haben wir die Legierung von Kindheitserinnerung mit den zusammengerückten Bedeutungen von «Zuchthaus» (i. S. von Schuld) und «Kirche», deren Verbindung wir schon vorgestellt haben (2.2.3).

Nun ist das alles Privatsymbolik. Sie kommunizierbar zu machen, war Aufgabe der Darstellung. Nur, wenn wir die Kraft der Antriebe (Schuldbewußtsein, Restitutionswünsche, Legitimationsdruck) ermessen, die diese Symbolik im Unbewußten hervorgetrieben hat, werden wir auch den produktiven Schub begreifen, der einsetzt, als Kempowski ein Darstellungsverfahren dafür findet. Er findet es mehr, als er es entwickelt: in der Nachahmung Kafkas.

2. Was trägt diese Nachahmung ein?

Vor allem doch wohl mehr Sicherheit, verstanden zu werden. Kempowski betreibt ja nicht die klassische *Imitatio* als reine Kunstübung, er hat durchaus eine dringliche «Botschaft». Kafka hat das akzeptierte Modell dafür. Atmosphäre, Grundsituation des Protagonisten, aber auch wichtige Nebenzüge (Verhöre, Türhüter-Parabel, der Dom) von *Prozeß* und *Schloß* ließen sich auffassen als geradezu stupende Entsprechungen sowohl zur realen Haft-Erfahrung wie auch zu den Traum-Texten, in denen die um die «Schuld» versammelten Motive bearbeitet waren. Wir müssen die bekannten Verhältnisse in den Romanen nicht näher ausführen.

Man erinnere nur den Eingang des *Prozeß*. Er trifft präzise die Realsituation, wie Kempowski sie später auch dargestellt hat (*Block*, 7): «Jemand mußte Josef K. verleumdet haben, denn ohne daß er etwas Böses getan hätte, wurde er eines Morgens verhaftet.»

1961 dominiert die religiös-philosophische und die existentialistische Lesart Kafkas, die vom «moralischen Helden in der Paradoxie» (Emrich), die vom «Heldentum im Absurden» (Camus).[161] Kempowski kann also, rezeptionsästhetisch gesehen, in der Nachahmung Kafkas auf einen gemeinsamen literarischen Horizont im «Repertoire» des Lesers zielen und dort auch ein gemeinsames Sinnsystem voraussetzen.[162] Insofern hat Kempowski erstmals Sicherheit, daß es den «intendierten Leser» auch gibt und daß er ihn erreicht (vgl. 2.3.4).

Das Risiko, das er mit der Nachahmung eines bereits «automatisierten» Modells eingeht, tritt offensichtlich zurück vor dieser bisher nicht gekannten Sicherheit und dem, was sie jetzt gestattete: Nur scheinbar paradoxerweise wird in der Nachahmung der kreative Spielraum größer als bisher und werden die übernommenen Muster aufnahmefähig für die eigenen Inhalte. Exakt übersetzt Kempowski die komplizierten scheinklugen Strategien K.s, vorgelassen zu werden, die im Gegenzug der Instanzen scheitern; die zweckhafte Liebesbeziehung; den symbolischen, aber semantisch völlig unterbestimmten Schluß. Innerhalb dieser festen Teilstrukturen aber kann er eigene Einfälle ausphantasieren, oft sind es ihm wichtige Träume, deren Tagebuch-Text er in den Kafka-Rahmen einträgt. – Wir werden unten ein Beispiel geben.

Bevor wir Schlußfolgerungen anstellen, beziehen wir die *Margot*-Texte in unsere Beobachtungen ein. Es handelt sich um einen Roman in Briefen an die Mutter, in denen ein in wichtigem – ihm selbst aber nicht deutlichen – Auftrag Reisender aus einer fremden Stadt berichtet. *Margot* stellt die Ausarbeitung des mit dem *Restaurator* gesetzten Grundtypus dar.[163] Die dort gemachten Beobachtungen lassen sich hier wiederholen: Die Kafka-Vorgaben werden genau reproduziert, der Anteil eigener Erfindung (bzw. eingebrachter Träume[164]) und analogisch verfremdeter Autobiographia (Muster: Schrank = Zelle) in der Ausführung der Einzelzüge hat noch zugenommen. Auch wird die Ausbildung eines originären Stils passagenweise sichtbar. Die Arbeit am *Margot*- Komplex bildet eine höchst intensive, thematisch geschlossene und kontinuierliche Schaffensphase (1961–1963). Kempowskis Kreativität konstituiert sich hier endgültig zur literarischen Produktivität. Auch wird der für den Autor so wichtige, von Autoritäten besorgte, Kontakt zum aktuellen Literaturprozeß hergestellt.

Wie wird, kreativitätspsychologisch gesehen, die Produktivität konstituiert? Die Voraussetzungen und Vollzüge haben wir beschrieben. Was hat sich in der Triebstruktur energetisch verändert, daß sich ab 1961 ein kaum mehr irritierbares, beharrliches Schaffensvermögen herstellt, das alle Rückschläge durchsteht, so gut wie keine Krisen und Leerläufe kennt, auch nicht stimuliert oder erzwungen werden muß? Die Zeugnisse lassen nur eine Antwort zu: Eine Triebbesetzung hat sich so verschoben, daß der Produzierende eine durchdringende und anhaltende Lust während des Konzipierens und Schreibens der Texte empfindet. Diese Erfahrung ist für ihn neu. Es gibt kein Zeugnis für sie gelegentlich der vorangegangenen Ausdrucksexperimente. Von jetzt an aber tritt die schöpferische Lust verläßlich auf:

«Mir ist im Augenblick so zumute, als baue ich ein riesiges Kraftwerk.» (1961)[165]. «Die Freude an meinem Schreiben . . .» (1962)[166]. «Margot, alles ist Margot!» (1963)[167]

Während der Arbeit am *Block*:

«Das ist im Augenblick wieder ein Leben!»[168] «Das ist herrlich: So im ‹Vollbesitz seiner physischen und psychischen Kraft›.» (1964)[169] «Herrliche Zeit, ein Tag wie der andere herrlich! Ich fühle mich so leistungsfähig!» (1964)[170] «Ich kann mir schwer vorstellen, daß einer glücklicher ist, als ich es augenblicklich bin.» (1964)[171]

Als er am *Tadellöser* arbeitet:

«Ein herrliches Leben, den ganzen Tag oben.»[172] «So ein Buch, wie ich es jetzt schreibe, kann man nur einmal im Leben schreiben.»[173]

Wir orientieren uns weiter an der von Sachs aufgestellten Hypothese. Was wir in der *Margot*-Phase beobachten und was von da an manifest bleibt, ist die Verschiebung von narzißtischer Energie von der eigenen Person (und ihren Größen-Vorstellungen) auf das Werk und den Prozeß seiner Herstellung. Diese «narzißtische Natur des schöpferischen Aktes»[174] (Kohut) hat nach Sachs zum Grund, daß der Autor sich «Mitträumer» nur gewinnen kann, wenn er im Werk die narzißtische Besetzung der eigenen Person aufgibt und überdies viel in seine «künstlerische Form» investiert,

um dem Leser über das ästhetische Wohlgefallen eine «Lustprämie» dafür zu bieten, daß er sich engagiert:

> «Während seiner Schöpferarbeit muß er von einem übermächtigen Trieb
> gedrängt werden, diesem Werk Schönheit zu verleihen . . .
> Woher stammt dieser Trieb? . . . es kann kein anderer sein, als der
> scheinbar aufgeopferte Narzißmus . . . Der Narzißmus, der für die
> eigene Person unverwendbar geworden war, ist von ihr auf das Werk
> verschoben worden, das ja nur ein Stück dieses Ich ist. Der Wunsch,
> schön und mächtig zu sein, wurde umgewandelt in den Wunsch, dem
> Werk Schönheit und Macht über die Gemüter der Menschen zu verlei-
> hen. Durch diese Verschiebung vom Ich auf's Werk hat der Dichter
> neuerlich eine Rückkehr zur Realität gefunden, denn während der
> Traum des Tagträumers dazu verurteilt ist, ewig Traum zu bleiben,
> erreicht der Dichter . . . sein Ziel wirklich und es gelingt seinem Werk
> früher oder später, die Menschenseelen zu bezwingen und zur Bewunde-
> rung hinzureißen.»[175]

Sachs' weithin akzeptiertes Modell ist sehr einleuchtend. Seine
Ästhetik ist dabei, unbeschadet der Triebhypothese, für heutige
Normen leicht modifizierbar. Doch schenkt Sachs dem schöpferischen Prozeß selbst zu wenig Beachtung. Gewiß ist gerade dieser
als eine Form der Sublimierung psychoanalytisch noch heute sehr
unbefriedigend exploriert.[176] Doch sollte man annehmen dürfen,
daß sich hier mehrere Antriebe verbinden, synchron oder – nachdem der produktive Prozeß eingesetzt hat – in allmählichem Zurücktreten oder Tilgung der schwächeren Antriebe zugunsten des
stärksten. Einige Modelle zum literarischen Schaffensprozeß machen, bei anderen Grundhypothesen, entsprechend Vorschläge.[177]
Die psychoanalytische Theorie gibt uns jedoch in diesem Punkt
zuwenig Sicherheit, um mit den eigenen Befunden zur Motivationsstruktur Kempowskis seinen Schaffensprozeß modellhaft zu
rekonstruieren. Wir müssen jedoch die Teilhabe so wichtiger
Antriebe wie Schuldbewußtsein[178] und Legitimationsdruck behaupten. Zweifellos aber sind sie topologisch in der psychoanalytischen Instanzen-Hierarchie mehr an der Oberfläche angesiedelt
(gehören in den Bereich des Über-Ich und des Ideal-Ich) und
besitzen so weniger Triebdynamik als die der narzißtischen Libido
direkt entstammenden Motive, die vorherrschen. Jedenfalls ist
anzunehmen, daß sich im Schaffensprozeß selbst alle Antriebe
mischen, etwa derart, daß die Befriedigung über die gelingende
ästhetische Objektivierung einer «metaphysischen Schuld» und

über die Qualität des Geschaffenen (eine Veröffentlichung wird ja immerhin erwogen) die «narzißtische Erhebung»[179] verstärkt. Narzißtische Gehobenheit jedenfalls stellt sich, wie die angeführten Zeugnisse Kempowskis ganz deutlich machen, bereits im Schaffensprozeß selbst ein, bedarf also nicht, wie Sachs annimmt, der Anerkennung durch ein empirisches Publikum.[180] (Diese wird möglicherweise beim Schreiben ja auch antizipiert.) Hier müssen wir insistieren: Die Konstitution der Produktivität erfolgt durch die jetzt auftretende narzißtische Lust im schöpferischen Akt selbst und die Erfahrung, daß sie verläßlich wiederkehrt. Sie kann immer wieder gesucht werden. Damit stellt sich die seit der *Margot*-Phase zu beobachtende Kontinuität und Intensität der Produktion her.

Die narzißtische Besetzung der Texte selbst erfolgt dabei offensichtlich so, wie Sachs es beschreibt, insbesondere die Ersetzung von Strebungen des Größen-Selbst. Wir werden später bei Selbstinterpretationen Kempowskis sehen, wie sich auch in der semantischen Dimension diese Besetzung zeigt.

Es bleibt also noch zu beobachten, wie Kempowski jetzt mit seiner Größenvorstellung umgeht, deren Hervortreten im Text ja bereits (nach Sachs) als wesentliches Kommunikationshindernis gekennzeichnet worden ist. Wir geben dafür ein Beispiel aus *Margot*, das durch seine Motivgleichheit mit den zuvor schon analysierten Texten besonders genaue Feststellungen zuläßt. Zugleich soll es auch eine Stilprobe bieten, denn in seiner Benutzung von Kafkas Verfahren gelingt Kempowski besonders eine Assimilierung so, daß sie originär wirkt, der Kafka-Horizont dabei quasi ausgeblendet ist: Die Darstellung von Episoden, die scheinbar Teilsysteme des erzählten Sinnfindungsprozesses sind, Bedeutung vortäuschen, deshalb große Detailgenauigkeit zu erfordern scheinen – dann aber als ergebnislos ihre Funktion einbüßen, wovon auch das Detail betroffen ist. Häufig beschreibt der Text den Bogen, der eine Einzelheit durch einen scheinbar bedeutenden Kontext auf die Höhe des Bemerkenswerten bringt, um sie dann wieder durch Entwertung des Kontextes nebensächlich werden zu lassen:

«Ich besuchte Kobesberger, einen Freund, der bei der Verwaltung angestellt ist. Er lud mich zur Besichtigung des Alten Rathauses ein. In einem Seitenflügel des Hauptgebäudes führen etliche Bürger ein Sonderdasein. Sie leben in kleinen Kabinen. Ich schaute durch Glaslöcher hinein.

Eine der Kabinen war, so schien es, mit siedendem Wasser gefüllt. Blaue Fische schwammen darin. Gleich sonderte sich ein größerer Fisch aus und schwamm heran. Er umschloß das Glasloch mit seinem Maul. Deutlich konnte ich die vernarbte Wunde erkennen, die ihm der Angelhaken gerissen. Mit seiner Zunge leckte er liebkosend das Glas und lallte alte Erinnerungen.

Nachdem ich alles betrachtet hatte, holte ich mein Butterbrot heraus, nicht ohne meinem Freunde davon anzubieten, was dieser dankend ablehnte.» Aus: *Margot* (1962).

Man wird erkennen, daß die Motivstruktur des *Auges* wiederkehrt (2.3.3.2). Sie ist jedoch eingebettet in einen Gesamtkontext von *Margot*, der faktisch eine Gefangenschaft darstellt und in den überdies das Bedeutungspotential des Kafka-Modells einstrahlt. Die zuvor eigenständige Symbolik wird allegorisch: Das Sonderdasein etlicher Bürger in kleinen Kabinen, in die man durch Glaslöcher schauen kann, ist unschwer als Allegorie für die Situation des Ich-Erzählers erkennbar. Die weitergehende Assoziation von Gefängniszellen dürfte vom Gesamtkontext her auch nicht schwerfallen. Der (nicht-kafkaeske) Einsatz der Fisch-Symbolik ist damit bereits vorerklärt, gerät zur Illustration. Sicherlich ist die Konfiguration erhalten geblieben, die den größeren Fisch heraushebt. Das ihm angetane Leid wird angezeigt («vernarbte Wunde, die ihm der Angelhaken gerissen»), Kempowski aktiviert noch einmal die *Das Auge* begründende Assoziation: «Ich war mit einem Käscher herausgefischt und in ein fremdes Bassin gesetzt worden.» Doch die Bedeutung von Größe, Überlegenheit trägt die Symbolik nicht mehr, in Übereinstimmung mit der Anlage des Helden in *Margot*, dessen Situation sie ausdrücken soll. Die bisher mit Kempowskis autobiographischen Helden verbundene Präsentierung ihrer Größe ist in *Margot* aufgegeben worden. Auch der Hinweis auf den biographischen Hintergrund des Erzählten ist übrigens hier der Verfremdung durch das Kafka-Modell zum Opfer gefallen. Wie an dem Textausschnitt deutlich wurde und was für alle Texte der *Margot*-Phase gilt, entschließt sich Kempowski auch zur «Verwischung der eigenen Persönlichkeit»[181], die (nach Sachs) zusammen mit dem Fortfall ihrer «Größe» Kommunikationsvoraussetzung ist.

Hat sich das Größen-Selbst nun ganz aus der dargestellten Schicht der Texte zurückgezogen und bezieht es seine Bestätigung nur noch aus Akt und Produkt der Darstellung selbst? In der Phase

72

der Kafka-Nachahmung gab es noch eine private Möglichkeit nur für den Autor, eine Größen-Vorstellung noch einmal inhaltlich mit dem Text zu verbinden. Kafkas Protagonisten, die als Folie für Kempowskis Ich-Erzähler für jeden erkennbar waren, hatten keine «Größe» – doch war sie ihnen von der Rezeption zugesprochen worden («Heldentum im Absurden»). So vermittelt, mochte sich das Größen-Selbst in *Margot* noch einmal erlebt haben. Doch «Mitträumer» gab es dafür nicht.

3.3.2 *Scheitern von «Margot» und neuer Anfang: «Ich habe mich sogleich auf den Bautzenstoff geworfen.»*

Der Arbeit am *Margot*-Roman verdankt Kempowski die Konstituierung seiner Produktivität. Die letzten Texte dieser Phase zeigen geradezu ein Überquellen an Ideen und Schreiblust an, allerdings überquellen sie längst auch die festen Kafka-Baumuster. «Ganz offensichtlich sind Grenzziehung, Aufbau, kompositorische Ordnung und sinnvolle Gliederung nicht Sache dieses Autors.» befindet Peter Rühmkorf in einem Verlagsgutachten (Juni 1963), das das Ende dieser Experimentalphase markiert. Man kann die wichtigsten Gutachten zu den *Margot*-Texten in einer Dokumentation nachlesen.[182] Sie sind durchaus nicht niederschmetternd, einige erkennen differenziert und genau Kempowskis Möglichkeiten (Enzensberger, Rühmkorf) und bestätigen den Rowohlt-Lektor Raddatz, der zäh an seinem potentiellen Verlags-Autor festhält. Doch bei allen Gutachtern überwiegen die Bedenken, keiner rät zum Druck. Mustert man die Kritiken auf ihre gemeinsamen Gründe hin (auch, wo sie nicht ausgesprochen werden), kommt man auf zwei: Kompositionelle und sprachliche «Unzulänglichkeit» und das Durchscheinen von thematischen und sprachlichen Kafka-Mustern. Mukarovski bietet für diese Reaktion eine brauchbare Erklärung an: Insgesamt scheitern die Texte an der geltenden «jüngsten ästhetischen Norm» und vor deren wichtigsten Trägern.[183] Prinzipiell hat Kempowski damit Glück. Mit Vorlesungen aus *Margot* hatte er die Zustimmung manches privaten Publikums sehr wohl erreicht, eben die über die Kafka-Nachahmung «intendierten Leser». Doch muß für diese Zustimmung wohl gelten, daß man sich der «Automatisiertheit» des Kafka-Modells noch nicht so bewußt war, als es den Reiz des Vorgetragenen hätte ausschalten können, sich hier also eine ältere ästhetische Norm noch in Geltung befand. Wir haben schon argumentiert, daß Kempowski einem solchen Publikum nicht vertrauen durfte, solange es nicht zum Wächter eines eigenständigen und von der «jüngsten ästhetischen Norm» akzeptierten Darstellungsverfahrens geworden war. Er hatte also Glück, an aktuellen Forderungen gemessen worden zu sein und hat dies weiterhin: Rowohlt-Lektor Raddatz erhält seine kritisch fördernde Beziehung aufrecht und betreut die nächste Experimentalphase auf weitere fünf Jahre. Auch Gutachten gibt es weiterhin. Natürlich handelt es sich nicht um eine Meisterlehre, die sich um jedes Werkstück in seinen Einzelheiten kümmert. Seine Versuche riskiert Kempowski weiterhin allein.

Doch die Beurteilungen, die er, oft nach langer Verzögerung erhält, knapp, auf die Substanz des jeweiligen Textes gerichtet, kommen schließlich von jemanden, der, weil er ihn selbst mit unterhält, den Erwartungshorizont der zeitgenössischen Spitzenkritik repräsentiert, vor dem die erste Veröffentlichung ja zu bestehen haben würde. Was allerdings weiterhin zu entbehren war, war die Anteilnahme eines (nicht privaten) empirischen Publikums, der «Mitträumer» in der Hypothese von Sachs. Die bedeutende narzißtische Befriedigung, die die scheinbare Trivialität eines fremden Vorlesepublikums zu spenden in der Lage ist, verändert auch außerästhetisch die Bedingungen von Produktion und das Verhältnis des Produzierenden zu ihr. Wir werden das zum *Tadellöser* beobachten können.

Das Rühmkorf-Gutachten im Juni 1963 hatte endgültig klar gemacht, daß für die bisher geschriebenen Texte keine Veröffentlichungschance bestand. Zweifellos ein Schock – nur die Tagebücher enthalten keine Äußerungen dazu. Seit einiger Zeit mochte die Ablehnung der Manuskripte voraussehbar gewesen sein. Kempowski hat auch schon in der nun für ihn charakteristischen Weise reagiert: Er nimmt seine Befragungen zum Bautzen-Stoff wieder auf: «Niki befragen nach Verhaftung.»[184] Fast zwei Jahre Schreibarbeit sind vergeblich gewesen. Das Problem aber scheint nur zu sein, mit mehr Erfolgsaussicht neu anzusetzen. Notwendigkeit und Möglichkeit eines Neuansatzes jedoch stehen außer Frage. Ein Stoff lag bereit, Material war überreichlich vorhanden. Eine erste Formung des Materials war bereits erprobt: Kempowski hat Vorträge über seine Haftzeit gehalten und «ein starkes Interesse der Menschen spüren können»[185]. Das zweite Lehrerexamen und die erneute Erkrankung seiner Frau können den Neuansatz nur hinausschieben. Im Dezember 1963 zeigt ihn das Tagebuch dann an:

> «Nach der Prüfung stellt sich nun bei mir wieder jenes Glücksgefühl ein, was mich allerdings, solange ich hier in Breddorf bin, noch nie verlassen hat. Der einzige Schatten ist die Krankheit unserer Hildegard. Ich habe mich sogleich auf den Bautzen-Stoff geworfen. Vielleicht ist dies der richtige Weg!»[186]

Den Tagebuch-Kontext bildet ein vierseitiger Entwurf zum Anfang des Haftberichts.

Wir sehen wieder: Die Produktivität hat sich konstituiert. In der Kempowski eigenen Ausprägung ist sie nun eine permanent wirksame, im Grunde kaum irritierbare psychische Energie. Die Arbeit am Haftbericht dauert noch fünf Jahre. Der Text durchläuft dabei vier Stadien und noch zahlreichere Umarbeitungen innerhalb einer Fassung. Doch ist die wechselhafte Textgeschichte kreativitätspsychologisch – mit der Ausnahme eines Grundaspekts – völlig undramatisch. Die Motivationsstruktur, wie wir sie bereits herausgearbeitet haben, verändert sich nicht mehr. Signifikant ist für sie, daß sich die Größenphantasien mit dem Element «Literatur/Schreiben» verbunden haben, sich im Unbewußten die Gewißheit ausgebildet hat, daß die Einlösung des Größenwunsches eben über die schriftstellerische Arbeit gelingen könne (3.2.1). Der unmittelbare Antrieb ist die im Schreibvollzug auftretende schöpferische Lust.

Uns interessiert im Folgenden nur eine Beobachtung: Wie ist der allerdings verblüffende Stilwandel zu verstehen, der fast abrupt einsetzt und sich in der letzten Fassung des *Block* zu einem Darstellungsverfahren verfestigt hat, das im *Tadellöser* schließlich seine endgültige Ausprägung erfährt? Die Faszination dieses Vorgangs liegt darin, daß das neue Verfahren scheinbar in erhebliche Differenz zur Motivationsstruktur tritt. Die dort ja weiterhin wirksamen Motive schlagen nicht mehr in den Text durch, dem auch jede spürbare affektive Besetzung (etwa von Erlebnisgehalten) genommen ist.

Zur Textgeschichte nur soviel: Der uranfängliche Plan eines «Buches über Bautzen» war ja nie aufgegeben worden. Als thematischer Kern war er hinter allen Verfremdungen des *Margot*-Romans erkennbar geblieben. Die Befragung der Mutter, des Bruders, von Haftgenossen, die stetige, in den Tagebüchern festgehaltene, eigene Erinnerungsproduktion schließlich hatte ein umfangreiches Material eingetragen, das in langen Tonbandabschriften oder verzettelt bereit lag. Auch bot sich vom Sujet her schon eine Systematisierung zur «Fabel» an: «strukturiert durch meine eigene Entwicklung (ohne Psychologismen»)[187]. «Ohne Psychologismen» – auch ein Darstellungskonzept hatte Kempowski Ende 1963 schon parat: «meine Zuchthauszeit in einem nüchternen Erlebnisbericht festzuhalten»[188]. Das Konzept an sich verblüfft nicht. Kempowski greift auf alte Bestände zurück, erinnert Raddatz an eine «alte Arbeit» (wohl «Knast»), die er ihm früher mal geschickt habe. In der Korrespondenz mit dem Lektor – der das Projekt eines Erlebnisberichts sofort nachdrücklich unterstützt – wird immer wieder die Notwendigkeit von «Kühle» und «Distanz» betont. Dies ist sicherlich auch eine Reaktion auf die zwar nicht emotional, aber doch imaginativ ausgeartete *Margot*. Als programmatischer Arbeitstitel wird «Das Protokoll» festgelegt. Und von Anfang an denkt man an das Kompositionsprinzip der «Kollage», also der Montierung in sich selbständiger, auch heterogener, Texteinheiten, wie es sich von der unterschiedlichen Beschaffenheit der Materialsammlung her anbot. Man erkennt: Das Darstellungskonzept des *Block* hat sich sehr schnell hergestellt. Die Erfahrung des Lektors ist daran beteiligt, der weiß, wie 1963 (auf dem Hintergrund der Fülle autobiographischer Kriegs- und Gefangenschaftsberichte seit 1945) der Bericht über eine erlittene Zuchthauszeit nur noch aussehen kann. Der Autor kann mit dem Konzept übereinstimmen, weil aus noch zu bezeichnenden Gründen der angestrebte Darstellungsmodus durchaus nicht unangemessen ist. Er wird kein Marktrezept befolgen, sondern eine eigene Ausdrucksmöglichkeit entwickeln, die allerdings nicht mehr der «jüngsten ästhetischen Norm» zuwiderlaufen wird. Ein Konzept ist noch nicht das Darstellungsverfahren selbst. Dessen Entwicklung werden wir im Folgenden auf unseren Untersuchungsebenen – der produktionspsychologischen und der darstellungsästhetischen – beobachten.

Kempowski schreibt:

– im Jahre 1964 einen *Collagen-Versuch* in drei Bänden (Präsens-Fassung)
– dessen Umarbeitung zum Protokoll im Jahre 1964/65;
– die dritte Fassung dieses Konvoluts (*Wassagrynn*) Ende 1965;
– die letzte Fassung von *Wassagrynn* 1965 – 67, die dann in der Schlußbearbeitung 1968 zur Veröffentlichung als *Block* angenommen wird.

3.3.2.1 *Kollage und Protokoll – die Ausbildung des neuen Verfahrens. Worauf verzichtet und was gewonnen wird*

«Protokollieren» hieß das Programm für die einzuhaltende Darstellungsebene: Tatsachen mitteilen. «Kollagieren» bot sich als Kompositionsprinzip an: Die umfangreiche Zettelsammlung, in der (oft auch aus den Tagebüchern übertragene) eigene und recherchierte fremde Realerinnerungen in kleinen zusammenhängenden Einheiten aufbewahrt vorlagen, stellte bereits die «protokollarische» Rekonstruktion von «Wirklichkeit» dar, – wenn darauf verzichtet werden sollte, sie zu deuten. Die Absicht, «Sinn zu geben» hätte ein homogenisierendes Darstellungsverfahren verlangt, über längere Strecken durchzuhaltende Binnenzusammenhänge, ein erkennbares Thema hinter dem Faktischen. Kempowski hat diese Absicht ursprünglich ja gehabt: «meine eigene Entwicklung (ohne Psychologismen)»[189] hatte der innere «strukturierende» Sinn des Berichts sein sollen. Im Kern eine uranfängliche Absicht – denken wir an den Druck, den das narzißtische Größen-Selbst und das von diesem modulierte Schuldbewußtsein auf die Hafterinnerungen seit je ausüben. Sie sollten einen «Sinn» hergeben, wie er diesen Bedürfnissen entsprach. Erinnern wir uns, daß Kempowski 1959 in seiner Examensarbeit eine solche «innere Entwicklung des Verfassers»[190] unter den Wertaspekten von «Erfahrung» und «Reifung» bereits einmal skizziert hat (2.3.2). Allerdings sollte auch erinnert werden, daß er sich 1959 einer «Deutung des Sinns» von *Draußen vor der Tür* entzogen hatte, da er «eine Gefährdung der gebotenen Sachlichkeit durch starke subjektive Anteilnahme»[191] fürchtete – in einem Rückzug auf die schematische Rekonstruktion einzelner Textstrukturen. Beide Formen der Bearbeitung des Haftthemas (bzw. des ihm verwandten «Heimkehrer»-Themas) hatten sich als im Bereich der eigenen Möglichkeiten erwiesen – Sinngebung wie Distanzierung, wenn auch nicht in der Dimension ästhetischer Darstellung. Hier aber genau lag jetzt das Problem. *Margot* hatte immerhin gezeigt, daß in ästhetischer Darstellung Sinn («metaphysische Schuld») so produziert werden konnte, daß er potentiell auf Anerkennung hatte rechnen können. Jetzt bot sich mit Protokollstil und Kollage ein Verfahren, das Aussicht hatte, akzeptiert und damit kommunikativ zu werden. Zweifellos konnte es vor der «jüngsten Norm» auch als ästhetisches gelten, denn als Schwundstufe der bisherigen Erscheinungsform von Kriegs- und Haftliteratur gewann es gerade vor dieser Folie seinen «ästhetischen Wert»[192]. In einem zwingenden Paradox schloß dies Verfahren aber gerade Sinngebung in der dargestellten Schicht aus. «Meine eigene Entwicklung» hatte Kempowski anfänglich noch als Sinn erhofft, «ohne Psychologismen» dabei schon zugestanden. Doch auch auf diese «eigene Entwicklung», das merkt Kempowski bald, wird er verzichten müssen und sie sich auflösen lassen in das chronologische Reihungsprinzip des Protokollierten, das dem Gang der äußeren Geschehnisse in den acht Jahren Haft folgt. Um den Leser zu erreichen, muß er ihm vorenthalten, was er ihm als Dringlichstes mitteilen will.

Formulieren wir genau diesen Sachverhalt noch einmal auf der produktionspsychologischen Ebene: Um für den eigenen «Tagtraum» Mitträumer zu gewinnen, muß der Autor das Opfer der eigenen Persönlichkeit bringen, denn mitzuphantasieren ist anderen unmöglich, solange

«der Dichter in eigener Person als Held des Tagtraumes auftritt. Um dieses Hindernis zu beseitigen, muß der Dichter einen unpersönlichen, oder besser gesagt, einen überpersönlichen Helden erschaffen, mit dem er sowohl wie alle Hörer sich identifizieren können, weil er gleichzeitig jeder ist und keiner.»[193]

Die «Verwischung der eigenen Persönlichkeit»[194] war in *Margot* bereits geleistet worden, allerdings noch zugunsten eines «Helden», der im Prozeß der vergeblichen Sinn-Suche eben einen Sinn erkennen ließ. Mit ihm konnte sich auch Kempowski identifizieren, zumal er mit ihm noch manche – als solche unkenntlich gemachte – autobiographische Elemente (private Symbolik, Träume) verbunden hatte. Das Protokoll-Verfahren ließ diesen Spielraum nicht mehr zu, es beschränkte – jedenfalls so, wie es Kempowski jetzt anwendet – die Darstellung eines «Helden» auf Außenkonturen.

Die eigene Persönlichkeit zu opfern, heißt für den Autor, seinen Narzißmus auf das Werk zu verschieben, ihm «Schönheit» zu verleihen, die beim Leser «Wohlgefallen» erregen soll. Läßt ein «Protokoll» diesen Prozeß zu? Sachs argumentiert in Kategorien traditioneller Ästhetik. Sein Leser, der ästhetisch zum Mitträumen verlockt werden soll, erwartet unter anderem «Motivierung und Charakteristik, Wohllaut und Klarheit»[195]. Diese Qualitäten lassen sich keinem Protokoll eintragen. Doch, so haben wir ja schon festgestellt, Kempowski kann auf die Veränderung des «ästhetischen Werts» als «Maß ästhetischen Wohlgefallens» rechnen. «Schönheit» ist bekanntlich nicht der einzige ästhetische Reiz, der eine «Lustprämie» gewährt. Die interessante Montage, die vielerlei Arten von intentionalen «Leerstellen», deren Ausfüllung ein Protokoll verweigert und dem Leser überläßt, die gesamte Differenz schließlich zwischen «protokollarischer» Darstellung und dem so Dargestellten in seinem (sei es tragischen, sei es groteskem) Eigengewicht produzieren durchaus ästhetisches «Wohlgefallen», wenngleich nicht mehr nach der Norm einer Harmonie-Ästhetik. Einige dieser Wirkungen wird Kempowski beim Schreiben antizipiert haben können. Er übt sich ja auch, wie wir zeigen werden, in eine Ästhetik des Tatsächlichen ein und überzeugt sich bei Autoritäten von deren Geltung. Dabei kann er feststellen, daß sie längst vorhandene, bisher verstreut gebliebene Interessen zusammenführt und erstmals artikuliert. Wir sehen also zureichend Gründe dafür, daß auf den entstehenden – gegenüber den Lizenzen der *Margot* ja depravierten – Protokoll-Text sehr wohl jenes erhebliche Quantum narzißtischer Libido verschoben werden kann, die von der Darstellung der eigenen Person abgezogen werden muß. Auch müssen wir unsere Feststellung erinnern, daß die narzißtische Lust im schöpferischen Akt selbst schon verläßlich auftritt, sofern natürlich dieser vom angestrebten Produkt her hinreichend legitimiert ist.

Wir haben einen für Kempowski anfänglich schmerzhaften Trennungsprozeß beschrieben. Sachs' Feststellung von der notwendigen «Opferung der eigenen Persönlichkeit»[196] bezeichnet völlig unmetaphorisch eine psychische Realität:

«Schwierigkeiten hat es mir zunächst gemacht, Persönliches auszuschalten. Reizvoll war es, z. B. im Kapitel ‹Einzelhaft› Reminiszenzen an Kindheit und Elternhaus einzublenden. Überhaupt, meine Herkunft, mein Schicksal, meine innere Entwicklung. Das habe ich nun alles gestrichen. Ich bleibe nahezu anonym. Alle Hinweise auch auf das Schicksal meines Bruders und meiner Mutter habe ich hinausgeworfen. Das schreibt sich hier sehr leicht. Immerhin habe ich Monate gebraucht, diesen schmerzhaften Schnitt durchzuführen. Die Gefahr lag nahe, daß aus der ganzen Geschichte entweder eine Familienchronik oder (eine zweite Gefahr) ein Entwicklungsroman werden würde. Das ist nun erkannt, und ich hoffe, daß alle Spuren getilgt sind.» (an Raddatz 8. 12. 1964)[197]

Man erkennt, daß die zwei seit Anfang beherrschenden Erinnerungskomplexe «Kindheit/Familie» und «Haft» sofort gemeinsam zu Ausdruck kommen wollten. Doch Kempowski hat ihre Spuren wieder getilgt. An den Vorarbeiten läßt sich diese Löschungsprozedur verfolgen, in der Endfassung des *Block* findet der Leser keine Spuren. Wie aber steht es mit dem *Autor* als Leser seines Textes? Hat die Tilgungsarbeit auf der Ebene des «protokollierten» Faktischen nicht Reste stehen lassen müssen, die als Vertretung eines gelöschten Ganzen dieses wieder aufrufen? Anders gewendet: Man wird ja nicht den idealtypischen Vorgang annehmen müssen, daß die narzißtische Besetzung total vom Größen-Selbst und seinen Legierungen (wie: Kompensation des Schuldbewußtseins) abgeflossen ist auf das sich ihnen im Ausdruck verweigernde Werk. Wir nehmen an, daß für den Autor als Leser des *Block* Besetzungsenergien aus diesen Bereichen an die Reste des ursprünglich als ihr Ausdruck Beabsichtigten anschießen und er «mehr» in seinem Text vorfindet als ein anderer Leser. Aber wäre das nicht normal? Insofern nicht, als hier die der Psychoanalyse geläufige «narzißtische Überschätzung des eigenen Werks» eben nicht vorläge. Es handelt sich vielmehr um einen Akt der Restituierung: Die mit psychischer Energie ursprünglich stark besetzten Erlebnisse und Phantasien würden bei der Konfrontation des Autors mit seinem Text hinter den von ihnen verbliebenen Resten wieder auftauchen. Auf die semantische Ebene übersetzt: Diese Reste dienten als Ausgangsreiz für komplexe Assoziationen, die bei der Konkretisierung des Textes durch den Autor das ursprünglich Zugehörige wieder einbringen. Wir werden auf unsere Annahme anläßlich des *Tadellöser* zurückkommen.

Kempowskis Aneignung des «Protokoll»-Verfahrens wird im Folgenden an drei Text-Stufen des *Block* vorgeführt. Wir können dabei als Paradigma beobachten, wie Kempowski das Motiv des *Auges* bearbeitet, bis es die endgültige Fassung der Druckvorlage erreicht hat. Wir schließen damit einen Querschnitt durch alle Arbeitsphasen Kempowskis von 1958 bis 1968 ab.

1. Aus: *Collagen-Versuch* (1964)[198]

1 Guckloch, «Spion», Auge. Stellen wir mal eine Betrachtung an.
  Zur Kontrolle des einsitzenden Häftlings.
    Ob er noch da ist,
    ob er noch lebt,
5   ob er ißt, geht, scheißt,

ob er gar liegt und schläft, oder sonstwas
    Verbotenes tut.
Draußen ist ein Deckelchen davor, man muß es beiseiteschieben
um hineinsehen zu können. Drinnen ist eine Glasscheibe.
10 Hier wird hinein- und nicht hinausgeschaut.
Für dieses Auge ist das Außen innen.

Das Auge wimpert alle 5 Minuten.
Behutsam schlägt es sich auf, sachte senkt es sich.
Das Senken bedeutet: Weitermachen, brav so, guter Junge.

15 Ein eisernes Auge.
Wenn es aufklappt, quietscht es.

«Das Haus der eisernen Augen.»

Der Sichtfinger wird hineingetunkt. Er tastet feucht in jeden
Winkel, rollt wie die Spirale eines Ameisenbären vor und
20 zurück bis es satt ist.
Quietscht es nebenan, dann weiß ich: Gleich wird es auch hier
erwachen. Ich:
    Sinnend auf und abgehen,
    Spion sein, beauftragter und bezahlter Agent,
25   Ami-Hemd zugeknöpft.

Richtig sein.

Ganz und gar Bild sein (darüberhinaus):
    Als einsamer Mensch brüten,
    an die Heimat denken,
    zum schmalen Gitterschlitz emporblicken,
30   Glaube, Hoffnung.

In jedem Fall dem entsprechen, was mir hier entspricht.

Nicht in das Auge sehen, ins ernste, feierliche, im Schlaf-
atemzug allezeit erwachende.
Es ignorieren, übersehen.

35 Dann wird es dich nicht enttäuschen. Es wird dich «brav»
nennen und von dir, den Schlagstahl eingerollt, ablassen.

(Das Auge vermag mit dem Kopf zu nicken!
Es liegt auf einer Wiese, schaut in das Himmelsblau
und hält die Beine überkreuz.)

Darstellungsästhetisch fällt die Vereinfachung der Syntax bis zum unvollständigen Satz auf. Die Sprache ist situationsabhängig geworden: Sie bildet Assoziationsreihen nach, wie sie in der Einzelhaft auftreten (3–7, 23–25 usw.), streckenweise ist sie Alltagssprache (1, 5, 16). Der Text ist aufgelöst in thematische Blöcke, die aus nur einem Satz bestehen können (17, 26, 31); wie der Satzbau scheinen sie sich aus dem natürlichen Mangel an strengem Zusammenhang bzw. der Heterogenität von «protokollierten» Assoziationsfolgen zu begründen, die ein Grundthema (Haftsituation, «Auge») schließlich doch gemeinsam haben. Die Berichtsperspektive ist die eines in Zeit (Gegenwart) und Ort (Zelle) als real gesetzten Ich (= des Walter Kempowski). Es handelt sich also um eine fingierte «Redesituation». Insofern hat sich Kempowski wesentliche Elemente eines «Protokoll»-Verfahrens bereits angeeignet. Doch wird das Verfahren noch durchkreuzt von nicht-abbildender Darstellung. Abgesichert durch die besondere «Redesituation» (Mischung aus Darstellung und innerem Monolog) gibt es «poetische» Lizenzen; es kann ja durchaus noch als protokollierte psychische Realität gelten, wenn der Berichtende in Metaphern assoziiert: personifiziert (Guckloch-Auge), ein Bild skizziert (17: «Das Haus der eisernen Augen»), eine Verschiebung der sinnlichen Erfahrung (visuell zu taktil) im Vergleich ausdrückt (18–20), schließlich die entsprechungslogische Personifikation (Guckloch-Auge) in ein irreales Bild überführt (37–38: «Es liegt auf einer Wiese . . .»), das sich allenfalls als Freiheitsphantasie noch in den Zusammenhang fügt. Hier handelt es sich um das Fortwirken des tradierten Begriffs von Literatur (Verfremdung, Irrealisierung) aus der *Margot*-Phase. In seinem oben zitierten Brief schreibt Kempowski zur vorliegenden Fassung:

«. . . daß das Manuskript, aus einer gewissen Verkrampfung heraus, zu sehr auf ‹Literatur› getrimmt war.»

Sicherlich wirkt hier der Ehrgeiz, mehr «Literatur» machen zu wollen. («Du wolltest doch immer ein Dichter sein?»[199] Ist ein Bericht, ein Protokoll denn überhaupt noch «Kunst»?) Doch daneben wird die anders gelagerte Absicht erkennbar, «bedeuten» zu wollen.

Übersetzen wir uns diesen Sachverhalt auf die schaffenspsychologische Ebene. Natürlich dringen die Größenwünsche wieder an. Sie waren schon früh dem Ziel des «Dichtens/Schreibens» angenähert (2.2), haben sich dann mit dem Beginn der Produktion fest mit der «Literatur» als ihrer Realisierungsmöglichkeit verbunden. Daher die «gewisse Verkrampfung» Kempowskis, das «Trimmen auf ‹Literatur›». Doch auch im Text selbst wollte seit Anfang die Größenvorstellung ihr Unterkommen finden, als «Held des Tagtraums». Das ist ihr nun völlig verwehrt, und Kempowski hat das gleich in dieser ersten Fassung des *Block* akzeptiert: Nun dominiert das Wächterauge und der Gefangene reagiert, überlegt, wie er sich ihm darstellt (26: «Richtig sein.»). Die an die Person geheftete Größenvorstellung ist zusammen mit deren Anonymisierung auf der Schwundstufe angelangt. Nur ein Rest ist geblieben: Erinnern wir uns, daß in Kempowskis frühen «realistischen» Versuchen (von 1957/58) die Außerordentlichkeit des Gefangenen dadurch vermittelt werden sollte, daß er auf «besondere», «geistige» und anderen überlegene Weise auf seine Gefangenschaft reagiert, Umgebung und Requisiten «Bedeutsamkeit» verleiht, im Guckloch der Zellentür ein «Auge» erkennt (2.3.3.1). Genau auf diese Präsentationsform von «Außerordentlichkeit» kommt Kempowski 1964 wieder zurück. Zwar kann «Überlegenheit» nicht mehr signalisiert werden. Doch über die «Bedeutsamkeit», die er zu erkennen vermag, kommt dem anonymen Gefangenen etwas von der Eigenschaft des «Außerordentlichen» wieder zu. Man kann sagen, daß hier der Größenwunsch seine letzte Chance wahrnimmt, über die Darstellung der ja realiter außerordentlichen Situation der durchstandenen Einzelhaft diese Außerordentlichkeit auf den Häftling übergehen zu lassen.

Die nun folgende Vorfassung des *Block* zeigt ein Extrem an. Wohl aus Sicherheitsbedürfnis verzichtet Kempowski auf jedes literarische Verfahren (außer der Kollage von Textblöcken) und «berichtet» nur «Tatsachen».

2. Aus: *Das Protokoll. Vorläufige Niederschrift* (1965)[200]
1 Ich hätte wohl gerne geschlafen, aber das war vollständig ausgeschlossen. Durch das Guckloch wurde man alle
   5–10 Minuten beobachtet. Draußen ist ein Deckelchen davor, drinnen eine Glasscheibe. Das Deckelchen quietschte.
5 Quietschte es nebenan, dann wußte ich: Gleich wird man
   auch dich betrachten. Dann ging ich sinnend auf und ab
   oder brütete als einsamer Mensch vor mich hin. Einmal
   fragte der Posten teilnehmend: «Nu, an Mutter denken?»

Darstellungsästhetisch kann hier nur die Null-Stufe festgestellt werden. Sowohl syntaktisch wie lexikalisch wird auf alle Wirkung verzichtet. Für Metaphern ist hier kein Platz mehr, «Auge» für Guckloch wäre nicht Berichtsebene. Dadurch, daß innerhalb des Textblocks ein (kohärentes) Satzgefüge hergestellt wird, sind die Einzelinformationen um ein potentielles Eigengewicht gebracht. Die demonstrative Freistellung in Text 1 (16) von «Wenn es aufklappt, quietscht es» hatte ein Assoziationsangebot gemacht, auf die reale Bedeutung dieser Tatsache für einen Gefangenen in Einzelhaft verwiesen. Text 2 (1–4) muß das ausführen: «Ich hätte wohl gerne geschlafen, aber . . . Das Deckelchen quietschte.» Wir erkennen noch in diesem Einzelzug die Differenz zwischen Darstellung und Information. Da alles ausgeführt ist, wird auch die einzige Pointe entschärft: Das qualifizierende «teilnehmend» und das charakterisierende «Nu» zur Frage des Postens (in 7/8) deckt deren Ambivalenz fast zu.

Schaffenspsychologisch läßt sich mangels Zeugnissen nur spekulieren. Objektiv gesehen, hat sich Kempowski hier auch von jeder «Verschiebung des Narzißmus auf das Werk» abgeschnitten, denn eine auf ästhetische Wirkung zielende Gestaltungsarbeit hat nicht stattgefunden. Jedoch, eine (vorübergehende) Befriedigung in der Produktion muß er gehabt haben, er schreibt ja einige Hundert Seiten. Wir vermuten, daß sie in der gelingenden Selbstbefreiung von der «Literatur» liegt. Diese ausdrücklich *Protokoll* genannte Fassung scheint ein notwendiges Extrem gewesen zu sein.

Beurteilen wir die Endfassung des *Block* von den beiden bisher analysierten Text-Stufen her, erscheint sie darstellungsästhetisch als Synthese der dort gewählten Mitteilungsebenen: Kempowski verzichtet auf die tradierten Techniken literarischer Verfremdung, wie sie in Text 1 noch die verschiedenen Formen von Metaphorik hervorbringen. Er verläßt jedoch auch wieder die Ebene reiner Information, die ja durchaus nicht die Realität getreu protokolliert, sondern sie in der Beschreibung gerade durch Ausführlichkeit verkürzt. Daß Kempowski diesen Irrtum bemerkt hat, zeigt die «dritte Fassung des Protokolls», die charakteristisch einen neuen Titel erhält, *Wassagrynn*, nach einer Knast-Vokabel (die die Grundstimmung von «mir reicht's» ausdrückte).

3. Aus: *Wassagrynn. 3. Fassung des Protokolls* (Dezember 1965)[201]
1 Das Guckloch hörte ich schon fünf Zellen vorher, es
  quietschte, dazu die Schritte des Postens. Wenn er

reinguckte, ging ich sinnend auf und ab. Oder brütete
vor mich hin. Ein einsamer Mensch

5 «An Mutter denken?» fragte er einmal.

Zuweilen wurde meine Zelle übersprungen. Oder es wurde
gleich zweimal reingeguckt. Im ersteren Falle hatte ich
längere Zeit denkend zu verharren, im letzteren unvermutete Einblicke in meine wahre Natur rasch zu ver-
tuschen.

Wichtig ist hier, daß Kempowski sich wieder der gesprochenen
Sprache annähert. Zwar wird keine «Redesituation» mehr hergestellt, die sie, wie im Text 1, legitimieren würde; das Präsens ist ja
zugunsten der distanzierenden Vergangenheitsform aufgegeben
worden. Sicher wird Alltagsrede erst einmal als Mittel eingesetzt,
das im Zusammenspiel mit den Wirkungen der «protokollarischen» hochsprachlichen Stilebene (7: «Im ersteren Falle hatte ich
längere Zeit denkend zu verharren . . .») Degagiertheit und Distanz erzeugt. Zum anderen stellt sie durch Anklänge an den
Knast-Jargon Atmosphäre her. Ein dritter Effekt, der uns besonders beschäftigen soll, kommt dabei von selbst zustande: Eine
besondere Form der Beteiligung des Lesers durch die *Implizitheit*
von Alltagsrede. Vieles, was sowohl in erzählendem wie in protokollarisch berichtendem Vortrag ausgeführt werden muß, kann
hier unausgeführt mitgemeint (impliziert) werden und wird auch
nach den Verstehensregeln der Umgangssprache richtig verstanden. Vergleichen wir vorliegenden mit Text 2, dem protokollarischen Extremfall:
Während dort nur syntaktisch komplette Sätze stehen, kommen
jetzt wieder unvollständige Äußerungen vor: «Oder brütete vor
mich hin.» (3) Semantische Verkürzungen treten auf: «Das Guckloch hörte ich schon fünf Zellen vorher . . .» (1); Text 2 lieferte
dagegen akkurat das sachlogische Zwischenglied: «Das Deckelchen quietschte.» (4) Dinge und Vorgänge können als selbstverständlich behandelt werden: «Wenn er reinguckte . . .» (2); Text 2
hatte beschreiben müssen: «Durch das Guckloch wurde man alle 5
– 10 Minuten beobachtet.» (2) Zusammenhänge müssen nicht
ausgeführt werden: «Wenn er reinguckte, ging ich sinnend auf und
ab.» (2/3); zuvor war das noch begründet worden: «. . . dann
wußte ich: Gleich wird man auch dich betrachten. Dann ging ich
sinnend auf und ab . . .» (5/6) Schließlich kann auch die Pointe

wieder aus dem Satzverband genommen und graphisch freigesetzt werden (5); damit ist ihr Assoziationshof wieder eröffnet.

Text 3 repräsentiert das neue Darstellungsverfahren, wie es im *Block* dann erscheint – zwar nach drei weiteren Jahren der Verfeinerung («die Nettigkeiten müßten noch raus. Kühle und Distanz noch konsequenter»[202]) und einiger Zutat («Ironie»[202]), doch die Darstellungsprinzipien werden nicht mehr verändert.

Was ist in *Wassagrynn*, woraus wir Text 3 als Muster vorgeführt haben, endgültig gewonnen?

1. Darstellungsästhetisch die Versöhnung des Strebens nach Authentizität («Protokoll») und dem Bedürfnis nach ästhetischer («literarischer») Formung des Berichteten. Kempowski hat hier seine Lösung des alten, besonders natürlich in der Biographie akuten «fact-fiction»-Problems gefunden: Das Faktische ist ohne Selektion des Erinnerungsmaterials und seine Einfügung in einen (notwendig «Sinn» stiftenden) Zusammenhang nicht darstellbar. Durch diese Eingriffe ist es ständig bedroht, sich in Fiktion zu verwandeln. Dem wiederum muß der auf die realistische «Echtheit» des zu Berichtenden bedachte Autor entgegenwirken, indem er einmal dem Detail größtmögliche «Originaltreue» verleiht, zum andern immer wieder aus der Berichtsperspektive das Signal setzt, hier werde Faktisches reportiert. Er kann jedoch dabei nicht vermeiden (und will es auch letztlich nicht), daß dieses Dilemma gerade antidokumentaristische ästhetische und Bedeutungs-Reize produziert. Wie sieht das in *Wassagrynn* aus (der Leser überprüfe das am ihm zugänglichen *Block*, der sich prinzipiell nicht mehr unterscheidet)?

Der Notwendigkeit, das Erinnerungsmaterial auswählen zu müssen, begegnet Kempowski mit dem Verfahren, gerade diese Notwendigkeit im Text sichtbar zu machen: Die Aufteilung des Berichts in Fragmente (Blöcke) weist ostentativ darauf hin und setzt ein Gegengewicht zur Illusionsbildung (= Fiktionalisierung). Andererseits können die Blöcke nicht völlig unverbunden aufeinander folgen, dem Bedürfnis nach wenigstens streckenweiser «Kohärenz» von Information muß entsprochen werden; so werden ganze Block-Sequenzen durch ein inneres Thema zusammengehalten, es entstehen geschlossene «Geschichten». Nun jedoch wieder soll auf «Sinn» in solchen Geschichten «protokollarisch» verzichtet werden. Kempowski unterläuft diesen Verzicht teilweise, indem er das Material selber potentielle Bedeutungen anbieten läßt durch kalkulierte Freisetzung von Satzsequenzen oder Einzelsätzen innerhalb des Blocks, wodurch sich unvermutete und neuartige Assoziationsräume eröffnen, in denen sich «Sinn» herstellen kann. (T 3/5: «An Mutter denken?» fragte er einmal.) Diese Möglichkeit ergibt sich aus der durch die gesprochene Sprache legitimierten Lakonik, die sich dann auch auf der hochsprachlichen Stilebene findet. Neben der Verwendung der zeitlichen Vergangenheitsform und der Detailgenauigkeit ist es die gesprochene Sprache (mit ihren Anklängen an den Knast-Jargon), die – sich der Fiktionsbildung widersetzend – immer wieder die Berichtsperspektive des Authentischen nachverstärkt. Gegenüber anderen zeitgenössischen Versuchen, in der Biographik die Spannung zwischen Fiktionalisierung (entstehend durch Schlüssigkeit und Zusammenhang des Berichteten) und angestrebter Authentizität durch *Kritik* aufzulösen (z. B. durch verschiedene Berichtsperspektiven auf ein und dasselbe Geschehen)[203] bietet Kempowski eine positive Lösung: Er akzeptiert das Dilemma. Die Grenze des Protokollarisch-Dokumentarischen wird zwar weit vorgetrieben. Doch über Eingriffe (Selektion, Komposition, Pointierung) stellen sich auch die Charaktere des Fiktionalen und des Ästhetischen her.

2. Kreativitätspsychologisch ist zweierlei gewonnen: Das neue Darstellungsverfahren ist reizvoll genug und auch erfolgversprechend, daß es mit den immensen Verzichten auf die explizite Darstellung narzißtisch besetzter Vorstellungen («innere Entwicklung»), Entlastungskonzepte («metaphysische Schuld») und Erinnerungen (Kindheit, Familie) versöhnt. Es ist von Kempowski selbst entwickelt, *sein* Verfahren, keine Fremdanteile vermindern mehr die eigene Leistung. Deshalb können auch die Texte voll als «Stück dieses Ich» (Sachs) erfahren werden, können sie auch die libidinöse Besetzungsverschiebung aufnehmen. Zum andern muß die Gewißheit hoch veranschlagt werden, jetzt über ein eigenes leistungsfähiges Darstellungsverfahren zu verfügen. Es garantiert die Möglichkeit anhaltender und zielgerichteter Produktion. So kann Kempowski nach der Fertigstellung des *Block* bald mit der Arbeit am *Tadellöser* beginnen und auch öffentlich sich auf das enorme Arbeitsprogramm seiner Familienromane («Sysiphus») festlegen.

Die Schlußfassung des *Block* paßt einige der beschriebenen Darstellungsmittel noch etwas mehr den Regeln der Hochsprache an. Insbesondere der Anteil gesprochener Sprache in der Berichts-

ebene wird reduziert und damit eine größere syntaktische Ge-
schlossenheit erreicht, womit sich auch der Betrag an Implizitheit
etwas vermindert. An den Grundprinzipien der Darstellung hat
sich aber nichts verändert. Wir geben eine längere Textpassage
über unseren Vergleichs-Passus hinaus, da sich hier im günstigen
Zusammenhang eine Beobachtung bereits zum *Tadellöser* machen
läßt.

4. Aus: *Im Block. Ein Haftbericht.* (1969)[204]

1 Wenn der Posten auf der gegenüberliegenden Gangseite
die Spione hochschob, gab es ein feines, quietschendes
Geräusch. Kam es in meine Nähe, dann ging ich sinnend
auf und ab. Oder ich brütete vor mich hin: Ein einsamer
Mensch.
5 «An Mutter denken?» fragte der Posten durch die Tür.

Zeitweilig stellte ich mir die Zelle als Schiffskajüte
vor. Ring-Ring! Beide Maschinen volle Kraft voraus!
Unterm Bett würde ich ein Schapp anbringen für Schiffs-
10 zwieback und Dauerwurst. Und unters Fenster käme ein
bequemer Sessel.
Alles mit Mahagoni täfeln und Pfeife rauchen.

(Mein Vater ging sonntags oft mit mir an den Hafen. Von
der Fischerbastion aus, mit ihren alten Kanonen, hatte
15 man einen weiten Rundblick.
Er zeigte mir die «feindlichen» Schiffe, die beim
Konkurrenten clarierten. Unsere sahen freundlicher aus
und sauberer. Matrosen winkten uns zu. Mein Vater ließ
die Handschuhe an, wenn er sie begrüßte. «Man weiß
20 nie, was diese Leute angefaßt haben», sagte er.
Die Handschuhe waren aus dunkelgrünem Wildleder.)

Wie konzentrieren uns ein letztes Mal auf unseren Vergleichspas-
sus (1–6), der hier die Endstufe erreicht hat. Von der repräsentativen Grundkonstellation «das Auge», an die sich die Selbst-Vorstellung und der Ehrgeiz, sie «literarisch» auszudrücken, so intensiv
geheftet hatten, ist jetzt auch die letzte sprachliche Erinnerungs-
spur getilgt: Texte 2 und 3 hatten in «*Guck*loch» noch einen
semantischen Rest bewahrt. Aber auch der dargestellte empirische
Erlebnisgehalt hat sich noch reduziert: Vermittelte sich das Quiet-
schen des Gucklochs in Text 3 noch über das hörende Ich (1), wird
es jetzt zu einer unabhängigen Größe (3: «Kam es in meine

Nähe . . .»); das sinnlich unmittelbare «es quietschte» (T 3/1) erscheint nunmehr als Element einer («distanziert») konstatierenden Substantiv-Konstruktion (2/3). Die Pointe steht, besser kalkuliert, am Schluß des Text-Blocks.

Die Feinanalyse soll zeigen, daß Kempowski in der Endfassung des *Block* noch einen höheren Grad an Organisiertheit und Distanz erreicht. Jedoch der Verzicht, mit dem Distanz schmerzhaft erkauft werden mußte, erscheint, einmal geleistet, im *Block* auch wieder gemildert: «Reminiszenzen an Kindheit und Elternhaus . . . meine Herkunft»[205] können, sparsam zwar, wieder eingeblendet werden, als Assoziation legitimiert (in obigem Zitat über 7–12). Sie unterliegen allerdings völlig dem Darstellungsmodus des Haftberichts. Psychologisch ausgedrückt: Die starke psychische Besetzung des Erinnerungskomplexes «Kindheit/Familie», insbesondere der Gestalt des Vaters, wird nicht repräsentiert. Vom *Tadellöser* rückblickend läßt sich sagen, daß Kempowski hier bereits sein Darstellungsverfahren am Stoff der Familienchronik erprobt. Erinnern wir, daß sich dieser Stoff in einer entscheidenden Arbeitsphase störend eingemischt hatte und in eben jenem Prozeß der «Opferung der eigenen Persönlichkeit», den wir oben beschrieben haben, in einem «schmerzhaften Schnitt» mit abgetrennt wurde. Es wird deutlich, daß es dieses Prozesses bedurft hatte, um nun die Familienchronik möglich zu machen.

Kapitel III: «Tadellöser & Wolff»

(Ergänzendes zum Kreativitätsprofil. Vorübungen. Der Entstehungs- und Arbeitsprozeß. Differenz der Motivation zum Text)

4. 1968 – 1970

4.1 Der Einschnitt in die Biographie: Sie läuft jetzt als Doppel-Existenz weiter. «Im Block» kommt heraus. Der Familien-Roman entsteht

Im Block wird März 1969 veröffentlicht. Er wird als Haftbericht aufgenommen, die Kritik ist durchaus günstig. Überraschend für einen Erstling, daß sich auch die «großen» Feuilletons eingehend damit beschäftigen.[206] Es handelt sich nicht vordringlich um einen «literarischen» Erfolg. Der Berichts-Stil wird zwar als angemessenes Darstellungsverfahren für seinen Gegenstand gewürdigt, die Aufmerksamkeit richtet sich jedoch völlig auf das Inhaltliche, das Thema «Zuchthaus/Bautzen». Die Person des Autors interessiert noch nicht. Vergleicht man mit anderen Schriftstellerbiographien, ist der Start nicht schlecht. Doch ist 1969 nicht das Jahr für ein breiteres Publikumsinteresse an einem Bericht aus einem DDR-Zuchthaus. Der Absatz ist sehr gering, er beläuft sich bis Ende 1970 schließlich auf 2000 Exemplare. Als Kempowski dem Rowohlt-Verlag 1969 ein neues Manuskript ImStrom anbietet, lehnt dieser ab. Es handelt sich um die ersten Kapitel des späteren Tadellöser & Wolff. Allerdings glückt eine Vermittlung des Manuskriptes an den Hanser-Verlag, der seine Entwicklung bald intensiv betreuen läßt. Im Oktober 1970 schließt Kempowski den Roman ab, Anfang 1971 kommt das Buch heraus.

Nach Abschluß des Block sich die Familiengeschichte vorzunehmen lag nahe. Dieser biographische Strang hatte immer wieder in den Block einzuschießen gedroht. Indem er ständig abgewehrt werden mußte, hatte sich der Stoff unter der Hand zum Erzählvorwurf endgültig verdichtet. Das Material dazu war ja seit 1957 gesammelt worden, die Familienchronik (1961) hatte es erstmals strukturiert und auch den Grundstock eines ständig erweiterten Archivs eingetragen. Die Erinnerungsproduktion aus dem Unbewußten (Träume, Tagträume, Assoziationen) zu «Kindheit/Familie» hatte unvermindert angehalten. Kempowski kann im August 1968 einsetzen in der Zuversicht, daß das zum *Block* gewonnene Darstellungsverfahren sich auch an diesem Gegenstand bewähren würde. Die Arbeit am *Strom* zeigt dann (nach Ausweis des Werktagebuchs) einen kaum unterbrochenen kreativen Spannungsbogen und eine noch nicht erfahrene Intensität der Produktion.

Kempowski erlebt in diesen zwei Jahren die Verfestigung seines künstlerischen Selbstverständnisses, noch bevor der große Erfolg des *Tadellöser* ihm dies nachdrücklich bekräftigt und es in einer öffentlichen Rolle befestigt. Es ist eine Phase, in der allmählich deutlich wird, daß der Lebensplan aufzugehen scheint. Die Einführung Kempowskis in den Literaturbetrieb, wie sie sich über den neuen Verlag ergibt, wird mit gelassener Neugier angenommen. Was jetzt erfolgte, hatte man sich in mehrerlei Hinsicht verdient. Es wird klar, daß sich die Biographie fortan auch als Schriftstellerexistenz fortsetzen würde. So stellt sich 1970, lange vorbereitet, ausdrücklich das Programm eines 5-bändigen Romanzyklus her, das von «Kinderszenen» (1929–1939) bis zum Roman der dritten Familie Kempowski reichen würde. Dies Schreibprogramm, das stand gleich fest, würde auch das Lebensprogramm bis 1981 sein. (Es ist bis heute exakt eingehalten worden.)

Züge notwendiger Professionalisierung zeichnen sich ab: Kontaktaufnahmen, Beobachtung der «Konkurrenz», Einschätzung des Eindrucks der eigenen Person, Eingehen auf fremde Erwartungshaltungen (langsam wird eine mögliche «Rolle» sichtbar). Sehr wichtig dann: Das Alltagsleben der Familie richtet sich allmählich auf die Bedingungen einer öffentlichen Autorschaft ein. Da Kempowski nicht beabsichtigt, seinen Lehrerberuf aufzugeben, wird fortan zwischen zwei Berufen produktiv zu vermitteln sein.

4.2 *Datenskizze zu Konzeption und Entstehung*

Daß man von einer unabsichtlichen Vorbereitung des Familienromans seit 1959 sprechen kann, haben wir schon ausführlich begründet. Die Erinnerungsproduktion liefert seitdem reiches Material zu «Kindheit/Familie» (insbesondere zur Person des Vaters), das in den Notizbüchern festgehalten wird. Die psychologisch erkennbare Tendenz des Materials war als «Regression» und «Restitutionswunsch» zu bestimmen. Sie antwortete auf akute Bedrängnis. Daß sie tiefer motiviert war, zeigte ihre ungeminderte Fortdauer über die schwierige Lebensphase der sozialen Eingliederung hinaus. Die Absicht «zu schreiben», richtet sich jedoch noch für viele Jahre auf die Haft-Erfahrungen.

Seit 1959 diktiert die Mutter ihre Biographie, die allmählich eine Retrospektive auf die Geschichte der Herkunftsfamilien einstellt. 1961 beendet Kempowski seine dokumentarische *Familienchronik*. Bald danach, während der zuweilen fast euphorischen Arbeit an den *Margot*-Texten (die die Konstituierung seiner Produktivität bedeutet), notiert er sich erstmals als «Buchidee: Meine Familie . . .»[207]. Ein Plan wird noch nicht daraus, Kempowski konzentriert sich auf das Haft-Buch. In dieser Zeit – ab 1963 – kann man die «stille Konzeption» des Familienromans beginnen lassen, wenn man dies so versteht, daß die in die Arbeit am *Block* einschließenden «Reminiszenzen an Kindheit und Elternhaus . . . überhaupt, meine Herkunft»[208] abgewehrt werden mußten und sie gerade dadurch noch an Eigengewicht zunahmen. Gelegentlich organisiert sie Kempowski bereits zu bestimmten Themenbereichen. Im Zusammenhang mit einer Liste, in der er sich wichtige Kindheitserinnerungen zusammengestellt hat («Was reizte mich daran?»), findet sich Ende 1966 die Überlegung: «Vielleicht Familiengeschichte hinterher?»[209] Die Absicht verfestigt sich. Nach Abschluß des *Block* (März 1968) schaltet Kempowski zwar noch ein bislang unveröffentlichtes *Zwischenbuch* ein, zu dem er einige ältere Manuskripte aufarbeitet – eine Zwischenübung auch mit dem neuen Darstellungsverfahren[210]. Im August des Jahres beginnt er die Familiengeschichte. Der Arbeitstitel *Im Strom* steht auch gleich in Differenz zum entstehenden Text: Er bezeichnet die Grundvorstellung vom Schicksal der Familie als willkürlich umgetrieben im «Strom der Zeit», die natürliche gefühlhafte Besetzung dieser Vorstellung schlägt durch. Der Text jedoch hat davon wenig. Das am *Block* ausgebildete Verfahren bewährt sich. Kempowski setzt ein und schreibt, was fast unverändert Druckvorlage werden kann, denn auch wesentliche Eingriffe in das Manuskript werden nicht mehr nötig.

Der Werkverlauf ist kontinuierlich und äußerlich undramatisch, mit Ausnahme des erzwungenen Verlagswechsels, dessen Schock bald überwunden wird. Die Arbeitssituation ist ungleich günstiger als zum *Block*. Kempowski hatte sich als Autor bewiesen, wenn auch nicht kommerziell. Der Verlag zeigt nachdrücklich Zutrauen in das entstehende Werk, und er hat Grund: Es wird bald erkennbar, daß mit dem neuen Verfahren die Stoffmassen kompositionell und in der Darstellung sicher verarbeitet werden. Kempowski erlebt seine fortschreitende Arbeit ohne Störung und außerordentlich intensiv: «So ein Buch, wie ich es jetzt schreibe, kann man nur einmal im Leben schreiben.»[211] Das verbindet sich nun mit einem Zuwachs an Arbeitskontrolle. Kempowski führt erstmals ein zusammenhängendes Kontrollbuch, in dem Planungen, Arbeitsschritte und Änderungsüberlegungen festgehalten sind.

Im Oktober 1970 ist das Manuskript abgeschlossen. Es findet sich schließlich auch ein Titel für das Buch. Als *Tadellöser & Wolff* erscheint es im Februar 1971.

Schon Anfang 1970 hatte es Überlegungen zur Fortsetzung der Familiengeschichte gegeben, geplant war das *Missing Link* zwischen 1945 und 1948 (dann: *Uns geht's ja noch gold*). Eine Woche nach Fertigstellung des *Tadellöser*-Manuskripts wird notiert: «Heute mit dem neuen Buch richtig begonnen. Tafel fertiggestellt, Materialsammlung vorbereitet.» (10. 10. 1970)

4.3 *Ergänzungen zum Kreativitätsprofil*

Die für Kempowskis schriftstellerische Produktion entscheidenden Dispositionen und Entwicklungen haben wir in psychologischer wie in darstellungsästhetischer Hinsicht beschreiben können. Damit ist zum Verständnis des *Tadellöser* bereits viel vorgeklärt. Nun beruht Kreativität, zumal dort, wo sie zäh und erfolgreich eine außerordentlich umfangreiche Produktion unterhält, gewiß noch auf anderen Eigenschaften der Persönlichkeit. Es sind Eigenschaften, die die psychischen Optionen und darstellungsästhetischen Einsichten als produktiven Vollzug erst möglich machen. Sie beeinflussen den gesamten Produktionsvorgang und den Schreibakt selbst und tragen bei zur Unverwechselbarkeit des Produkts. Um welche Eigenschaften handelt es sich? Die Frage kann hier wie in jedem Fall nur beantwortet werden, wenn man sich über zweierlei verständigt hat: Es handelt sich um ein funktionales Zusammenspiel von Faktoren unterschiedlicher Wirkungskraft; die isolierte Beschreibung einzelner Faktoren geht auf Kosten der Einsicht in das funktionierende «System», das seinerseits aber kaum beschreibbar ist. Um ein Kreativitätsprofil überhaupt skizzieren zu können, müssen wir dennoch Einzelfaktoren isolieren und können ihren Funktionszusammenhang nur andeuten. Eine andere Frage ist noch die nach der Beschreibungsebene. Greifen wir zu einem Beispiel: Tiefenpsychologisch war eine dominante Ausrichtung der Phantasietätigkeit Kempowskis auf Erinnerungen festzustellen. Dem korrespondiert im Alltagsleben wie dann auch z. B. bei der Komposition der stofflichen Details während des Schreibens (zur rechten Zeit wissen, daß und wo sie vorhanden sind) ein sehr genaues Gedächtnis. Über den genetischen Zusammenhang beider Tatsachen ließen sich – schwer beweisbare – psychoanalytische Hypothesen aufstellen, worauf wir verzichten. Die nach unserer Einschätzung besondere Kapazität des Behaltens, Erinnerns und Wiedererkennens können wir jedoch im persönlichen Umgang konstatieren, im Produktionsvorgang entdecken wir sie wieder. Insofern ist unsere Beschreibung phänomenologisch. Sie wird zu einer funktionalen, wenn wir einen produktiven Zusammenhang zwischen Gedächtnisleistung und dem gleichfalls hohen assoziativen Vermögen Kempowskis feststellen können.

4.3.1 Intuition

Mit der geläufigen Rollenfestlegung als des konstruierenden, dabei Realität abbildhaft reproduzierenden Dokumentaristen wird erst einmal schwer zu vereinbaren sein, daß Kempowski sich auf Intuition beruft. Solche Berufungen finden sich in den Tagebüchern erst seit dem Einsetzen der Produktion:

«Bei mir ist alles Intuition. Wo ich nachdenke, verfälsche ich.»[212]

Das notiert Kempowski in der ersten Phase intensiv erlebter Produktivität, während der Arbeit an Margot (1962). Der Kontext deutet an, was gemeint ist: Auf die Phantasie-Skizze eines Urwalderlebnisses in Südamerika folgt unmittelbar ein Einfall, der die Komposition des gesamten Margot-Komplexes entwirft. Eine ähnliche Feststellung findet sich, nachdem Kempowski ein Margot-Manuskript als mißlungen verworfen hat und die Veröffentlichungsaussichten des immer mehr ins Phantastische ausufernden Briefromans überhaupt schlecht stehen. Es ist die negative Berufung von «Intuition»:

> «Ich spiele immer noch. Richtiges Leben ist dies nicht. Mein Gehirn ist zu richtiger Arbeit nicht fähig, es kann nur reproduzieren, was vom Unbewußten hochgespült wird.»[213]

Man muß hierzu erinnern, daß Kempowski zu *Margot* zwar kalkuliert Kafka'sche Muster einsetzt, diese Rahmen aber mit eigenem Erinnerungsmaterial aus den Tagebüchern, dann auch mit Phantasievariationen davon ausfüllt. Das «Reproduzieren» bezieht sich offenbar auf diese Inhalte. Der kompositionelle Orientierungsrahmen sind die Kafka-Muster, eine eigenständige Organisation des «reproduzierten» Materials, auch die geplante Erfindung gelingt Kempowski noch nicht. Das folgende Zeugnis hat einen anderen Entstehungsgrund:

> «Erinnerungstage. Hat sich wieder aufgeladen, das Zentrum. Heute ausgeleert. März 1939, Schneeschmelze, Schneeglöckchen, Heldengedenktag, Judenkinder, Schneemann, im Rinnstein Dämme bauen, früher gegen Weihnachten bei Bäcker Schering im Schnee gewälzt . . .»[214]

Dies ist der Typ des einzeln oder in Reihen unwillkürlich auftretenden Erinnerungsbildes, wie wir es schon verschiedentlich kennengelernt haben (2.2., 3.2.2). Die «Erinnerungstage» haben eingesetzt, nachdem die dritte Fassung des *Protokolls* abgeschlossen ist, der (immer wieder abgewehrte) Erinnerungskomplex «Kindheit/Familie» dringt an. Die metaphorische Selbsterklärung bestimmt dies Andringen als «Entleerung» eines unabhängig aktiven «Zentrums». Im Kontext zu einer intensiven Arbeitsphase am *Tadellöser* («Dieses Buch wird mein Musterstück . . .») findet sich dann eine Entsprechung:

> «Nebenbei ist mein Gehirn wie eine Empfangsstation. Im Augenblick sendet das Nachknastbuch.»[215]

Als gemeinsamer Kern dieser Aussagen stellt sich Intuition hier dar als das Erlebnis der unmittelbaren «Eingebung» von Erinnerungen und anderen Inhalten der «Systeme Vorbewußtes und Unbewußtes»[216] während des Arbeitsprozesses. Es zeigt sich, daß die unwillkürliche Phantasieproduktion, die wir in den Tagebüchern durchgehend beobachtet haben, sich gerichtet, aber nicht bewußt gesteuert, im Schaffensvorgang fortsetzt. Diese Feststellung ist aber auch nur deshalb interessant (in welchem künstlerisch

produktiven Vorgang wären denn nicht vorbewußte Anteile anzu-
treffen?), als sie im Gegensatz zur proklamierten hohen Refle-
xionsstufe der Schreibvollzüge Kempowskis steht. Wir werden sie
auch erst bei unserer Darstellung dieser Vollzüge überprüfen.

4.3.2 Bilder

In den obigen Zusammenhang nicht-reflektorischer Anteile am
Schaffensvorgang gehört Kempowskis besondere Fähigkeit zur
bildlichen Vorstellung, zur *Eidetik*. Sie wird im Folgenden in
einem Vorgriff auf den *Tadellöser*-Text und eine spätere Selbstinterpretation Kempowskis behandelt. Hinweise auf eine ausgeprägte bildhafte Vorstellungstätigkeit finden sich ja schon früh; so zum
Haft-Thema (1958):

> «. . . Ich sitze vor dem Steinway-Flügel und spiele. Und Bilder auf Bilder
> kommen von damals. Es war doch zu stark.»[217]

In den Tagebüchern sammelt sich über die Jahre ein reiches
Material an ausgearbeiteten Tagtraum-Bildern und detaillierten
Assoziationen:

> «Kindheitserinnerung an die Schlachterei Max Müller ganz besonders
> intensiv. Draußen Regen, 5 1/2 Uhr nachmittags im Dezember, viel-
> leicht Schlackerschnee, erleuchtete Schaufenster und Laternen, die sich
> im feuchten Pflaster spiegeln. . . .»[218]

Ihr Erscheinen wird dann auch während des Schreibens am *Tadellöser* vermerkt; zur Germitz-Episode:

> «Das Idyllische wird auf Realitätsgehalt zurückgeführt durch scharfe
> Detailschilderung. Sonst Carossa oder Turgenjew. Alles voller Bilder,
> Millionen Bilder.»[219]

Setzt das Vorstellungsvermögen aus, gibt es Notbehelfe wie Fotografien. Ein genaues Bild jedenfalls wird als Erzählvorlage benö-
tigt:

> «Greta und ich. Immer bei der Wahrheit bleiben, dann kann nichts schief
> gehen. Sprödigkeit neben Unbedarftheit.
> Sehe nur ihr Foto vor mir, sie selbst ist weg.»[220]

Fotos insbesondere sind «Meditationsgrundlage», sie provozieren
offenbar eine eindringlichere Vorstellung über ihre eigene pure
Abbildhaftigkeit hinaus, die das Erinnerungsmaterial erst zu Pla-

stizität und in Bewegung bringt. Kempowski hat sich dann auch «das Zuchthaus Bautzen als Puppenstube» nachgebaut «und den historischen Stadtkern seiner Heimatstadt maßstabgetreu aus dünner weißer Pappe» zusammengeklebt.[221] Demonstrativer Dokumentarismus, spielerisch forciert? Gewiß, auch Spiel, (an welchem künstlerisch produktiven Vorgang wäre es nicht beteiligt?). Vor allem aber doch Anreiz des bildlichen Vorstellungsvermögens, dem der Stadtplan Rostocks nicht genügt. Stellen sich die Bilder nicht von selbst ein, werden sie «meditativ» herbeigerufen.

Das Aufbrechen der eidetischen Begabung Kempowskis geschah in der Haft. Die in dieser Lage ganz natürlich übersteigerte Phantasieproduktion wird jedoch systematisch trainiert und auf bestimmte Bereiche ständig ausgerichtet:

Die Größenphantasien und ihre Funktion haben wir schon dargestellt und analysiert (2.3.3). Nicht ohne Zusammenhang mit ihnen stand das systematisch betriebene

«Erinnerungsspiel, dadurch Objektivierung. Ergänzung und Festigung durch anregendes Berühren der Wunde. Flucht in Vergangenes. *Bunter Farbfilm.* Armselige Umwelt, armselige Erinnerungen der anderen Knastrologen, Bewußtwerden daß etwas Besonderes war die Familie K.»[222]

Ein Zwischenkonzept zum *Block* resümiert anschaulich, welche Rettungsfunktion und damit Intensität die Phantasien gehabt haben:

«. . . Hier wird die Traumwelt, die vorgegaukelte Romantik des Häftlings geschildert. Hier werden die *Ablenkungsbilder*, hier wird das Klima geschildert, in dem sich der Häftling befindet, die Luft, in die er sich einhüllt, um nicht durch die Realitäten der Haft zerschmettert zu werden.
Diese Welt muß ‹dick aufgetragen sein›, sonst überzeugt sie den Träumer nicht.»[223]

Der Häftling hatte sich die Bildphantasien verfügbar gemacht, vermochte sie gezielt in schwieriger Lage einzusetzen. Im Stehkarzer des Zuchthauses:

«Ich nahm mir vor, nicht daran zu denken, wie lange ich hier stehen muß, machte mich ganz leicht, schloß die Augen und ließ die Bilder kommen, wie ich das bei Opitz gelernt hatte . . .»[224]

Wir nähern uns einem Befund, der erstaunliche Nähe zu einer bereits vorgestellten Beobachtung hat: Es konnte verfolgt werden, wie in der Arbeit am *Block* bestimmte Inhalte und Themen ausgeschieden oder hochgradig reduziert wurden: Die erhebliche psychische Besetzung der eigenen Person und der mit ihr zusammenhängenden Erinnerungen wurden von diesen abgezogen und «auf das Werk verschoben» d. h. auf seine ästhetische Machart. Dabei wurde vermutet, daß an die Reste dieser Besetzung – Distanziertheit und Knappheit der Darstellung psychologisch als Schwundstufe verstanden – das übrige Quantum für den Autor (beim Wiederlesen beispielsweise) wieder anzuschießen vermag. Ein ähnlicher Sachverhalt – wenn auch in einem entscheidenden, am Schluß zu erörternden Punkt unterschieden – ergibt sich auf die Frage, wie sich die Intensität der eidetischen Leistung im Text des *Tadellöser* äußert. Zweifellos stimmt für ihn, was Kempowski während des Schaffensvorgangs feststellt: «Alles voller Bilder . . .» Der Text besteht aus Abfolgen höchst genauer bildhaft geschlossener Erinnerungsfragmente, die aber eben keineswegs voll ausgeführt werden und in denen Sinnlichkeit und Sinn signalhaft repräsentiert, aber nicht dargestellt werden. Mit der Vermutung, damit auch den Schaffensvorgang selbst mit erfaßt zu haben, wertete die Kritik dies als «Mikroskopieren»[225] von Vorlagen, «scharfe Schnappschüsse»[226], fragte ohne Glauben: «Was bedeutet Ihnen Phantasie?»[227] Dies Verständnis, der Text läßt es ja nicht anders zu, meint die sprachliche Übersetzung von Fotografien, Dokumenten und Realien in ihrer Eindimensionalität. Es wird nicht nur eine bessere Einsicht in den Schaffensvorgang gewonnen sein, sondern auch eine richtigere Einschätzung der Textqualitäten (besonders unter dem Aspekt seiner Rezeption), wenn wir die Differenz zwischen der bildhaften Vorstellungsweise Kempowskis und ihrem Niederschlag im Text herausarbeiten.

Da es sich nicht um die Rekonstruktion zurückliegender Verhältnisse handelt, kann ein Selbstkommentar Kempowskis (von 1977) zu seiner ja beibehaltenen Arbeitsweise herangezogen werden (während der Niederschrift der «erfundenen» Beschreibung von Karls Klassenzimmer in *Zeit*, 37f):

«. . . ich sehe diese Klasse, ich könnte sie Ihnen jetzt aufzeichnen zum Beispiel. . . . daß (in dem Glas) eine tote Schlange drin liegt. Das könnte auch genau so gut ein Embryo sein, aber es ist eine Schlange. Ich kann nicht sagen: Embryo, wenn es eine Schlange ist. Ich sehe die Schlange. Es ist nämlich folgende Gefahr dabei, wenn ich das nicht so mache. Wenn ich die Bilder so schildere, wie ich sie sehe, bin ich immer auf meinem Terrain. Ich kann auch dann, wenn ich einen flauen Tag habe und mir fällt gar nichts ein, mich auf die Bilder immer zurückzuziehen. Ich kann immer sagen, was sehe ich eigentlich jetzt?»[228]

Auf die Frage, wie dies denn zu dem von Kempowski ja selbst immer hervorgekehrten konstruktivistischen Vorgehen, den Zettelsammlungen, den Kontrolltafeln usw., stimme:

> «Das ist die Gegenkontrolle sozusagen, daß nichts ins Kraut schießt. Ich will den Fehler wie bei *Margot* nicht nochmal machen. Ich möchte also die Bilder . . . nur so weit abrufen, wie sie mir nötig erscheinen. . . . und so muß ich die Bilder auch immer zurückhalten und auf eine Ebene bringen. Und dazu dienen diese ganzen konstruktiven Überlegungen und Hilfsmittel, daß ich nicht jetzt mit allen Bildern gleichzeitig dahinkomme. Es würde sonst eine riesen Geschichte daraus, die alles andere überwuchert und zerstört. . . . Denn, wenn ich die Bilder loslassen würde, würde ich wahrscheinlich verrückt werden, oder was ich schreibe, blödsinnig sein.»[229]

Kempowski erklärt sich sehr plausibel diesen immer möglichen Strom der Bilder mit dem Druck eines seit Jahrzehnten angestauten Potentials («20jährige Inkubationszeit»), das jetzt zum Ausdruck drängt. Dieser Ausdruck ist aber durch das Darstellungsverfahren des *Tadellöser* begrenzt. Wir markieren in dem folgenden Beispiel einmal diesen Unterschied.

1. Der *Text* (*Tadellöser*, 136–143): Die qualvolle Klavierstunde im Konservatorium, daraus (136)[230]:

> «Auf dem weißen Giebel des Konservatoriums *ein steinerner Krug mit steinernen Trauben*. Ob es eines Tages Hochschule werden würde, stand noch nicht fest. . . . In der Halle ein Kamin mit Kartons voll alter Formulare. Darüber *Beethoven unter Glas*, ein Druck in goldenem Rahmen.»

2. *Kommentar des Autors* in einer Skizze «von der Auferweckung der Bilder» (1974)[231]:

> «Das Konservatorium realiter mit der Lupe abgesucht, läßt solch Schmuck vermissen. Irgendwo mag dies Zierrat gesehen worden sein, vielleicht in Worpswede . . . vielleicht viel früher . . . als in Sandstein gehauener nackter Knabe mit Weintrauben und Fischen in der Hand, eine kleine Skulptur an der Rostocker Bank. Irgendwann wurde in meinem Unbewußten auf jenes zwar luxuriöse, aber, wegen der dort erlittenen Pein, widerlich gewordene Gebäude jener steinerne Krug mit den beiden Trauben praktiziert, er war plötzlich da. Und wenn ich heute nach Rostock käme, würde ich mich sehr wundern, wenn an jenem Giebel nichts außer vielleicht einer Wetterfahne zu finden wäre.

Ich *sehe* diesen Krug, ich *sehe* das Gebäude und ich *sehe* mich hineingehen und von der Klavierlehrerin gequält werden.
Die Früchte, die hier erworben werden, sind steinerne Früchte, ungenießbar (aber ‹erlösbar›).
‹In der Halle . . . Beethoven unter Glas›, so heißt es etwas später. Dem Bilde von den steinernen Früchten wird ein anderes beigegeben, es soll ergänzen und verstärken. Nicht nur die Inhalte sind versteint, nein, die Urheber, die Wohltäter, sie wirken nicht befreiend anfeuernd, sondern repressiv zurückstoßend. . . .
Ich möchte zeigen, *wie solche Bilder dem Autor vom Unbewußten angedient werden*, sich an sein Bewußtsein schmiegen, ihm die Dinge erklären helfen, die er schildern will, und auch dem Leser, der sie fassen soll.»[232]

3. *Ergänzung hierzu aus den Tagebüchern* (31. 1. 1960): Kempowski notiert sich hier einen Traum (der 1961 in *Margot* eingearbeitet wird) und im Anschluß daran einige deutende Assoziationen.
Aus der Traumnotiz[232]:

«Ich bin auf einer großen Gesellschaft in den oberen Räumen einer Gastwirtschaft . . . Ich höre, wie drinnen ein Professor etwas über Kunstgeschichte spricht und *dabei die Skulpturen benennt, die auf den Häusern manchmal stehen*. Er bezeichnet sie als kitschig oder unmöglich und nennt den Namen, der mir aber wieder entfallen ist, obwohl ich ihn im Traum sogleich notierte. Aber schon im Traum war es schwierig, ihn genau zu erfahren. . . . Der Tisch wird gerückt, alle Gäste stehen auf. *Die großen Schüsseln mit Vanillepudding sehe ich*. . . . Hierbei sehe ich *die Wirtin*, die lächelnd sich eine reinliche Schürze umbindet.»

Die anschließend notierten Tages-Assoziationen dazu:

«Plastiken auf dem Dach – die Trauben hängen zu hoch.
Jemandem auf's Dach steigen.
Im Oberstübchen nicht ganz richtig sein.
Vor Tante Anna hatte ich ziemlich viel Angst. Sie prügelte ihre Pensionäre.»

Zwischenanalyse zur Traumnotiz:
Eine Interpretation des gesamten festgehaltenen Traumtextes ist nicht notwendig. Wir isolieren drei vom Unbewußten reproduzierte «Sachvorstellungen»: a. die Skulpturen auf den Häusern, b. die Schüsseln mit Vanillepudding, c. die Wirtin. Es muß sich um zusammengehörige «besetzte» Erinnerungsspuren handeln, die nach einem bestimmten Prinzip (Gleichzeitigkeit, Ähnlichkeit) miteinander verbunden sind.[233]

Charakteristisch ist für diese im Unbewußten aufbewahrten Sacherinnerungen, daß sie der «Wortvorstellungen» entbehren, die erst die Bedeutung des mit ihnen verknüpften Erlebnisses anzeigen würden[234]: Der Träumer kann den Namen der Skulpturen nur schwer erfahren und hat ihn wieder vergessen. Die Tagesassoziationen nun verknüpfen die Sachvorstellungen mit zwei ihnen (mit hoher Wahrscheinlichkeit) zugehörigen Wortvorstellungen, machen sie im geradezu klassischen Sinne potentiell bewußtseinsfähig. Auch ihr gemeinsames Auftreten im Traum wird verstehbar: «Außerdem können durch die Verknüpfung mit Worten auch solche Besetzungen mit Qualität versehen werden, die aus den Wahrnehmungen selbst keine Qualität mitbringen konnten, weil sie bloß Relationen zwischen den Objektvorstellungen entsprechen.» (Freud)[235] Die deutende Assoziationsarbeit ist von Kempowski nicht voll durchgeführt worden, wir können sie aber ohne großes Risiko abschließen:

a. Zu den Plastiken heißt ein Deutungsangebot: die *Trauben* hängen zu hoch.

b. Zu den Schüsseln mit Vanillepudding stellen wir selbst eine Verbindung her: In den Berichten der Mutter findet sich wiederholt, was in den *Tadellöser* so eingegangen ist: «Sonntags gab es Puddings in Form von Trauben. Meine Schwester bestand noch mit ihren 16 Jahren darauf, von den Beeren und nicht vom Laub zu bekommen.» (26)

c. Zur Wirtin wird assoziiert: die prügelnde Tante Anna, die die gefürchtete Klavierlehrerin abgelöst hatte (*Tadellöser*, 238).

Wir können jetzt die drei «Sachvorstellungen» des Traums als Assoziationskomplex entschlüsseln: Die Plastiken stehen offenbar zu den Schüsseln mit Vanillepudding in einem Ähnlichkeitsverhältnis, es wird vermittelt über (hoch hängende) *Trauben*; der nicht gewußte «Name» der Plastiken ist also in der zweiten Sachvorstellung mit enthalten. Die Frauengestalt erinnert in der Tagesassoziation an die Nachhilfelehrerin «Tante Anna»; es liegt damit eine Ersetzung der *Klavierlehrerin* durch eine ähnliche Person vor (Verschiebung). Der Traum enthält also drei Vorstellungen in der folgenden gedeuteten Assoziationsreihe («kitschige) Dachskulpturen» – («hoch hängende) Trauben» – «quälende Lehrerin».

Fassen wir zusammen, können wir feststellen, daß dieser neun Jahre vor der Abfassung der fraglichen *Tadellöser*-Passage liegende Traum wesentliche Elemente der Erinnerungen produziert, die sich Kempowski dann in seiner Bildvorstellung einstellen und zu einem Sinn verdichtet werden. Wir haben diesen etwas umständlichen Beweis nicht gescheut, um zu zeigen, welch tiefe Verankerung diese im *Tadellöser* scheinbar höchst beiläufige Bild-Miniatur hat. Zum andern mag deutlich werden, daß Kempowskis Selbstkommentar – den man ja auch als nachträgliche Projektion einschätzen könnte – durchaus den psychischen Gegebenheiten entspricht: «wie solche Bilder dem Autor vom Unbewußten angedient werden, sich an sein Bewußtsein schmiegen, ihm die Dinge erklären helfen, die er schildern will, und auch dem Leser, der sie fassen soll.»

4. «. . . und auch dem Leser, der sie fassen soll»? Zur Rezeption. Schätzen wir die beiden Bilder als zusammenhängendes Rezeptionsangebot ein. In «steinerner Krug mit steinernen Trauben» liegt durch die Wiederholung ein semantischer Nachdruck zweifellos auf «steinern». Doch wird der Realisierungsspielraum für den Leser durch den gänzlich heterogenen Kontext sofort abgeschnitten: «Ob es eines Tages Hochschule werden würde, stand noch nicht fest.» Das Bild kann in einem «normalen» Lesevorgang nicht entwickelt werden, sein Eindruck bleibt begrenzt als Mitteilung eines (im übrigen auch noch recht geläufigen) Dekors. Anders erscheint als gut möglich, daß die Bedeutung von «Beethoven unter Glas, ein Druck in goldenem Rahmen» realisiert wird: Der Gesamtkontext (Konservatorium, Lehrbetrieb, Qual der Übungsstunde) läßt hier Konnotationen zu etwa des Sinnes «billige Reproduktion, Massenware», zu der die Musik Beethovens hier werden muß (= «Druck unter Glas»), angesichts derer die Ehrung des Meisters («in goldenem Rahmen») sich unglaubwürdig ausnimmt. Das Bild würde so einmal die Lage des Klavierschülers charakterisieren, dann die Atmosphäre des Konservatoriums und schließlich auf einer allgemeineren Themaebene des Romans «bürgerlichen Kunstbetrieb» überhaupt. Bei genauem Lesen dürften diese Bedeutungen als Elemente des Gesamtsinns des Textabschnitts realisierbar sein. Ein Zusammenhang mit dem ersten Bild jedoch, das sich auf einem niedrigeren Wahrnehmungsniveau befindet und ohne Bedeutung bleibt, stellt sich schwerlich her.[236]

Wir haben es hier also mit einem ähnlichen Sachverhalt zu tun, wie wir ihn während der Arbeit am *Block* beobachten konnten: Das neue Darstellungsverfahren zwingt zu Verzichten. Weil ein

Angebot an Text-Sinn nur sehr zurückhaltend gemacht werden soll, werden auch die einen Sinn ermöglichenden Bedeutungen nicht dirigistisch ausgeführt. Unsere entscheidende Einsicht war dabei, daß es sich bei diesen Verzichten – hier im Falle eines bedeutungstragenden Bildes – nicht um die Zurücknahme einer rationalen Konstruktion oder einer (etwa einem Foto entstammenden) Realie handelt. So trifft auch hier im Falle eines bedeutungstragenden Bildes die Verkürzung eine intensive eidetische Vorstellung, die ihren Grund in Erinnerungsspuren des Unbewußten hat. Wir haben gezeigt, welch wichtige Funktion «die Bilder» – die unwillkürliche Phantasieproduktion – in Kempowskis Schaffensvorgang besitzt. Sie sind das verläßliche «Terrain», auf das er sich immer zurückziehen kann. Die Wirklichkeits-Rekonstruktion mittels der archivierten Realien hat demgegenüber untergeordnetes Gewicht, was die Bedeutung des Archivs als immer abfragbaren stofflichen Fundus darum nicht mindert. Für den Schaffensvorgang aber haben seine Inhalte erst einmal Vorstellungen stimulierenden Wert, wie es Kempowski mit «Meditationsgrundlage» umschreibt.

Was besagt unsere Feststellung für eine Einschätzung des *Tadellöser*-Textes? Schaffenspsychologisch gesehen, wird hier wiederum die Differenz festzustellen sein, in der das Produkt zu der intensiven Phantasieproduktion steht, der es sich verdankt. Von hier aus werden auch Kempowskis eigene Interpretationen seines Werkes zu begreifen sein: Aus dem im Text nur angerissenen Bild und seiner zum Signal verkürzten Bedeutung stellt sich ihm die ursprüngliche Vollständigkeit beider wieder her. Dem Leser kann das natürlich nicht gelingen. Doch anders als im Falle des «Verzichts auf die Darstellung der eigenen Persönlichkeit» und die Familienerinnerungen im *Block* – die ja fast ausgelöscht wurden – besteht hier ein Konnotationsangebot weiter. Die semantische Beschwerung des Bildes vom «steinernen Krug mit den steinernen Trauben» ist ja vorhanden. Hier wird wie in vielen derartigen Fällen im *Tadellöser* das Angebot auch dadurch verstärkt, daß es Typik besitzt, also potentiell Erfahrungen des Lesers wiederholt: «daß er einfach solche Gebäude kennt, wo solche steinernen Trauben drauf sind. Die gibt es.»[237]

Der Zusammenhang einer «dokumentarischen Wendung in der Erzählkunst» mit neuen Realismen in der bildenden Kunst, wie sie die *Dokumenta* 5 gerade vorgestellt hatte, wird 1973 von Peter Wapnewski deutlich gemacht. Vorrangig rechnet er auch Kempowski zu dieser neuen Richtung, nach seiner Beschreibungstechnik als «eindeutigste Parallele zum Photorealismus der bildenden Kunst der Gegenwart»[238]. Einige Jahre später läßt sich eine nun aufkommende Variante der Objektkunst, deren Doktrin heute als «Spurensicherung» allgemein bekannt ist, als genaue Entsprechung zu dieser literarischen Entwicklung erkennen. Spätestens seit der *Dokumenta* von 1977 lesen sich die programmatischen Erklärungen aus dieser Richtung mit verblüffender Übereinstimmung noch in Einzelzügen der beschriebenen Verfahren auch wie ein Kommentar zum Werk Kempowskis: «Der Künstler wird zum Ethnologen, er hält Spuren fest, die zur Rekonstruktion eines Zusammenhangs führen können. Er treibt Feldforschung am eigenen Leib . . . die Erinnerung (wird), wie in der Wissenschaft, durch Dokumente – Bilder, Gegenstände – systematisiert.»[239] So stellt Christian Boltanski seine «Inventare der Kindheit» – aufgeschriebene Jugenderinnerungen, «Familienalben» – mit der Methode und der Wirkungsabsicht des *Tadellöser* zusammen.[240] Die Spurensicherer beziehen sich unter anderem auf Joseph Beuys und auf den «Nouveau Roman» der Franzosen, also auf Kunsttendenzen, die sich neu dem «Objekt» verpflichtet hatten und deren Durchbruch in die frühen 60er Jahre fällt. In genau diesem Zeitabschnitt hat sich auch Kempowski – am *Protokoll* – sein Darstellungsverfahren erarbeitet (1964/65). Und in eben diesen Jahren werden neue Ansätze in den Sozialwissenschaften entwickelt, die als «Ethnotheorie» (Sturtevant 1964) und «Ethnomethodologie» (Garfinkel 1964) das Ziel gemeinsam haben, «die Welt so zu verstehen, wie sie von Menschen im Alltagsleben gesehen und ausgelegt wird».[241] Prinzipiell werden in diesen Ansätzen Konzepte der im «Feld» arbeitenden Völkerforschung weitergeführt, insbesondere auch mit deren Erhebungsmethoden. Mit gewisser Konsequenz wendet man sich in dieser soziologischen Richtung von der Untersuchung umfänglicher «Interaktionsrahmen» neuerdings dem Subjekt und dessen eigenem Biographieverständnis zu.[242] Vermutlich gibt es auch zu dieser Entwicklung eine spielerischfiktive Rückbeziehung, wenn sich heutige «Spurensicherer» als «Ethnologen» verstehen.

Für uns ist nun wenig damit gewonnen, *Tadellöser & Wolff* als Vorläufer und literarische Entsprechung einer introspektiven Wende in der Objektkunst zu kennzeichnen, solange man über einen gemeinsamen Entstehungszusammenhang nur spekulieren kann.[243] Das gilt auch für die zweifellos erstaunliche Parallele zur aufkommenden ethnographischen Erforschung von Alltagspraxis und Alltagswissen in der Soziologie. Beachtenswert wird diese Übereinstimmung für uns durch die gemeinsame Entstehungszeit dieser Tendenzen oder ihrer unmittelbaren Vorgänger: um 1963/ 64. Eine zureichende Begründung dafür zu finden, ist noch nicht möglich. Doch wird interessieren, wie Kempowski ganz auf eigene Hand sich in eine «Ästhetik der Tatsachen» einübt und dabei zufällig – oder eben mit noch nicht erklärbarer Zwangsläufigkeit – von Anfängen der konzeptuellen Objektkunst in Deutschland profitiert, wie auch Nähe zur konzeptuellen («konkreten») Poesie dieser Zeit zeigt.

Werden wir im Folgenden noch eine – Kreativität begründende – Eigenschaft beschreiben und nicht vielmehr den Vorgang einer Anpassung? Es geht ja um einen weiteren Aspekt der Aneignung des auf unkommentierte «Wirklichkeit» gerichteten *Protokoll*-Verfahrens, die psychologisch und darstellungsästhetisch erst einmal schmerzhaften Verzicht verlangt hatte. Tatsächlich artikulieren sich aber auch in diesem Prozeß Fähigkeiten Kempowskis erstmals als kreativ, von denen eine in merkwürdigem Widerspruch zur intensiven Phantasietätigkeit steht: *Sachlichkeit*. Gemeint ist das Vermögen, Realität – Lebensumstände, Wahrnehmungen an sich selbst, an anderen, von Dingen schließlich – unverstellt *konstatieren* zu können. (Ein uns geläufiger Ausdruck dieser Fähigkeit sind die vorbehaltlosen Traumaufzeichnungen und -deutungen der Tagebücher). Ihr verbindet sich die Fähigkeit, die sich «aus den Dingen etwas zu machen» versteht, eine hohe Begabung zur *disziplinierten Assoziation*. (Als «freie» Assoziativität bewährt sie sich in den Traumanalysen.) Wir beobachten also mit Bezug auf den kreativen Prozeß die Verbindung von genauer Wahrnehmung und deren kognitiver Verwertung durch assoziative Anschlüsse an das Wahrgenommene.

1959 findet sich im Tagebuch die Beobachtung:

> «Es gibt so viele schöne Haustüren, daß man manchmal extra ein Haus dafür bauen möchte.»[244]

(In den folgenden Jahren hat Kempowski Hunderte von Haustüren fotographiert und zu einer Sammlung zusammengestellt.) Als didaktische Maxime wird 1961 für die Schule festgehalten (und nach Ausweis anderer Notizen auch praktiziert):

> «Anschauungsobjekt stumm hinstellen, Kinder kommen lassen.»[245]

Häufiger finden sich Listen, in denen Ereignisse, Sentenzen, insbesondere Gegenstände hintereinander festgehalten sind. Es geht offenbar um den assoziativen Wert des Einzelelements wie auch um den Reiz des von der Wirklichkeit selbst gelieferten Zufalls-Ensembles. So als Nebenbeobachtung zum *Block*:

> «Die ‹Kennworte› der einzelnen Personen zusammengenommen und untereinandergeschrieben ergeben gewissermaßen ein Gedicht.
> Frack und Wildleder-Schuhe.
>
> Meene Kleene
> Hasen blasen
> Maus grau
> Ich geh wech und du bleibst da.» (1965)[246]

Es handelt sich um Zeugnisse bis ins Jahr 1965. Ihnen ist gemeinsam, daß sie (auch das «Kennwort»-Beispiel) nicht der zielgerichteten Sammeltätigkeit für die *Familienchronik* oder für das «Buch über Bautzen» verdankt sind, also einem bereits bedingten Interesse. Auch ist Kempowski seine besondere Ding- und Detailfaszination von der Literaturkritik noch nicht objektiviert worden, ist noch «präreflexiv»[247]. Deshalb setzen uns die Zeugnisse auch instand, spätere Selbsterklärungen Kempowskis heranzuziehen, die durch diese frühen Befunde bestätigt sind. Was sagen sie vorläufig aus? Gegenstände alltäglicher Beobachtung (Haustüren) oder des Unterrichts («Anschauungsobjekt») gewinnen den aus der Assoziationspsychologie bekannten Charakter eines Stimulus, der zu Konnotationen anregt. Auch im Falle des «Gedichts» sind es die stereotypen Redensarten, die erst einmal jede für sich Assoziationen auslösen: (als Reimwörter) lautliche, (durch Unverträglichkeit: Frack/Wildlederschuhe) semantische oder über die Zitatverballhornung («Ich jeh wech . . .») durch Normverletzung erregte

Assoziationen. Als Zusammenspiel dieser Assoziationsfolgen ergibt sich ein «Zufallsgedicht», dem gleichwohl eine gewisse ästhetische Struktur über Entsprechungen («Äquivalenzen» in 1:5, 2:3:4) eignet. Man wird an Beispiele aus der konkreten Poesie erinnert, die ja in der Tat um 1965 zunehmend Breitenwirkung erzielt.[248] Mit ihr haben Kempowskis Versuche vor allem den wichtigsten Faktor der Isolierung von kleinen sprachlichen Einheiten gemeinsam, um die sich ein «optischer Zeichenumraum» (S. J. Schmidt) bildet, in dem die Wörter ihre semantischen Wirkungspotenzen entfalten. (Von einer bewußten Reflexion auf die «konkrete» linguistische oder gar visuelle Textmaterie selbst kann man bei Kempowski allerdings nicht sprechen.) Gemeinsam sind auch die Beziehungen solcher Sprachspiele zur Freisetzung des «Objekts», die ja mit der Aufnahme der psychoanalytischen Assoziationstheorie bei den französischen Surrealisten (Breton) einherging.

Noch 1967, als das endgültige *Block*-Verfahren gefunden ist, begleitet Kempowski seine Hauptarbeit mit Experimenten an Gebrauchssprache. So entwickelt er einen «Gedicht»-Typ, den er «Zinngedicht» nennt. Er sammelte Zinnfiguren in dieser Zeit und ließ sich von den Angebotslisten dazu anregen, deren lakonische Angaben zu neuen Serien zu kombinieren, die einen fiktiven Katalog-Charakter behielten. Im folgenden eine Rekonstruktion[249]: Ein Katalog-Text, bei dem nur der minimale Eingriff nötig war, thematisch zusammengehörige Zeilen als Blöcke räumlich voneinander abzusetzen.

PO 60 Offizier mit gezogenem Degen
PO 61 Fahnenträger
PO 62 Tambour

PO 63 Mann Gewehr quer vor dem Körper
PO 64 Mann Gewehr links
PO 65 Mann Gewehr gefällt

PO 66 Mann mit Gewehr abwehrend
PO 67 Mann mit Gewehr zustoßend
PO 68 Mann mit Gewehr zuschlagend

PO 69 Mann nach vorne fallend
PO 70 Mann verwundet, liegend

PO 71 Mann tot

Dies ist durchaus eine semantische Spielart des «seriellen Gedichts» aus dem Umkreis der «Konkreten Poesie» (allerdings ohne deren theoretischen Verzicht auf den Objektbezug des Sprachmaterials[250]): Textzeilen durchlaufen «Permutationen». Jede einzelne Veränderung läßt eine neue Vorstellung entstehen. Insgesamt können diese Assoziationen als eine Geschichte gelesen werden. Die ostentative räumliche Gliederung holt aus dem Katalog-Text beispielsweise die Sachlogik heraus, die unreflektiert ja schon darin steckt. Lesemöglichkeit: PO 60 – 62: Aufruf zum Töten durch die zuständigen Funktionsträger; PO 63–65: der gemeine «Mann» und sein Kriegsgerät in Ruhestellung; PO 66 – 68: derselbe in befohlener Aktion; PO 69 – 70: deren Erfolg; PO 71: «Mann» wieder in Ruhestellung.

Offenbar hat Kempowski seine «Zinn-Gedichte» damals als «Gebrauchstexte» verstanden, wie sie auch von Seiten der «Konkreten» propagiert wurden, «als seh- und gebrauchsgegenstand: denkgegenstand, denkspiel» (Gomringer)[251]. Kempowski versucht, das (1978) zu rekonstruieren. Der Leser eines «Zinngedichts») müsse ähnlich reagiert haben wie er selbst beim Lesen einer Zinnfiguren-Preisliste:

«Der, der sie geschrieben hat, kennt ja diese Figuren. Nicht anders als ein Lyriker, der eine Vision, eine Vorstellung hat, also doch etwas Optisches, wie ich annehme. Ich kenne diese Figur nicht. Während ich nun das Angebot lese, stelle *ich* sie mir vor: ‹Grenadier sitzend›, ‹Grenadier rauchend› . . . und der kostet 35 Pfennig, weil er ja auf dem Pferd sitzt . . . Ich lese das jetzt und merke plötzlich, die könntest du gut gebrauchen. Nun der Hintergrund, da würdest du jetzt eine Kulisse malen oder du kannst ja das Haus nehmen, das du schon hast. Und so wird das hier also plötzlich eine *Situation*, und nun das Eigenartige: Sie ist auch historisch fixierbar. Es geschieht also zweierlei: Einmal entsteht das Bild und dann auch ein historischer Hintergrund. Der Text bekommt also sowohl Bild- wie Lehrcharakter. Die höchsten Anforderungen, die man an ein Gedicht stellen kann, sind hier spielend erfüllt. Und es ist äußerst modern. Und: Gibt es ein Gedicht, . . . wo man den realen Hintergrund dieses Gedichts sogar kaufen kann, also das, wovon es spricht?»[252]

Diese «Poetik» entspricht in Grundzügen Gomringers Verständnis von Lyrik als «denkgegenstand, denkspiel». Der «Gebrauchswert» eines Zinngedichts liegt sogar noch höher: Man kann das, wovon es spricht, auch materialisieren. Hier endet die Gemeinsamkeit mit der Doktrin der «konkreten» oder «konzeptuellen» Poesie. Diese will Sprache von ihrem Objektbezug gerade befreien. Ihrer Kommunikationsfunktion ledig, soll sie sich selbst ausstellen und hantierbar werden. Kempowskis Text dagegen erhält seine «Poetizität» gerade über die assoziative Vorstellung des Gegenstandes, den die «Verszeile» repräsentiert, bis hin zur Ausgestaltung eines «Bildes» mit historischen Kennzeichen – einer «Situation». Solche «Situationen», der genau betrachteten Zinnfigur zu-«meditiert», stellt sich Kempowski später zu dem Bild/Text-Band *Wer will unter die Soldaten* (1976) zusammen.

Wie erklärt sich die Nähe von Kempowskis Experimenten zur experimentellen Literatur der sechziger Jahre und was macht sie deutlich? Nähe stellt sich her aus der gemeinsamen Frage, inwieweit Sprache noch eine zureichende Beziehung zur Objektwelt hat. Kempowski muß sich das jetzt – 1964/65 – deshalb intensiv fragen, weil er während der Arbeit am *Protokoll* gezwungen ist, sich von einer kanonisierten Literatursprache zu befreien, die eine gewisse – wenn auch abgenutzte – Garantie für ein Verständnis des Gemeinten geboten hätte (Abkehr von den Kafka-Mustern). Er kommt dabei an die Grenze zur alltäglichen Kommunikationssprache, überschreitet diese auch oft zu ihren reduzierten Formen. Psychologisch und ästhetisch war das erst einmal Verzicht, wie wir gesehen haben. Infrage stand daraufhin notwendig, ob die zur Mitteilung des «Tatsächlichen» reduzierte Sprache des *Protokoll* diese Tatsachen denn auch würde vermitteln können. Die «Konkrete Poesie» verneint das, sieht die Objekte hinter der «konventionellen Determiniertheit» und Ausgewaschenheit aller sprachlichen Kommunikation verschwinden. Durch ihr Verfahren der «Destruktion und Reduktion»[253] will sie den Kommunikationsbruch anzeigen und neue Kommunikationsformen (z. B. objektfreie als «denkgegenstand, denkspiel») erproben. Kempowskis Verhältnis zur natürlichen Sprache ist offenbar entgegengesetzt. Er vertraut ihr, als er sich in ihren literarischen Gebrauch einzuüben beginnt. Es ist die ausgeprägte Fähigkeit zum assoziativen Denken und die Lust daran, die einen Zweifel an der Beziehung zwischen Gegenstand und seinem sprachlichen Repräsentanten nicht aufkommen läßt. Aus diesem entgegengesetzten Grunde experimentiert Kempowski mit ähnlichen Verfahren wie die «Konkreten»: Noch reduzierte Sprache – Fragmente noch wie Katalogangaben – genau auf ihr Aussagepotential hin geprüft, reicht ihm

aus, um die von ihr angezeigte Realität in der Vorstellung herzustellen.

Spuren am Objekt

«Es gibt so viele schöne Haustüren . . .» (Tagebuchnotiz 1959).
Seit Beginn der sechziger Jahre fotografiert und sammelt Kempowski systematisch bestimmte Ansichten aus der «gebauten Umwelt»: Häuserfronten, Fassadenskulpturen, Grabsteine, Haustüren. Es sind nur zum geringen Teil Rostocker Ansichten zu Archiv-
zwecken. So faszinieren die fotografierten Haustüren als Objekte
von sich aus. Ästhetisch einmal, sie ließen sich seriell gruppieren
nach Formen, Funktionen, Alter. Die Lupe des Betrachters sucht
jedoch noch nach anderem, «was eine Tür aussagt»[254], nach «Spuren»[254] auf ihr von der Tätigkeit eines Menschen und seiner «Geisteshaltung»[254]:

> «Diese Tür ist verhunzt, das interessiert mich daran. Da hat einer
> gedacht, das repariere ich; aber das ist ganz schlecht repariert, denn die
> Oberlichter sahen damals ganz anders aus.
> Oder diese: Eine Tür wie an einem Pfarrhaus, stellt man sich vor dabei.
> Da ist plötzlich eine Kompliziertheit, die man gar nicht einsieht.
>   Oder dies Emblem: Vor Hunderten von Jahren hat sich dies einer
> ausgewählt. Da hat ihn vielleicht der Baumeister gefragt: ‹Welches
> Emblem möchten Sie denn auf der Tür haben?› . . . Und er hat sich dies
> ausgedacht. Und dann diese unendlich zarte Linie, die da drüber ist, sagt
> doch viel über den Menschen aus. . . . Der kleine Einzelmensch, daß der
> sich das da ausgedacht hat. . . . Das ist doch ein rührendes Zeugnis von
> Menschlichkeit.»[254]

Bei diesen Zitaten handelt es sich um gesprächsweise Beobachtun-
gen Kempowskis bei Sichtung des «Haustüren»-Albums. Sie sind
nicht zur Spuren-Analyse gediehen, wie er sie zu produktivem
Zweck vornähme. Der Grundvorgang aber ist deutlich: Merkmale
am konkreten Gegenstand (das Foto steht dafür) werden zum
Zeugen für vergangene Tätigkeit oder «Geisteshaltung» eines
Menschen, die sich der genauen Assoziation erschließen können.
In unserem Zusammenhang interessiert, daß für Kempowski der
«Stimulus» (also die Gegenstandsmerkmale) seiner Assoziation
verbürgt und genau auf seine Eigenart *geprüft* sein muß. Er ist nicht
ungefährer Anlaß zu «freier Phantasie», die ihn dann hinter sich
ließe. Eine disziplinierte Assoziation wird durch die Spur am
Objekt erst legitim, wenn diese als «tatsächlich» und «historisch»
erkannt ist.

110

Material und Einfachheit der Objekte

Seit 1961 hat Kempowski eine enge freundschaftliche Beziehung zu dem Maler Klaus Beck, einem der ersten Schüler von Joseph Beuys. Dieser gibt weiter, was – öffentlich noch kaum beachtet – von Beuys als («konzeptuelle») Ideen-Kunst entwickelt wird: Das Objekt soll zum Denkanstoß werden (Beuys: «Vehicle Art»). Reduziert man Beuys' vielfältige Verfahren auf Grundschritte, läßt sich feststellen: In einem ersten Schritt erfolgt der «Eingriff» in die Realität als die Isolierung eines Objekts, dessen eigentümliche Materialität herausgestellt wird. Im darauf folgenden «konzeptuellen» Vorgang (teils gezeigt, teils dem Rezipienten überlassen) verlieren die Objekte und Materialien «weitgehend ihre dingliche Eigenbedeutung. Sie machen . . . existentielle Grundtatsachen sichtbar, etwa die Polarität Wärme-Kälte, also Leben-Tod». Das «Rationale wird um die Dimensionen des Emotionalen und Irrationalen ergänzt».[255]

Wir haben Kempowskis Umgang mit «Objekten» in diesen Jahren beschreiben können. Mit Beuys' erstem Verfahrensschritt hat er viel gemein und hat wohl auch – vermittelt – davon profitiert. Den zweiten Schritt – Entdinglichung des Objekts, Ergänzung des Irrationalen – macht er nicht mit, analog der Entsprechung zur «konzeptuellen Poesie». Die Verbindung zur Realität bleibt für das Objekt voll erhalten, es bedeutet auch weiterhin sich selbst, ist kein bloßes Vehikel zur «Idee», zu Sinn. Wohl kann sich assoziativ Sinn ergeben, aber dann ist dieser aus einer Assoziationskette entstanden, die das Objekt als ihr erstes Glied bewahrt hat.

Dies als grundsätzliche, den Zeugnissen abgewonnene, Bestimmung vorausgeschickt, fragen wir, was Kempowski während der Jahre 1961 bis 1964 für eine «Ästhetik der Tatsächlichkeit» aus dieser Richtung profitiert hat. Dabei müssen wir ja veranschlagen, daß die Mitteilungen und Vorführungen des Beuys-Schülers Beck zu Kempowskis aktuellen literarischen Versuchen bis 1964 kaum eine produktive Beziehung haben konnten. Kempowski profitiert für die Ausbildung ästhetischer Einsichten, die er erst 1964/65 nutzen kann:

1. Verstärkung und ästhetische «Legitimierung» des psychologisch wohl anders zu motivierenden Interesses für das Detail (das isolierte Objekt) und auch für dessen besondere Wirkungen, wenn es exponiert wird:

«Wir gingen einmal im Wald spazieren. Da war so ein Holzstoß, auf den er hinwies: ‹Den müßte man rot anmalen und dann so stehen lassen.› Heute lachen wir darüber, weil es den Leuten bekannt ist. Aber damals, 1961, waren ‹Objekte› eine Neuigkeit. Ich habe ihn auch sofort verstanden, wie er es meint. . . . Mir war das durchaus nicht mehr so neu. . . . Zu meinen literarischen Sachen hat er mir auch ein paar Tips gegeben, wo er meinte, daß er das wiederfände: Zum späteren *Block* beispielsweise hatte ich listenartig Sachen aufgezählt, die ich beobachtet habe. Da fand er seine Vorstellungen wieder.»[256]

2. Mut zu vereinfachen:

«Ich habe durch ihn mehr Mut bekommen zu vereinfachen. Zum Beispiel durch diesen Einfall: Ein Blech an die Wand, nur ein Hühnerei darauf, das alles weiß angestrichen – sodaß man nur über diese Form meditierte. Er hatte überhaupt dieses Einfache. Hat mir klar gemacht, wie wichtig das wäre, ganz einfach, schlicht, zu sein. Das ist ungeheuer wichtig für mich gewesen. Daraus habe ich viel gelernt. Das war schon ganz früh, 1961.»[257]

3. Aufmerksamkeit für das Material des Objekts, sein sinnliches Wirkungspotential:

«B. hat dann einmal 5m Plastikplane gekauft und diese dann immer nur so wedeln lassen, mal so, mal so. . . . So komisch fand ich es gar nicht. Ich fand es eigentlich richtig, daß er mich so auf das Material hinweis. . . . Beuys habe ich später einmal gesehen. Er warf ein Gelée an eine Betonwand. Mit den Fingerspitzen hat er es dann wieder abgepurkt. Das ist ja etwas, was man in der Literatur nicht machen kann . . . aber vielleicht etwas von der Sprödigkeit dieses Tuns? Wie man also mit den empfindlichsten Gliedmaßen, die man hat, den glibberigsten Stoff, den es vielleicht gibt, von dem rauhesten und festesten, den man sich vorstellen kann, abnimmt. Dieses Zusammentreffen . . . war etwas Ungeheuerliches für mich.»[258]

Die Aneignung solcher ästhetischer Einsichten aus dem Bereich des «konzeptuellen» Objekt-Realismus geschah ganz offensichtlich, weil Kempowski dafür disponiert war («mir war das durchaus nicht mehr so neu»). Wir führen das auf die ausgeprägte Sachlichkeit Kempowskis – die unverstellte Konstatierung von gegebener Realität – verbunden mit der Fähigkeit zu disziplinierter Assoziation zurück. Psychologisch so klar begründbar wie die genau entgegengesetzte Begabung zu unbewußter Phantasietätigkeit und zum Tagtraum sind diese Eigenschaften nicht. Sie gehören allerdings auch nicht wie jene in die kreativen Motivationskomplexe, sondern bestimmen – als es an der Zeit ist – die kreativen Vollzüge, als 1964/65 das «realistische» *Protokoll*-Verfahren erarbeitet werden muß. Eines mag schon deutlich sein: Das Prinzip der kleinen Textblöcke, die kontextfreie Ausstellung von Zeilen, ja einzelnen Wörtern mit ihren Konnotationsangeboten verdankt dem Objekt-Realismus wichtige Anregungen, vor allem aber wohl Bekräftigung und Legitimierung als ästhetisches Verfahren.

Übungen in «natürlicher Sprache»
Die Umstellung von «literarischer» zu «protokollarischer» Darstellung läßt Kempowski auf die Ausdrucksmöglichkeiten der «natürlichen» oder Normalsprache angewiesen sein. (Diese wird dann über bestimmte Eingriffe – Beispiel: systematische Konnotationsangebote – ihrerseits «literarisch».[259]) Insbesondere in der Form ihres Alltagsgebrauchs wirkt die «natürliche Sprache» ja realistisch, scheint «Tatsachen» unverstellt referieren zu können. Andererseits ist sie gewiß auch – ohne daß damit ihr Objektbezug in Frage stünde – «automatisiert», gemeinhin von geringen ästhetischen Wirkungen. Kempowski sucht die «natürliche Sprache» deshalb dort auf, wo dieser «Automatisierungs»-Grad am geringsten ist: in der Kindersprache. Seit 1962 führt er Buch über die sprachliche Entwicklung seiner Kinder, notiert die normal auftretenden Beispiele für naiven und neuartigen Sprachgebrauch («KF: Ich box dir gleich welche. R: Welche denn?»). Es sind viele kleine sprachabhängige «Situationen», die sich da ansammeln. Im März 1965 läßt Kempowski die Kinder seiner Schulklasse «über den Tod» reden und schreibt mit («Ich denk immer, der Teufel ist unter der Erde. Der ist aus Feuer. Ganz groß.»). Ende 1965 – das neue Darstellungsverfahren stellt sich in der Arbeit am *Block* endgültig her – macht er diese Erfahrungen praktisch, indem er nach den Mustern kindlicher Sprachverwendung selbst Fibeln für seine Grundschulklassen schreibt und damit im Unterricht arbeitet. Darin sind Alltagssituationen, Dinge des täglichen Umgangs, vertraute Personen usw. in einfachen Sätzen dargestellt. Die Grundelemente eines Ereignisses etwa werden durch je einen Satz vertreten, der allein steht und seine Aussage ohne Kontext-Begrenzung als einfache Tatsache setzt:

Matsch
Heute ist es matschig.
Renate ist beinahe ausgerutscht.
Sie mußte einen großen Schritt machen.

Der letzte Satz einer solchen Darstellung kann eine Pointe enthalten, die nicht durch eine sprachliche Qualifizierung entsteht, sondern einzig in der dargestellten Tatsache selbst liegt:

Winter
Oswald friert.
Er zieht seinen Pullover und einen Mantel an.
Auf den Kopf setzt er sich eine Mütze.
Dann legt er sich ins Bett.

Natürlich sind das Prinzipien wohl jeder Fibel. In unserem Untersuchungszusammenhang gewinnen sie allerdings Stellenwert: Wie bei den spielerischen «Zinngedichten» handelt es sich um Übungen in lakonischer «natürlicher Sprache», in der sich die Qualifizierungen und auch der ästhetische Reiz durch die zur Darstellung kommenden Tatsachen selbst herstellen. Ästhetische Bearbeitung geschieht durch das Arrangement: die syntaktisch unverbundene Aufzählung nur durch Sachlogik zusammenhängender Tatsachen und das Assoziationsangebot insbesondere durch die Pointe. Für diese gilt die schon oben zitierte didaktische Maxime ebenso: «Anschauungsobjekt stumm hinstellen. Kinder kommen lassen.»

Vergleicht man die Fibel-Texte mit der zur selben Zeit entstehenden 3. Fassung des Protokolls (siehe S. 84f.), wird leicht die prinzipielle Gemeinsamkeit der Verfahren erkennbar. (Die später veröffentlichten Kinderbücher, besonders der *Böckelmann,* unverkennbar im «Kempowski-Ton» der Romane gehalten, bieten Lesestücke aus den Fibeln oder ihrem Muster nachgeschriebene Texte.)

Tatsachenästhetik: Ausübung
Wir haben gesehen, wie sich Eigenschaften Kempowskis, die vom bislang erprobten literarischen Verfahren als kreative ausgeschlossen wurden, allmählich Geltung verschaffen: Sachlichkeit und disziplinierte Assoziativität. Bevor sie produktiv werden konnten: als ästhetische Vor-Spiele wie die «Zufalls-Gedichte»; als Sammelinteresse für spurentragende Objekte aus der menschlichen Umwelt (Haustüren); als Beschäftigung mit «realistischem» kindlichen Sprachgebrauch und eigener Übung darin. Es wurde deutlich, daß das Darstellungsverfahren, das Kempowski 1964/65 entwickelt, davon dreierlei profitiert: Vertrauen in die Aussagekraft von Sprache, die auf die Wiedergabe von «Tatsachen» (gegenüber literarischer Sprache) reduziert werden mußte; Einsicht in neue

Möglichkeiten, auf dieser Sprachebene ästhetisch zu operieren (Komposition der sprachlich referierten «Tatsachen» zu sachlogisch sich herstellenden Widersprüchen, Ironismen, Pointen; Konnotationsangebote durch das sprachlich freigesetzte «Objekt» usw.); schließlich Bekräftigung und Legitimierung solcher «Tatsachenästhetik» durch ihre Entsprechungen zur auftretenden «konzeptuellen Objektkunst». Besonders diese Legitimierung des entstehenden *Block*-Verfahrens als ästhetisches (und damit auch literarisch akzeptables) müssen wir hoch einschätzen. Erinnern wir uns, daß psychologisch und ästhetisch die Entwicklung des *Block*-Verfahrens erst einmal immense Verzichte gekostet hat, der entstehende Text inhaltlich und vom literarischen Anspruch her als Schwundstufe der ursprünglichen Absichten hat erscheinen müssen. Als Ausgleich dieser Verzichte lag kreativitätspsychologisch weiterhin in der «Verschiebung der Libido auf das Werk» die einzige Möglichkeit seines Gelingens. Dazu war Bedingung, daß der «protokollarische» *Block*-Text erkennbaren «ästhetischen Wert» im Sinne einer «geltenden ästhetischen Norm» besitzen müsse. Daß dies für den *Block* zutreffen würde, wird Kempowski nun in der wichtigen Arbeitsphase 1964/65 bewußt, vor allem über die Beziehungen zur Objekt-Kunst. (Wir haben dazu noch die Nähe zur «Konkreten Poesie» festgestellt, die diesen objektiven Sachverhalt verstärkt.) Einsichten und Einübungen in eine Perspektive auf «Wirklichkeit», die wir «Tatsachenästhetik» nannten, sichern eine neue Einschätzung von «ästhetischem Wert» und werden ineins produktiv.

Schlußbemerkung: Zwei Formen der Kreativität und ihr Verhältnis zueinander.

Wir haben kreative Befähigungen beobachtet, die einen hervorragenden Anteil am literarischen Schaffensprozeß haben. Es hat sich dabei weder um eine vollständige «Faktorenanalyse» gehandelt noch um die Erfassung des gesamten Spektrums kreativer Eigenschaften und ihrer Realisierungen. Dies reicht literarisch von Filmentwürfen bis zu Kinderbüchern, allgemein gestalterisch von charakteristischen architektonischen Planungen zum Aus- und Umbau des eigenen Hauses bis zur Erfindung von pädagogischen Lehrspielen. Solche Vielseitigkeit erschließt sich besser empirischen Verfahren wie dem Rohrschach-Test. Es steht zu vermuten, daß man damit zu Feststellungen gelangte wie die einer «starken

Ego-Kontrolle, einer streng methodischen Denkweise gepaart mit Urteilskraft», was nicht gegen die «beträchtliche emotionale Erfahrung» spräche, auch nicht gegen die extensive Phantasietätigkeit.[260]

Wir begnügen uns damit, für das Verhältnis der beobachteten kreativen Eigenschaften zueinander Feststellungen zu treffen, die für die (unten folgende) Analyse des Arbeitsprozesses nützlich sein werden. Nach der Bestimmung ihres Ortes im, wie Freud es nannte, «psychischen Apparat», haben wir es erst einmal mit einem topologischen und deshalb auch energetischen Unterschied zwischen diesen Eigenschaften zu tun: *Intuition* und *Eidetik* sind in den Umkreis der Phantasieproduktion zu rechnen und gehören dem «System Unbewußtes» an; ihre Inhalte sind stärker «besetzt», durchsetzungskräftiger und beharrlich. *Sachlichkeit* und *disziplinierte Assoziativität*, die nach dem «Realitätsprinzip» arbeiten, sind im «System Bewußtsein» zu orten; ihre Inhalte hängen von einem äußeren «Stimulus» ab und können sich verändern, wenn unter neuen Bedingungen auf den Reiz anders reagiert wird.

Tatsächlich haben wir es beobachtbar in Kempowskis Schaffensprozeß mit zwei Formen der Produktion zu tun, die nebeneinander bestehen:

1. Mit dem Andringen und der Bearbeitung aus dem Unbewußten stammender Inhalte (z. B. Kindheitserinnerungen, Größenvorstellungen), deren Auftauchen sich als *Intuition* oder *eidetische* Bilderscheinung manifestieren können.

2. Mit der voll bewußten Erfassung von Fremdinformationen (etwa aus den Erzählungen der Mutter, aus Informantenaussagen), zu denen in der Bearbeitung *diszipliniert assoziiert* werden kann.

Hinsichtlich unseres späteren Vergleiches der Textinterpretationen des *Tadellöser* sowohl durch den Autor wie durch Leser sind also für Kempowski zwei Interpretationstypen zu erwarten:

1. Eine konstante, sich auch in der Wiederholung kaum verändernde Auffassung von Textpartien, in die Inhalte aus dem Unbewußten eingedrungen sind. Da es sich sowohl beim *Block* wie im *Tadellöser* um Schwundstufen der ursprünglichen Inhalte handelt, wird das Fortgelassene regelmäßig ergänzt.

2. Eine beweglichere Textauffassung bei Partien, die auf dem Wege der «disziplinierten Assoziation» entstanden sind. Hier kann durch eine veränderte Interpretationssituation (zeitliche Distanz,

neue Einschätzung der Textpartie im Lichte der Kritik, veränderte Auffassung von den eigenen schriftstellerischen Zielen überhaupt) ein ganz neues Textverständnis auftreten, können mehrere verschiedene Leseweisen assoziativ möglich werden.

4.4 Zum Entstehungs- und Arbeitsprozeß

Die äußeren Arbeitsbedingungen – wenn er sie selbst bestimmen kann – stehen in Beziehung zum Charakter des Werkes, das ein Autor schafft.[261] Sie seien – für die Entstehungsgeschichte des *Tadellöser* – hier skizziert; sie gelten im übrigen auch für die weiteren Werke.

4.4.1 Räumliche Umgebung: «eigene Welt . . . in der man lebt»

Schon 1959 findet sich im Notizbuch (im Kontext von Aufzeichnungen zur Familiengeschichte) die Überlegung: «Wichtig ist, daß man sich als Schriftsteller Elemente schafft, mit denen man dann, als eine eigene Welt, arbeitet, in der man lebt.» Das meint gewiß erst einmal den Aufbau und Zusammenhang der erzählten Welt. Da diese autobiographisch bestimmt ist, ist sie auch in vielen Zeugen der eigenen und der Familienbiographie materialiter vorhanden. Kempowskis Arbeitsplatz ist «umgeben mit Erinnerungsstücken aus dem Elternhaus. Atmosphäre. Die Wohnung wird restauriertes Bürgerheim. Sogar die Briefmarkensammlung wird ergänzt»[262]. Familienfotos, Stadtansichten, Modelle der Rostocker Kirchen, Möbel, wie sie zuhause gestanden haben, der Inhalt des elterlichen Bücherschranks – damit beginnt Kempowski seinen Arbeitsplatz allmählich zu umstellen. Eine Zeitinsel? Verstellt er sich damit absichtlich die Gegenwart? Man wird das nicht sagen können. Es bedeutet Einstimmung, Meditationsanreiz, ähnlich einer psychologisch induzierten «Regression» zum Heraufholen von Vergangenem, aus der man jederzeit unbeschadet wieder zurückkommt. Insofern ist das «restaurierte Bürgerheim» Unterstützung der Produktion. Es ist auch Anspielungshintergrund für die literarische Rolle des «bürgerlichen Chronisten», die sich in der Endphase der Arbeit am *Tadellöser* (über Interviews, Etikettierungen von Seiten des Verlags, bei Lesungen aus dem Manuskript) allmählich herzustellen beginnt. Da ist schließlich auch die Gegenwelt: Kempowski arbeitet mit allen notwendigen technischen Mitteln, Tonbandgerät, Diktiergerät im Auto, Fotografien der sich verändernden «Kontrolltafeln» für die Werkentwicklung, Abschreibehilfen für Tonband- und Zettelnotizen. Er benutzt einen großen Schreibtisch, systematisch mehrere Ablageflächen, die bekannten Zettelkästen, verschiedene Büro-Ordnungseinheiten usw. Die Verarbeitung der vielfältigen Informationen ist zweckhaft durchorganisiert. Pointiert: Kempowski schriebe nicht, besäße er ihn noch, am väterlichen Schreibtisch – er stellte ihn in der Nähe des eigenen auf, um ihn gelegentlich betrachten zu können.

Dieses Arbeitsplatzarrangement ist nicht widersprüchlich, sondern gut vereinbar. Sind seine antiquarischen Bestandteile also unerläßliche Produktionsbedingung während der Arbeit am *Tadellöser*? Sie sind jedenfalls eine bedeutende Unterstützung bei der täglich unternommenen Retrospektive als materielles Korrelat zu den außergewöhnlich intensiven Restitutions- und Geborgenheitswünschen, die wir aus der Phantasieproduktion Kempowskis kennen (2.2.2). Es liegt psychologischer Ernst darin, wenn sich Kempowski während der Beschreibung seiner Kindheit genau die Halmasteine wieder anschafft, die er damals gesammelt hatte. Wie für die restaurierte Briefmarkensammlung gilt dazu Kempowskis Feststellung: «Bei dieser Beschäftigung (die sofort nachließ, als ich fertig war mit dem Schreiben) weitere Assoziationen.»[263]

4.4.2 *Arbeitszeit*

Die Frage nach der Arbeitszeit eines bestimmten Schriftstellers hat schon immer fasziniert – meist wird sie ja von Leuten der gleichen Profession gestellt, von Konkurrenten, weniger Erfolgreichen und Anfängern auf der Suche nach Rezepten. Sie ist zweifellos eine Kernfrage in einem Metier, das von der originären, nicht-mechanischen Produktivität eines – möglicherweise krisenanfälligen, störbaren – Kopfes abhängt. Nur ist sie – als Frage nach der Schreibzeit – oft falsch gestellt: Der Zeitraum, in dem sich der kreative Prozeß materialisiert, zum Manuskript wird, ist einmal eben nur seine letzte Phase und zum andern bestimmt von unterschiedlicher Intensität des Schreibvorgangs. Der kreative Spiel-Raum, in dem sich die Strukturen für die Schreibvollzüge herstellen, ist kaum bemeßbar (Quellenstudium, Notieren eines Einfalls udgl. sind darin noch die am leichtesten erfaßbaren Tätigkeiten). Die Zeit, in der (ein vielzitiertes Beispiel) Thomas Mann «schrieb», wurde zwar regelmäßig eingehalten, war aber nicht eben lang: zwei bis drei Stunden am Morgen. Der übrige, an der Oberfläche vielfältig von anderen Beschäftigungen eingenommene Tag, stand jedoch ganz unter der Spannung des Werkes und der inneren Beschäftigung mit ihm. Wann mag sich (einmal in der Terminologie der «Generativen Semantik» gefragt) hier die semantische Kernstruktur hergestellt haben, die sich dann in das überaus dichte Bedeutungssystem des entstehenden Textes transformierte?

Es scheint also angemessen, die Arbeitszeit-Frage mit dem Vorbehalt zu beantworten, daß sie gerade die am schwierigsten zu erkundenden kreativen Abläufe betrifft. Kempowskis Schreibzeit belief sich zum *Tadellöser* auf durchschnittlich zwei Stunden (woran sich bis heute nicht viel geändert hat). Zu Anfang seiner Produktion hatte ihn das irritiert: «Täglich 1½ Stunden am Roman, mehr ist nicht drin.» (17. 10. 1964) Während der Arbeit am *Tadellöser* deprimiert auch ihn die falsche Fragestellung: «Bloch habe 17 Stunden täglich gearbeitet, habe ich gerade gelesen. Das ist mir völlig unverständlich. Für mich sind drei Stunden schreiben schon sehr viel.» (15. 9. 1970) Gegen Ende der Manuskript-Abfassung scheint das kein Problem mehr zu sein. Kempowski hat offenbar seinen ihm angemessenen Arbeitsrhythmus akzeptiert. In den Tagebüchern taucht die Frage seitdem nicht wieder auf. War die Länge der Schreibzeit durch die zwei Berufe Kempowskis bestimmt? Vormittags gab er 1970 noch ein «volles Deputat» an Unterricht. Erst nach dem Mittagsschlaf können von 16–18 Uhr die beiden Schreibstunden angesetzt werden. Sie werden allerdings auch sehr regelmäßig eingehalten. Das Entscheidende: Sie tragen im kurzfristigen Durchschnitt fast immer dasselbe Quantum Manuskript ein (2 Druckseiten). Kempowski ist deshalb auch während der *Tadellöser*-Abfassung in der Lage, vorzuplanen, wann er das nachfolgende Buch abgeschlossen haben wird *(Gold)*. Es zeigt sich später, als die Unterrichtszeit verringert ist («halbes Deputat»), daß die zwei Stunden Schreiben offensichtlich einem persönlichen Rhythmus entsprechen; sie werden beibehalten. Allerdings wird die zusätzliche Zeit für weitere, Produktion vorbereitende, Tätigkeit genutzt, die nicht mit dem (jeweiligen) Roman zu tun haben muß: Materialsammlung zu einem Kinderbuch, Planung eines Filmprojekts, Entwurf eines Hörspiels. Kempowski kann an einem Tag thematisch sehr unterschiedliche Projekte verfolgen, ohne daß Zeitpunkt, Dauer und Intensität des eigentlichen Schreibens davon berührt würden.

4.4.3 Schöpfungs-Phasen

Der Kreativitätspsychologie ist an einer Erfassung des schöpferischen Prozesses in Abfolgen gelegen. Allgemein akzeptiert ist ein Vier-Phasen-Modell, das in der kritischen Formulierung Guilfords so aussieht: Phasen der Vorbereitung *(Präparation, Inkubation)* drängen auf «den großen Moment der *Inspiration*», die darauf auf ihre Tauglichkeit hin *bewertet* und schließlich in der *Verifikation* als Problemlösung praktisch erprobt wird.[264] Beim Schriftsteller, so darf man wohl übertragen, fallen die mit der Inspiration beginnenden Phasen potentiell mit der Schreibzeit zusammen. Wenn Guilford nun das Modell kritisiert, es sage «fast nichts über die geistigen Operationen aus, die wirklich vorkommen», wobei ihm das Kriterium entscheidet, es führe «nicht direkt zu Testideen», hat er mit positivistischer Deutlichkeit auf die Komprimiertheit und hochgradige Interferenz kreativer Abläufe hingewiesen. Durch bestimmte Merkmale ausgewiesene Phasen des Schaffensprozesses sind auch bei Kempowski festzustellen und Kernvorgänge darin waren ja auch analytisch beschreibbar. Das komplexe Zusammenspiel jedoch aller Elemente, die genaue Abfolge und Wechselbedingtheit der «geistigen Operationen» entziehen sich analytischer Untersuchung. Wir haben das bereits oben im Versuch, Konturen des Kreativitätsprofils zu beschreiben, deutlich gemacht. Was wir in Erfahrung bringen konnten, soll allerdings mitgeteilt werden.

Grundsätzlich begreifen wir «Schöpfungs-Phasen» zweifach: einmal als Teile des Prozesses, der bis zum Einsetzen der Produktion an *Tadellöser & Wolff* ablief, zum andern als Teile des konkreten Arbeitsvorgangs, der zum täglichen Manuskript führt.

1. Die Phasen der Präparation (Materialsammlung) und der Inkubation (unbewußte und vorbewußte Formung von Thematik, Inhalten und Ordnungsstrukturen) von *Tadellöser & Wolff* von 1959 bis 1969 haben wir ausführlich darstellen können. Sie waren bestimmt durch eine intensive Arbeit des Unbewußten im Bereich «Erinnerungen an Kindheit und Familie», dann durch einen dem

Autor selbst nicht als solcher klaren Versuch, diese Thematik schreibend zu gestalten (die dokumentarische *Familienchronik* von 1961). Und schließlich durch die permanente Überlagerung mit Plan und Ausführung des «Bautzen-Buches». Allerdings hatte bereits bei der Arbeit am *Block* immer wieder das Eindringen von bereits geformtem Material aus dem «Kindheit/Familie»-Komplex abgewehrt werden müssen. Wo wären nun bis 1969 die «großen Momente» der Inspiration anzusetzen? Man wird sich erst einmal darüber klar sein müssen, daß ein Erzähler der genauen Einzelheiten von «aberhundert Einzelinspirationen» (Thomas Mann) lebt. Und dann: Welche mentalen Vorgänge umfaßt hier der Begriff «Inspiration» über eine so lange Zeitstrecke? Bei Kempowski besitzt er (in bezug auf den *Tadellöser*) die Spannbreite von der im Tagebuch festgehaltenen Phantasie («Kindheitserinnerung an die Schlachterei Max Müller . . .») über eine noch gar nicht in einem bewußten Zusammenhang mit einem Schreibplan stehenden plötzlichen Option für das Groteske in der Person des Vaters (3.2.2; daher deren spätere Überzeichnung) bis hin zu so erstaunlichen Vorwegnahmen des Darstellungsverfahrens wie «Buchidee: Meine Familie. Hier die große Kälte und Anteilnahmslosigkeit . . .» (1961[265]); dies, als die Notwendigkeit, so zu verfahren, überhaupt noch nicht bewußt war und geradezu das Gegenteil praktiziert wurde (im *Restaurator*). – Die Phase der Bewertung ist im langfristigen Prozeß vor Schreibbeginn am *Tadellöser* nicht vertreten. Erst während des Schreibens selbst bewertet Kempowski die notierten Einfälle, übernimmt sie, arbeitet um, verwirft. Die Phase der «Verifikation» ist der Schreibprozeß selbst.

2. Diesen werden wir unten darstellen; trotz vieler Interferenzen sind hier Perioden besser abgrenzbar. Eine mit dem Phasencharakter kreativer Arbeit verbundene Frage soll allerdings gleich beantwortet werden: Ist die eigentliche Produktion des *Tadellöser*-Textes von unterschiedlicher Intensität und ist sie stimmungsabhängig? Von «Schüben» der Produktion, unterbrochen durch Leerlauf, von häufiger vergeblichen Ansätzen u. ä. ist nichts zu bemerken. Die Schreibzeit wird sehr regelmäßig eingehalten. Allerdings kann sie unterschiedlich ausgefüllt sein. Ergeben sich beispielsweise schwierige Korrekturen am Vortagsmanuskript, geht das auf Kosten der an diesem Tag erbrachten Textmenge. Das Defizit wird jedoch spätestens am dritten Tag wieder eingeholt. Stimulantien? Sie sind offenbar nicht notwendig. Eine gewisse

einstimmende Unruhe geht dem Schreiben regelmäßig voraus, zuweilen eine (bis halbstündige) deutliche Gehemmtheit, das erste neue Wort zu schreiben. Auftretende Verspannungen können im Klavierspiel gelöst werden – Klavierstücke aus dem Repertoire des Vaters, Songs aus der Vorkriegszeit bringen dann auch «Atmosphäre». Unsere Rekonstruktion der Arbeit am *Tadellöser* bestätigt die psychologisch begründete Beobachtung, die wir für die endgültige Konstituierung der Produktivität gemacht haben (3.3.1): Die Lust am schöpferischen Akt ist beharrlich und stellt sich verläßlich ein. Besonders die Arbeit am *Tadellöser* stellt sich dar als ein selten – und dann nur von außen – unterbrochener kreativer Spannungsbogen.

4.4.4 Äußere Systematik: Die Zettelkästen

Bei der Herstellung seiner öffentlichen Rolle hat man Kempowskis Arbeit mit Notizzetteln überakzentuiert. Beabsichtigt war der dann ja auch wirksame Effekt, Spannung herzustellen zwischen einer scheinbar mechanischen Informationsverarbeitung und einem populären Literaturbegriff, der die Texte aus Erfindung und Empfindung gestalthaft aus dem Dichter hervortreten sieht. Natürlich sind technische Hilfsmittel wie Zettelsammlungen bei geistiger Produktion durchaus üblich. Beachtenswert ist allerdings, bis zu welchem Annäherungsgrad zum endgültigen Manuskript Zettel als Vorstufen eine Rolle spielen, weil damit beispielsweise eine gewisse Mobilität (Auswechselbarkeit, verschiedene Anschlußmöglichkeiten) innerhalb des entstehenden Textes dessen Eigenart mitbestimmen können. Da Zettel als Träger von Grundinformationen wie von bereits ausgearbeiteten Textportionen vom *Block* an im Verlauf des Werk- und Arbeitsprozesses für Kempowski allerdings eine charakteristische Funktion haben, sei die Arbeit damit beschrieben.

1. Karteien existieren seit 1958. Sie organisieren und bewahren das Studienwissen auf der Pädagogischen Hochschule, dann in verschiedener Hinsicht den Lehrstoff und methodische Konzepte in der schulischen Arbeit. Schließlich gibt es eine «wilde Kartei», in der Lesefrüchte, Beobachtungen, originelle Formulierungen u. ä. aufbewahrt werden. Das wichtigste wird jedoch in den Tagebüchern festgehalten. Bereits im November 1959 besitzt Kempowski

2000 Karteikarten.[266] – Diese Karteien interessieren uns vor allem als frühes Zeugnis für eine rationale und systematische Arbeitsweise, als Komplement in der intensiven Phantasieproduktion (Tagträume), die die Tagebücher verzeichnen. Als Prototyp haben wir oben Kempowskis Examensschrift über Borchert vorgestellt (2.3.2), in der er sich mit genauen schematischen Rekonstruktionen des Textaufbaus vor einer «zu starken subjektiven Anteilnahme» bewahrte.

Karten zum «Bautzen-Buch», dann zur *Familienchronik* von 1961 sammeln sich zwar ebenfalls an, spielen aber keine Rolle als zentraler Fundus. Dies sind weiterhin einmal die Tagebücher, in denen sich die Träume, Tageserinnerungen, Einzelinspirationen versammeln und zum andern die Notizhefte, in die die Tonbanderzählungen der Mutter und des Bruders transkribiert werden, auch eigene Tonbandnotizen (etwa bei Sichtung von Dokumenten bei Verwandtenbesuchen), und in die schließlich alle Zeugenberichte aufgenommen werden. Eine systematische Auswertung über Zettel-Exzerpte findet hierzu erst zum *Block* statt.

2. Erst in einer späteren Phase des *Block* (1965) kommt es zu durchorganisierten Zettelkarteien. Zum *Tadellöser* wird das System voll ausgebildet. Die Notwendigkeit, ab 1965 mit Exzerpt-Zetteln zu arbeiten, ergab sich aus der Hinwendung zum dokumentarisch Protokollarischen: Noch das Detail mußte den «Tatsachen» (= Erinnerungen, Zeugenberichten) entsprechen.

Die Zettel: Sie haben Postkartenformat (DIN A6) und werden nur einseitig beschriftet. Gleich nach Abschluß der Notiz werden sie mit Zuordnungskennzeichen versehen. Links oben meist mit einem allgemeineren (T=Traum), rechts oben mit einem spezifischen (Vater). Manche Notizen laufen über mehrere Zettel mit derselben Signatur.

Tragen die Zettel Gelegenheitsnotizen ohne Bezug zum aktuellen Schreibgeschäft, werden sie gestapelt und einmal in der Woche in einen zuständigen Karteikasten einsortiert. Aufzeichnungen zu einem aktuellen Zweck werden sofort untergebracht.

Herkunft der Notizen. Kartothek:
Es gibt drei Grundformen von Notizen: spontane, Exzerpte aus dem Fundus (Notizzettel, Quellenschriften wie die Rostocker Stadtgeschichte u. ä.) und schließlich solche, die sich aus der «Meditation» zu einem Requisit, einem Bild u. ä. herstellen. Für

Kempowskis Arbeit charakteristisch ist der ökonomische Umgang mit der Gelegenheitsinformation (interessante Formulierungen im Gespräch, Vorfälle, Lesefrüchte usw., aber auch letztlich nicht zufällige spontane Einfälle zum Werk). Sie werden sofort aufgezeichnet oder – im Auto – auf Band gesprochen, das dann abgeschrieben wird. Hier hat sich in den Karteien ein immenser Welt- und Werkstoff angesammelt, dessen Nutzung über lange Jahre ausstehen mag, aber doch jederzeit verfügbar ist.

Kempowski führt während der Arbeit am *Tadellöser* (und auch weiterhin zum schon ausgeplanten Gesamtwerk) dreierlei Karteien:

- Die «wilde», wie oben schon beschrieben: Hier wird alles aufbewahrt, was nicht sofort eingeordnet werden kann. Bei Gelegenheit oder Bedarf wird sie gesichtet, gerade Brauchbares herausgenommen.
- Die Personenkartei: Sie bezieht sich auf das Personal des *Tadellöser*, aber allmählich auch auf alle Figuren, die im Gesamtwerk vorkommen sollen. Hier werden vor allem die Grundcharaktere einer Person versammelt (wörtliche Rede, Angewohnheiten, wichtige Erlebnisse), die motivisch zu wiederholen sind.
- Die chronologische: Da die genealogischen Romane eine chronologisch-sukzessive Komposition haben, kann zu Stoff, Handlung und Thematik in reiner Zeitfolge gesammelt und geordnet werden. Für jede größere Einheit des *Tadellöser* hat Kempowski einen Karteikasten bestimmt. Während des Schreibens an einer Einheit werden die Kästen der folgenden noch mit weiteren Notizen beschickt, daneben aber auch ständig die Karteien der geplanten Bücher. Die gesamte Kartei ist mit üblichen Ordnungsmitteln (farbige Kartenreiter, Fensterreiter usw.) übersichtlich gemacht.

4.4.5 *Bestände, als Kempowski «Tadellöser & Wolff» zu schreiben beginnt*

März 1968 schließt Kempowski den *Block* ab, im Juli die Überarbeitung des (unveröffentlichten) *Zwischenbuches*. Im August beginnt er, am «Strom» (= *Tadellöser*) zu schreiben. Welche Bestände sichern das Unternehmen?

1. Erfahrung mit dem neuen Darstellungsverfahren, Vertrauen

auf seine Bewährung auch am ganz anders gelagerten Sujet, als wichtigstes: Gefühl seiner persönlichen Angemessenheit (bei fortlebendem Bewußtsein der Verzichte).

2. Die Tagebücher, die Zeugenberichte und Dokumente in den Notizbüchern, grob organisierte Zettelkästen mit weiterem Material (von Dispositionsideen bis zur Beschreibung eines Möbelstücks).

3. Fotosammlungen zur Familie, zur eigenen Kindheit, zu Rostock u. ä.; Requisiten aus Familienbesitz oder «aus der Zeit».

4. Quellenmaterial zur Stadt- und Zeitgeschichte.

5. Ständige Möglichkeit, beim Bruder Robert, aber auch bei Freunden ergänzende und stimulierende Auskünfte einzuholen.

6. Ein Entwurf, der sich insbesondere über die Größen- und Vater-Phantasien hergestellt hatte:

> «V(ater) wird Hauptperson. Suche nach meinem Vater. M(utter) wird zunächst als Randfigur behandelt. Der Unverstandene, nicht Fertiggewordene. Der sich selbst opfernde, Selbstmord?»[267]

In Grundzügen kann hier der Schreibprozeß in seinen konkreten Vollzügen rekonstruiert werden. Auf dieser Ebene sind die psychisch-intellektuellen Operationen nur partiell darstellbar.

4.4.6 *Das erste Kapitel*

Als Rohmaterial befindet sich das «1. Kapitel» des *Tadellöser* schon in der Kartei. Da Kempowski mit der Darstellung des Familienalltags beginnen will, ergibt sich sachlogisch eine raumzeitliche Orientierung: Die neue Wohnung soll vorgestellt werden, die Familienmitglieder charakteristisch eingeführt, der Tageslauf von Morgen (1) bis zum Abend (4) vorgeführt. Das chronologische Bauprinzip erweist sich von Anfang an als kompositionell hilfreich. Eine andere Eigenschaft des in unterschiedlichen Vertextungsstufen (vom unbearbeiteten Einfall bis zum bereits ausgeformten Dialog-Stück) vorliegenden Materials soll dabei nicht überschätzt werden: Zwar ist materiell «schon etwas da», das auf Bearbeitung drängt. (Andere Schriftsteller haben das nur «im Kopf» oder beginnen scheinbar aufs Geratewohl mit dem ersten Satz.) Natürlich gibt die bereits materialisierte Vorarbeit Kempowski eine gewisse Sicherheit. Die Blockade vor dem ersten

Schreibvollzug erspart sie ihm aber nicht. Aus der Abfolge der Karteizettel ergibt sich noch keine Produktionsmechanik. Optionen, Korrekturen, Neuentwürfe verlangen denselben psychisch-intellektuellen Aufwand, ob sie nun an bereits vorläufig Verschriftetem oder «im Kopf» Vorentworfenem vorgenommen werden. Kempowski hat in einer Skizze[268] die Entstehung des ersten *Tadellöser*-Kapitels beschrieben, wie sie auch an den vorliegenden Zeugen rekonstruierbar ist:

(1) «Ich hindere mich am Tippen, Zettel treten an die Stelle. Erleichtern Kontrolle des roten Fadens, Durchführung der Motive. Einfall A wird abgewandelt als A^1 und A^2 und A^3 an anderer Stelle deponiert.

(2) Zettelkästen schwellen an. Ich ordne immer wieder. Chronologische Ordnung. Stecktafel: Alle Kapitel mit viereckigen Karten anheften. Mehrere Umstellungen. Andere Kontrolle: Klammern. Wann taucht V(ater) auf? Dadurch wird sichtbar die Lücke: Hier muß Erinnerung aufgeholfen werden. Hier muß gesucht werden. Löcher.

(3) Sättigung der Kästen. Sammeln von Zetteln geht weiter.

(4) Beginn des eigentlichen Schreibens. Erstes Kapitel nehme ich heraus aus dem Zettelkasten.

(5) Erste Disposition. Staunen was alles vorhanden. A^4-Möglichkeit wird entdeckt, A^5 usw. Neue Assoziationen.

(6) Zettel des ersten Kastens werden immer wieder umgeschichtet. Umgeschrieben. Pro Zettel winzige Texteinheit. Auswechselbar. Zettel kann man vernichten, wenn wertlos. Man braucht nicht alles neu zu schreiben, nur den Textblock und auch von dem nur einen Teil. Manchmal pro Zettel ein Satz. Je länger ich an den Zetteln arbeite, desto weniger schreibe ich auf einen Zettel.» Ergänzung zu diesem Arbeitsabschnitt (6) aus einer anderen Passage der Skizze:

(7) «Klarermachen des Wesentlichen. Hinzuerfinden im Sinne des Wahrscheinlichen und Wünschenswerten, Tendenz.»

(8) «Lautes Lesen, Arbeit am Wort immer wieder. Wörter sind Hilfstruppen,

(9) weitere Vertiefung und Glättung: sie dürfen es nicht merken. Sie sollen mich für fast dumm halten. Kaschierung des Wesentlichen, Zuschütten der Tendenz. Mehrere Schichten.

(10) Struktur entwickelt Eigenleben.

(11) Manierismen werden erkannt und beseitigt. Alles soll harmlos aussehen, übernormal bei aller Verrücktigkeit.

(12) Anstreben größter Verständlichkeit, saugendes Lesen.»

(13) Schließlich entsteht die «Zettelfassung» des Kapitel-Manuskripts. Die bearbeiteten und angeordneten Zettel (eine komplette Textvorstufe) werden in Blöcken abgeschrieben und ergeben jetzt einen fortlaufenden Text. Damit beginnt die letzte Bearbeitungsphase:

Eingriffe, entsprechend den in den Arbeitsabschnitten (7) bis (11), werden noch einmal nötig, da jetzt eine bessere Übersicht möglich ist und auch die Wirkung des Druckbildes antizipiert werden kann.

(14) In diesem Abschnitt liest Kempowski häufiger seiner Frau oder Bekannten vor. Es ist die Probe auf «größte Verständlichkeit» und verbliebenes «Unglattes» im Text. Die Kempowski wichtige akustische Überprüfung auf Zusammenhang und Fluß des Textes steht in Spannung zu dessen graphischer Gestalt (Blöcke, Leerzeilen, usw.).

(15) «So wird nach und nach das ganze Manuskript, Kapitel für Kapitel, geschrieben. Wenn eins fertig ist – zur Arbeitskontrolle: Zettel an der Stecktafel rundschneiden. Eckige Zettel: Unfertige Kapitel. An der Tafel wird die Disposition mehrfach geändert.»

Kempowski beschreibt also eine Abfolge von Arbeitspassagen, die über das Medium (Zettel), das das Erarbeitete aufnimmt, besonders bestimmt sind: Einerseits ist schon eine Textvorstufe gegeben, bevor Kempowski auf das endgültige Manuskript hin zu schreiben beginnt. So im «ersten Kapitel» (Abschnitt 1 bis 4) räumliche (die Wohnung) und zeitliche (familiärer Alltag) Orientierung, das Stammpersonal (die Familie), eine Reihe von Motiven usw. An der «Kontrolltafel» stellt sich das dann als erster Ordnungsentwurf dar. Andererseits besteht diese Textvorstufe aus unterschiedlichen Aggregatzuständen (von der noch unbearbeiteten Notiz bis zum ausgeformten Dialog) und ist auch mobil (die Blöcke und deren Einzelelemente können auf verschiedene Weise arrangiert werden). Bei Schreibbeginn findet Kempowski also einmal eine angesammelte Sicherheit vor, die charakteristisch ist für biographische Erzählsubstrate: vororganisierte (erinnerte) Wirklichkeit. Diese Sicherheit wird aber sofort labil, wenn der erste Eingriff geschieht, das Darstellungsverfahren sich jetzt konsequent des Materials bemächtigt:

Verfahrensschritt (6)
«Zettel des ersten Kastens werden immer wieder umgeschichtet. Umgeschrieben. Pro Zettel winzige Texteinheit. Auswechselbar . . .»

Die erinnerte Wirklichkeit bleibt zwar als inhaltliche wie kompositionelle Orientierung erhalten, wenn diese auf der Ebene der Darstellung irritiert wird: «Immer bei der Wahrheit bleiben, da kann nichts schief gehen.»[269] Doch ein solcher Rekurs ist nicht automatisch hilfreich, wie die zitierte Selbstermunterung glauben machen könnte. Die Darstellung verlangt Erfüllung der (zum *Block* entwickelten) Verfahrensregeln wie Affekt-Verzicht oder kalkulierte Verkürzung des Erinnerten aus der gesetzten Berichts-Perspektive des jugendlichen Erzählers. Hier hilft die «Wahrheit» nicht weiter, wir werden das am Beispiel zeigen. Zum andern müssen auf der Darstellungsebene sich herstellende eigenständige Figuren unter dem Zwang der Gestaltschließung durch Erfindung ergänzt werden:

(7): «. . . Hinzuerfinden im Sinne des Wahrscheinlichen und Wünschenswerten, Tendenz.»
(10) «Struktur entwickelt Eigenleben.»

Schließlich, das ist schon gezeigt worden, ergeben sich während des gesamten Schreibvorgangs Momente der Intuition und der Eidetik, die die angesammelten Wirklichkeits-Fragmente anrei-chern aber auch verändern können.

Wir geben im Folgenden einige Beispiele, die wesentliche Züge des Schreibvorgangs charakterisieren:

4.4.7 *Verkürzen, Implizieren, Verdeutlichen*

(6): «Zettel des . . . Kastens werden immer wieder umgeschichtet. Umgeschrieben.»

Es sind kleinere Eingriffe, die hier besonders interessieren: die Rücknahme von als redundant Empfundenem in bereits ausgear-beiteten Textpartikeln. Einmal die charakteristische Verkürzung einer Vorgangsbeschreibung, indem Kempowski ihr das sachlogi-sche Zwischenglied nimmt (vgl. *Protokoll*, 3. Fassung):

1. Zettelgruppe 46 (*Tadellöser*, 139); ursprüngliche Fassung:

«Immer rasender gebärdete sie sich, und mir *rollten die Tränen aus den
Augen* und zerplatzten auf den Tasten.»

Die Überarbeitung tilgt:

«Immer rasender gebärdete sie sich, und mir zerplatzten die Tränen auf
den Tasten.»

Das «mir rollten die Tränen aus den Augen» hätte die Aufmerk-samkeit zu stark auf die emotionale Verfassung des Ich-Erzählers gelenkt, die Eliminierung der Personbezogenheit bringt die Text-partikel (wie hunderte andere, die so korrigiert werden) auf die Grundlinie, die Person zurückzunehmen.

2. Zettelgruppe 45 (*Tadellöser,* 136); ursprüngliche Fassung:

«Als ‹höherer Sohn› mußte ich nun Klavier spielen.»

Sie wird ersetzt durch:

«Donnerstags war Klavierstunde.»

Hier ist Kempowski offensichtlich deutlich geworden, daß der erste Satz einen Sachverhalt qualifiziert und damit gegen das Prinzip der unkommentierten Darstellung verstößt. Durch den gesamten Kontext zum einfach konstatierenden zweiten Satz – in dem ja eben die Erziehung eines gutbürgerlichen Kindes beschrieben wird – ist die Qualifikation als Implikat dann enthalten. Nur muß sie jetzt der Leser herauslösen.

3. Zettelgruppe 47 (*Tadellöser*, 141); ursprüngliche Fassung:

«Für den Applaus dankte er mit ausgestrecktem Arm. Ich habe mich verbeugt.»

Sie wird überarbeitet zu:

«Für den Applaus dankte er mit deutschem Gruß.»

Die Verbeugung war zu streichen, weil sie zu deutlich die «Tendenz»markierte, die bürgerlich-konservativen Kempowskis von den Nazis zu unterscheiden. (Die Verbesserung in «deutscher Gruß» steht für die vielen notwendigen Verdeutlichungen von historischen Alltags-Details für heutige Leser, die Kempowski – wo das möglich war – vornimmt.)

4.4.8 *Beispiel spontaner Ergänzung: Eidetik*

(5): «Staunen was alles vorhanden. . . . Neue Assoziationen.»
Zettelgruppe 51 (*Tadellöser*, 81):
Hier soll noch einmal einem Fall der «Auferweckung» eines Bildes nachgegangen werden, der spontanen Abrufung einer seit Jahren bewahrten Vorstellung, als sich eine Verwendungsmöglichkeit für sie anbietet. Im Zusammenhang mit anderen unbewußten Anteilen am Schaffensprozeß haben wir Kempowskis besondere Fähigkeit zur Eidetik ja schon eingehend analysiert (4.3.2): am Beispiel einer bildhaften Erinnerung mit tiefen lebensgeschichtlichen Wurzeln, die sich einmal als Traum, dann – wiederum Jahre später – bei der Arbeit am Text spontan einstellt und sinndeutende Funktion gewinnt. Im folgenden geht es um eine andere Erschei-

nungsform: Ein von außen (über eine andere Person) vermitteltes Bild hat sich dem Gedächtnis eingetragen und ist dort eine Verbindung mit anderen Vorstellungen zu einem bestimmten Thema eingegangen, an dessen Präsentation es nun beteiligt ist. Zwölf Jahre später stellt sich das Bild während des Arbeitsprozesses ein.

Unsere folgenden Beobachtungen sollen die Bedeutung der Phantasieproduktion – hier: der Bilder in ihrer zwischen Unbewußtem und Bewußtsein gleitenden Herkunftsmöglichkeit – gegenüber den Anteilen dokumentarisch gestützter Information noch einmal artikulieren. Sie sollen zeigen, wie noch hinter einem im Text nicht anders als ergänzend aufzufassendem Nebenzug ein psychisch besetztes ausgearbeitetes Erinnerungsbild gestanden hat.

1. Die Spiele des Ich-Erzählers mit den beiden Mädchen während des Harz-Urlaubes setzen das Thema pubertärer Erotik fort, das mit der Freundin Ute eingeführt wird (*Tadellöser*, 17). *Tadellöser*, 81:

> «In der morschen Liegehalle, in der sich nie ein Erwachsener aufhielt, bewirteten sie mich mit zerquetschten Knackern in Schüsseln aus Baumrinde. Das sei Braten.
>
> Elke hüpfte, wogegen Lili ernster zuwege ging. Jasmin rundherum, Dachpappe, modriges Holz.
>
> Zuweilen war ich ‹krank›, dann mußte ich liegen und wurde mit einem Zweig ‹gemessen›.
>
> Ob sie nicht mal Wiederbelebungsversuche machen wollten, fragte ich, aber darauf gingen sie nicht ein.»

In «Erklärungen»[270] zur «Harzreise» hat Kempowski das kommentiert:

> «Dies ist eine Reminiszenz an Zolas ‹Abbé Mouret›. Daß sich in der Liegehalle nie ein Erwachsener aufhält, das ist ein Hinweis auf den paradiesischen Zustand, in dem der Abbé mit seiner kleinen Freundin lebte. Nochmals das Angebot einer Situation, die eine Wiederholung des Ute-Erlebnisses ermöglicht hätte. Aber die Mädchen ‹kamen auf nichts›. . . .»

Diese Bedeutung gewinnt die Passage dann auch bei eindringlichem Lesen, das sich auf die Vorstellungsangebote des Textes einläßt (wie uns dann die Leser unserer empirischen Untersuchung bewiesen haben), die Zola-Reminiszenz natürlich ausgenommen. Anders das Momentbild, mit dem die zitierte Passage eingeleitet wird. Hier wird auch intensives Lesen nicht mehr als eine reizvolle, möglicherweise eigene Erinnerungen treffende, beiläufige Beobachtung entnehmen:

«Morgens wehten frischgewaschene Haarschleifen über dem Balkongeländer.»

Es ist der vermittelbare Rest eines komplexen Bildes, das Kempowski 1958 der Mitteilung einer Bekannten verdankt und das er (anzunehmen: wegen seiner Zugehörigkeit zum erinnerten erotischen Thema) beeindruckt notiert. 1969, bei der Ausarbeitung der zitierten Passage, stellt es sich spontan ein. In seinem späteren Kommentar dazu (1974) kann Kempowski das Bild wieder evozieren:

«Eine Commilitonin in Göttingen erzählte mir 1957: ‹Wir waren fünf Mädchen. Ich sehe noch, wie morgens die frischgewaschenen Haarschleifen über dem Balkongeländer hingen und höre noch meine Mutter Chopin spielen.›»

Das Bild (und auch die Umstände seiner Vermittlung) sind weiterhin lebendig; der Tagebuch-Notiz von 1958 hat Kempowski wie zuvor zu seiner «Auferweckung» nicht bedurft. Sie lautet noch etwas anders:

«Frl. R(. . .) erzählte mir eine nette Geschichte, fast nur ein Bild: Ihre Mutter spielt Bach-Praeludien, die weißen Leinenschuhe der drei Geschwister stehen auf dem Balkon – Sommer – und drei weiße Haarschleifen hängen über dem Geländer.»[271]

Es ist schließlich noch von allgemeinerem Interesse, daß eidetische Erinnerungsproduktion sich auch assimilierter Bilder bedient, die einem Erinnerungskomplex irgendwann eine stimmige aber nicht historische Information hinzufügen und fortan mit zur erinnerten «Wirklichkeit» gehören. Solche Bilder gewinnen offenbar eine «Deckerinnerungen» ähnliche Funktion. Sie können gut ausgearbeitet sein, geben aber nur eine eher beiläufige Information. Eine ursprüngliche intensive, aber abzuwehrende Vorstellung hat sich auf sie verschoben, steht aber mit ihr in assoziativem Zusammenhang (der hier, da es sich nicht um frühkindliche Inhalte handelt, durchaus nicht entfernt sein muß). Wenn dieser Zusammenhang aufgerufen ist – hier: das biographisch stark akzentuierte erotische Thema –, stellen sie sich ein.

4.4.9 Reduktionen, die das Verfahren erzwingt: Sinn-Verzicht, Zurücknahme der eigenen Persönlichkeit

In den Abschnitten (9) und (11) seiner Werkstatt-Auskunft bezeichnet Kempowski die entscheidende Prozedur, der er den entstehenden Text unterwirft:

> «. . . weitere Vertiefung und Glättung: sie dürfen es nicht merken. Sie sollen mich für fast dumm halten. Kaschierung des Wesentlichen, Zuschütten der Tendenz. Mehrere Schichten.»
> «Manierismen werden erkannt und beseitigt. Alles soll harmlos aussehen, übernormal bei aller Verrücktigkeit.»

Es sind die Grundeinsichten, die Kempowski sich bei der Entwicklung des *Block*-Verfahrens angeeignet hat: die Notwendigkeit des Verzichts auf greifbaren Sinn und die der «Opferung der eigenen Persönlichkeit». Sie erscheinen hier als feste Schreibregeln. Obschon nicht mehr beklagt – das Verfahren ist als ich-gerecht nunmehr angeeignet – handelt es sich eben doch um Verzichte, um Reduktionen von andrängendem biographischem Material, dem seine explizite Sinnhaftigkeit, affektive Besetzung, psychologische Kompliziertheit genommen werden muß. Kempowski erwartet jedoch, daß «Kaschierung» und «Zuschütten» nicht die ursprüngliche Substanz verloren gehen lassen, daß also im Text «mehrere Schichten» entstehen, die potentiell freigelegt werden können. Es ist die Hoffnung auf den Leser.

Wir analysieren zwei charakteristische Formen solcher Bearbeitungen.

4.4.9.1 Sinn-Verzicht in der darstellenden Textschicht: Die Eltern und die Nazis

Sinn-Verzicht hatte zum *Block* die Zurücknahme jeder expliziten oder auch nur das Lesen als nachdrückliches Angebot steuernden Deutung des Berichteten beinhaltet. Es fielen sowohl psychologische Begründungen fort wie die Vorstellung von Selbst-Konzepten des Berichterstatters, über die die Hafterfahrung etwa als seine «Entwicklung» Sinn gewonnen hätte. Kempowski hatte allerdings über die Rezeption des *Block* dann erfahren können, daß sich (zumindest in der Literaturkritik) für den Leser ein Text-Sinn aufbaute, der zwar weitgehend das überindividuelle Thema «Leiden, Isolierung vs. Kuriositäten» interpretierte, aber doch auch «von sich aus» Anteile der von Kempowski eliminierten Sinn-Intention beibrachte, beispielsweise auf der Linie «Purgatorium in Bautzen»[272]. Es mochte also hierfür noch eine verborgene Bedeutungsschicht im Text verblieben sein, die das stützte. Daher auch für das entstehende Werk der Anspruch: «Mehrere Schichten.» (9)

Eine Sinn-Einheit für den entstehenden *Tadellöser* sollte sich ursprünglich aus Vorführung und Begründung des politischen Verhaltens der Eltern herstellen: Das des deutschnationalen Vaters, der aus Traditionsbewußtsein und auch aus Klassenvorbehalten die Nationalsozialisten ablehnte; der durchaus über wesentliche geheimgehaltene Vorgänge (Euthanasie) informiert war und danach urteilte; der sich gewissen Zwangsverpflichtungen (SA-Mitgliedschaft des ehemaligen Stahlhelmers) zu entziehen wußte, sich dann aber (aus Solidarität mit dem Vaterland? Als Selbstopfer des «Unverstandenen, nicht Fertiggewordenen»? Kempowskis Konzepte schwanken hier.[273]) sogar freiwillig meldete. Das Verhalten der Mutter, die aus der Reserve großbürgerlicher Erziehung, Erbitterung auch über die zunehmenden Eingriffe in das Familienleben, schließlich aber auch aus realistischer Einschätzung der Kräfteverhältnisse im bald angezettelten Kriege ihrerseits energisch Distanz nahm.[274] Der intendierte Sinn dieses politischen Bedeutungsstranges kann umschrieben werden: Eine lebensgeschichtlich wohlbegründete Ablehnung der politischen Entwicklung kann, einmal aus Mangel an praktischen Alternativen, dann aus realer Ohnmacht vor den sich einstellenden Zwängen nicht in Handlungen vollzogen werden. Der Frage nach objektiver Schuld durch antidemokratische Grundeinstellung und Passivität steht hier die andere nach den lebensgeschichtlichen Determinanten gegenüber. (In *Zeit* und *Schöne Aussicht* geht Kempowski dem dann nach.)

Ein solcher Sinn wird auch aus den Tonband-Berichten der Mutter und aus den Mitteilungen anderer Zeugen sehr wohl konstruierbar. Nun verhält es sich gerade mit den Tonbandzeugnissen so, daß sie den Charakter eines «narrativen Interviews» (Schütze, 1977/79) haben: In diesem soziologischen Verfahren zum Hervorlocken von biographischen Erzählungen gibt der Erzähler einmal die faktischen Ereignisabfolgen und Sachverhalte nach eigener Logik und zum andern seine Wahrnehmungs- und Verarbeitungsmuster dafür. Aus solchen Erzählungen gehen Grundorientierungen in vergangenem faktischem Handeln und Erleiden hervor.[275] Diese sind sprachabhängig: «Es gibt keinen absoluten Wahrheitsstandpunkt für die Erfassung, Vermittlung und Interpretation von sozialer Realität – ein Wahrheitsstandpunkt, der jenseits der sprachlich vermittelten Deutungsmechanismen und -routinen begründbar wäre.»[276] Nun sagt die Erscheinungsform solcher Deutungsmuster auf der narrativen Oberfläche wenig über ihre tatsächliche Leistung für diejenigen aus, die sich ihrer bedienen. Sie bedürfen beispielswiese der in-Bezug-Setzung zur Weltauslegung einer sozialen Schicht zu einer bestimmten Zeit. Das erfordert die Interpretation biographischer Erzähltexte mit einer entsprechend informierten Hermeneutik. Erst dann wird auch der lebensgeschichtliche «Sinn», der sich über sprachabhängige Deutungsmuster für den Einzelnen aufbaut, einsichtig. Solche Muster aber nur aus biographischen Texten herauspräparieren und sie dann uninterpretiert als Textstücke ausstellen, heißt (besonders, wenn es bereits historische sind) sie für heterogen begründete Interpretationsansätze freigeben.

Kempowski, der sich vor den Tonband-Erzählungen seiner Mutter in der Position des Interpreten eines «narrativen Interviews» befindet, könnte – hermeneutisch zureichend informiert – die darin enthaltenen Darstellungs- und Deutungsmuster sehr wohl auf ihren individualgeschichtlichen Sinn hin befragen und seine Interpretation vermitteln. (Er ist ja gründlich erst einmal an der Lebensgeschichte seiner Eltern interessiert.) Im *Tadellöser* hätte sich daraus ein Text-Sinn wie oben umschrieben hergestellt: Spannung zwischen lebensgeschichtlich wohlbegründetem politischem Verhalten und «objektiver» Notwendigkeit, sich eben anders zu verhalten. Kempowski entschließt sich jedoch, nach dem Prinzip seines Verfahrens, auf die Vermittlung eines solchen Text-Sinns zu verzichten, indem er die sprachlichen Wahrnehmungs- und Deutungsmuster seiner Tonband-Protokolle uninterpretiert ausstellt. Er überläßt sie damit – wie sich dann in der Rezeption des *Tadellöser* herausstellt – zwei Interpretationsweisen von Seiten der Leser: Einer mit bestimmten ideologiegeschichtlichen Erkenntnisinteressen ausgestatteten, die hier eine schicht- und zeitspezifische Typik erkennt, und einer Interpretation durch «Betroffene» (gleicher Herkunft, gleichen Alters), die den individualgeschichtlichen Hintergrund der ausgestellten Schemata «versteht», indem sie ihn aus eigener biographischer Erfahrung rekonstruiert. Beide Interpretationsweisen können sich vermischen, die erstere bleibt jedoch für den *Tadellöser* die öffentlich verbindliche. Diese doppelte Hinsicht auf den Text entspricht dann auch der Erwartung Kempowskis, man werde in ihm «mehrere Schichten» entdecken.

Im Folgenden ein hier zugehöriger Abschnitt aus den biographischen Erzählungen der Mutter (Tonband-Transkriptionen).

Erste Erzählung (1959)[277]:

1 Hitler war auch mal da. Draußen im Freien, auf der
Rennbahn. Als er redete, hat ein Flugzeug gegen ihn
Flugblätter geworfen. Das hat er übelgenommen. Der hat
in Rostock nie wieder geredet.
Später, in der Nazizeit, als die großen Manöver in
Mecklenburg waren, dann kam er ja mal mit Mussolini
durch Rostock in einem Zug. Alle 50 Meter stand auf der
Schienenstrecke ein SS-Mann mit geladenem Gewehr.
Zuerst kamen drei leere Züge und dann kam der Sonderzug mit Mussolini. Mussolini war wohl gerade beim Essen
gewesen. Er stürzte ans Fenster und winkte mit beiden
10 Armen aus dem Fenster heraus, mit der Serviette. Wir
standen am Bahnübergang und das Volk tobte und schrie.
Ich hatte Walter auf meinem Buckel. Er sagte: «Abessini.
Abessini! Ich hab Abessini gesehen!» Da war gerade diese
Geschichte mit Abessinien gewesen.
Und dann kam der Zug mit Hitler. Der blieb hinter den
geschlossenen Fenstern. Und da war Totenstille, kein
Mensch sagte was.
Vor 1933 war Herbert D . . . gerade zu Besuch bei uns, das
war ein Klassenkamerad von Vati, Dr. D . . ., ein Studienrat. Und Onkel Schorsch H . . . kam auch zum Kaffee, der
war Schlachthofdirektor, den kannten wir durch K . . .s.
Und als wir beim Kaffee sitzen, da hörten wir einen
20 Trupp vorbeimarschieren und kucken aus. Das waren
Männer in braunen Uniformen. Die hatten eine Hakenkreuzfahne. «Kommt mal schnell her!» rief ich, «die haben so
Ascheimeranzüge an, was sind das bloß für Leute?»
Das waren die Nazis. Die sangen:
    «Dem Adolf Hit-
und dann kam wieder 'ne Weile gar nichts,
    -ler haben wir's geschworen,
    dem Adolf Hit-
und denn kam wieder 'ne ganze Weile gar nichts,
30   -ler reichen wir die Hand.»

135

Die übten immer bei den Warnow-Wiesen, bei den Kiesgruben, und da marschierten sie wohl gerade wieder
hin. Ich wußte gar nicht, was das für Leute waren. Ich
hatte wohl gehört von München, aber daß die nun schon
bei uns tätig waren, das wußte ich gar nicht.
Und dann kamen wir ins Politisieren. Da sagte Dr. D . . .,
der den «Kampf» von Hitler in der ersten Fassung gelesen
hatte, worin er die ganzen Probleme über Rußland genau
entwickelt hatte: «Wenn der ans Ruder kommt, denn
ist Deutschland erledigt. Bloß den Mann nicht wählen,
Denn ist's aus, denn sind wir verratzt, mit Jack und
40 Büx. Der steuert auf einen Krieg hin, das ist ein Rebell,
wie man ihn sich nur denken kann.»
Onkel Schorsch H . . . war Demokrat. «Schwarz-Rot-Senf»
sagte Vati immer zu dessen Ärger.
«Was ist denn das für 'ne Farbe», sagte Vati, «das sind
doch gar keine Farben: Schwarz-Rot-Senf.»
Dann ging's los, dann wurde H . . . wütend.

Zweite Erzählung (1961)[278]

Und denn ging das ja natürlich Schlag auf Schlag. Dann
wurden die alle eingezogen, die ganzen Männer. Und es
war ein solcher Unterschied. 14/18 war ein Jubel. Die
Soldaten wurden mit Blumen bekränzt und geschmückt und
50 marschierten durch die Straßen singend. Und bei dem
zweiten Weltkrieg, das war wie ein Totenmarsch, man hörte
nur dies: Rum-rum-rum-rum, dies Gehen. Keinen Ton,
nichts. All die ernsten Männer, und die Frauen liefen
nebenher. Furchtbar. Und denn ja von einem Tag zum andern
alles gesperrt an Lebensmitteln, an Seifenpulver, an
allem. Dann gab's Karten, und denn wurde es ja immer
schlimmer.
Da saßen wir eines Sonntags mal beim Kaffeetrinken. Da
war Onkel Schorsch da und Herbert D . . . und G . . . Wir
tranken Kaffee, da, und mit einemmal hören wir draußen
auch so Marschieren, das war aber noch wie die Nazis
60 anfingen. Und ich lief ans Fenster und sagte: «Was ist
denn da bloß los?» Ich sag: «Kuck mal bloß an, die
sehen aus wie Ascheimerleute.» – «Um Gottes Willen!»
sagte Vati. «Komm zurück, wenn du die Fahne nicht grüßt,
dann schießen sie ins Zimmer!» Das waren die Nazis! Alle
in ihren braunen Uniformen, die wanderten nach den War-
nowwiesen, da exerzierten sie, da unten. «Dem Adolf Hitler haben wir's geschworen . . .»

Vati war ja im Stahlhelm und F . . . ja auch, und der Stahlhelm wurde ja nachher von den Nazis übernommen, sozu-
70 sagen, und dann mußten sie auch gelbe, die Uniformen
anschaffen usw. und F . . . war doch nun so ängstlich, der
war doch Studienrat und fürchtete um seine Stellung. Und
denn hat er das mit Vati besprochen, dann sind sie beide
denn in die SA eingetreten. Mußten denn morgens zu ihren
Übungen. . . . Und dann hat Vati sich ja nachher Gott
sei Dank leise weinend frei gemacht, indem er einfach
sagte, er hätte für das Militär geschäftlich so viel zu
tun, daß er es nicht . . . Ausgerechnet Sonntags morgens
mußten sie denn immer hin. . . .
80 Und wir wußten ja schon viel eher, daß es zum Krieg
kommen würde, Vati hatte ja doch die ganzen Befrachtungen
und wurde nachts angerufen vom Reedereiverband, die
Schiffe durften nur bis zu dem und dem Breiten- und
Längengrad fahren, nicht nach Rußland hin, wie das mit
Rußland anfing, zum Beispiel, denn Kriegserklärung mit
Rußland oder Einmarsch nach Rußland ständ bevor. Und
dann kämen die Schiffe nicht wieder zurück.

Zwischenkommentar

Die Erzählungen der Mutter haben eine semantische Grundstruk-
tur, die sich ganz konkret in ihrer räumlichen Situierung ausdrückt.
Der Standpunkt, von dem aus die Mutter das äußere Geschehen
beobachtet, ist der Familieninnenraum – die Wohnung, aus deren
Fenster sie zuschaut – und dessen kleineres Umfeld, das immer
genau bestimmt wird (Bahnübergang, «Warnow-Wiesen, bei den
Kiesgruben»). In diese Binnensphäre vermitteln sich die politischen Vorgänge und werden nach ihrem dort wirksamen Einfluß
oder Eindruck vermerkt: als Reaktion des Kindes («Abessini»),
als Kommentar am Kaffeetisch, als Störung des Familienlebens
(«Ausgerechnet Sonntags morgens . . .»); eine generalisierende
Perspektive auf den Kriegsausbruch («wie ein Totenmarsch . . .
furchtbar») verengt sich übergangslos in die praktischen Folgen für
den Alltag («. . . alles gesperrt an Lebensmitteln, an Seifenpulver, an allem»). Die sprachlich ausgedrückten Wahrnehmungsmuster der Mutter sind nicht blind für die «äußeren» Vorgänge,
erfassen sie schon in ihrem höheren Allgemeinheitsgrad («hatte
wohl gehört von München», «wie ein Totenmarsch»), weiten und
differenzieren sich jedoch erst für die individuellen Erscheinungen
des familiären Alltagslebens.

Eine eingehende Analyse dieser Wahrnehmungs- und Deutungsroutinen unter dieser Hinsicht wäre reizvoll, geriete jedoch zu umfangreich. Nur soviel[279]: Die Mutter benutzt charakteristische schichtenspezifische Schemata. 13: «Da war gerade diese Geschichte mit Abessinien gewesen.» «Geschichte» fungiert hier als ein Sprachschema, das einmal signalisiert, daß man beim Angesprochenen die Kenntnis der gemeinten Inhalte voraussetzt und zum anderen, daß man sie analytisch nicht weiter in Betracht ziehen möchte. Das Schema hat Abschiebungsfunktion. Ähnlich 36: «Und dann kamen wir ins Politisieren.» «Politisieren» bezeichnet eine Form der Gesprächsgeselligkeit, die zwar konfliktträchtig (46: «Dann ging's los, dann wurde H . . . wütend») ist, jedoch eher ein Widerspiel der Meinungen über politische Gegenstände darstellt, als – für den Benutzer des Schemas – deren konkrete und möglicherweise folgenreiche Realität ernsthaft präsent macht. Dabei steht das Schema im Kontext einer eindrücklichen (ja auch umfänglich erinnerten) und begründeten Warnung vor einer politischen Entwicklung mit – wie man ja aus Erfahrung wußte – Realfolgen auch für das Familienleben (40: «Der steuert auf einen Krieg hin . . .»). Beide sprachabhängigen Darstellungs-Muster – sie funktionieren für die Sprecherin nur, weil sie im schichtspezifischen Sprachgebrauch akzeptiert sind – haben also die Aufgabe, vorderhand «abstrakt» Politisches einem dem eigenen umzirkten Lebensraum zugewandten Bewußtsein fernzuhalten. Insofern sie so bewerten, deuten sie auch. Das muß aber nicht besagen, daß die so abgeschobenen Erscheinungen nicht vorgängig «kognitiv» erkannt worden sind. Es handelt sich nicht um die Ignoranz des puren Nichtwissens.

Die subjektive Notwendigkeit solcher Verdrängungen geht aus den Erzählungen der Mutter hervor; allein der hier zitierte Ausschnitt zeigt: Die vitale Bedrohung durch die «Nazis» wird früh erkannt (64: «. . . dann schießen sie ins Zimmer!»), wenn auch im selben Kontext die noch abstrakte Gefahr eines Krieges als «Politisieren» abgewehrt wird (35 ff.). Später aber weiß «man ja schon viel eher, daß es zum Krieg kommen würde» (80). Die Unentrinnbarkeit der Entwicklungen und Zwänge wird deutlich: «und F . . . war doch nun so ängstlich, der war doch Studienrat und fürchtete um seine Stellung. Und denn hat er das mit Vati besprochen, dann sind sie beide denn in die SA eingetreten.» (71–74). Anzunehmen, daß der Vater ein ähnliches Motiv hatte.

Die ausgesparte Interpretation: Was im Roman erscheint.
Eine den Erzählungen der Mutter angemessene Interpretation
wäre also zwiefach als Sinn-Konstruktion möglich gewesen: als die
Konstruktion eines subjektiv lebensgeschichtlichen Sinnes, der die
Mutter «versteht», oder als die Hervorbringung eines objektiven
Sinnes, der die nach ihren Möglichkeiten kaum lösbare Konfliktsi-
tuation einer bestimmten Schicht als von ihr schuldhaft mit verur-
sacht zeigt. Das Darstellungsverfahren legt nahe, dies zu unterlas-
sen. Analog zum *Block* gibt Kempowski das Protokoll der äußeren
Realität – wenn auch nicht ohne ästhetische Eingriffe (Pointierung, Auswahl, Kontextbildung). Da es sich um eine sprachlich
bereits reproduzierte Realität handelt, werden im *Tadellöser* damit
die Reproduktionsschemata ausgestellt, die zugleich die Deutungsmuster der Mutter sind. Insofern sie schichtspezifisch sind,
stellt sich hier natürlich (wie dann die Rezeption auch erweist)
Typik her. Kempowski hat diese quasi soziologische Typus-Re-
konstruktion nicht beabsichtigt. Es ging ihm um die Abbildung der
lebensgeschichtlichen Wirklichkeit seiner Familie, wie es ja den
weiterhin machtvollen Restitutionswünschen zu «Kindheit/Fami-
lie» entspricht (3.2.2). Die Ungerechtigkeit gegenüber dem Individuum, das biographisches Material für die Rekonstruktion eines
Typus zuliefert, dürfte ihm deshalb gar nicht bewußt gewesen sein.
Sie richtet sich ja auch gegen die Darstellung der eigenen Person.
Wir sind durch unsere vorangegangenen Einsichten schließlich
gehalten, den Sachverhalt schaffenspsychologisch zu begründen:
als Verschiebung der narzißtischen Besetzung von der eigenen
Persönlichkeit und mit ihr eng zusammenhängender Personen
(den idealisierten Eltern) auf das Werk – eine sicherlich nicht mehr
so schmerzhafte, aber qualitativ identische Wiederholung des Vorgangs, der – stufenweise seit 1961 realisiert – sich zum *Block* voll
durchgesetzt hatte.
   Wir geben zum Vergleich die entsprechenden Fragmente aus
den Erzählungen der Mutter, wie sie im *Tadellöser* ausgestellt sind.
Tadellöser, 143 (vgl. Tonbandtranskript 16–34, 57–66):

«Und Ulla keuchte: ‹Och! Ich mach mir in die Hose!›

‹Weißt du noch, wie die ersten SA-Männer unten vorbeimarschierten?
Ich weiß es noch wie heute›, sagte meine Mutter. Die hätten immer
gesungen:
   Dem Adolf Hit-

und dann wäre eine ganze Weile gar nichts gekommen und dann sei es weitergegangen:
-ler haben wir's geschworen . . .
‹Ich dachte, das wär'n Ascheimerleute. Ich sagte noch, Karl, was sind das für Ascheimerleute? – Nein, wie isses nun bloß möglich.›»

Es ist der Erzählstil der Mutter. Das Darstellungsmuster – Komik der unverstandenen Einzelerscheinung, mit der sich noch nichts verbindet – wird ohne den ursprünglichen Kontext präsentiert, aus dem hervorgeht, daß man gleich darauf eindringlich informiert worden war (35–41). Der Kontext des *Tadellöser* reiht die Anekdote noch 1941 unter harmlose Familienscherze ein. Sie steht dort als (später vielzitiertes) Paradigma schier schuldhaft politischer Arglosigkeit. An späterer Stelle wird die Anekdote dem Vater überlassen, umgesetzt in dessen (nach der Erinnerung referierten) Sprechstil, der analog seine (möglichen) Erfassungsmuster präsentiert. Auch hier dominiert die Komik. Zugleich wird deutlich, daß der Vater, in politicis zuständig, seinerseits den Vorfall einzuschätzen gewußt hatte – nur ihn unterschätzt hatte, aus der Überlegenheit des gebildeten Bürgers, mit der politischen Abneigung des Nationalkonservativen. (Die Erzählung der Mutter zeigt dagegen, daß er die Brutalität der neuen Bewegung bereits fürchtet; 62–64.). Auch diese Schemata werden nurmehr ausgestellt. Eine lebensgeschichtliche Begründung (ein Sinn) wird nicht indiziert.

Tadellöser, 230 f.:

«Und der alte Ahlers, beim Tonleiter üben? Hoch-runter-Schnaps? Jungedi, was hatte man alles erlebt.
Und denn die Ascheimerleute. Ogottogott.
  Dem Adolf Hit-
und denn sei eine ganze Weile gar nichts gekommen
-ler haben wir's geschworen . . .
Die hätten aber auch ausgesehen, wie Ascheimerleute. So kackbraune Uniformen. Wer hätte das gedacht, daß es noch mal so weit kommen würde. Dieses Pack. Nicht einmal richtig deutsch sprechen. Der Gauleiter Hildebrandt, der sei ja direkt Viehhirte gewesen. Säh' auch danach aus.»

Am konsequentesten erweist sich Kempowskis Verfahren gleich bei der Einführung des Vaters im Roman (*Tadellöser*, 15):

«Die ganze Familie wurde fotografiert.
Die Mutter im Pelerinenkleid, Robert beim Segeln und ich im Hamburger Anzug.
Vater sogar als SA-Mann unter einer Birke.»

Auf diese SA-Mitgliedschaft wird im Roman nicht wieder eingegangen. Die Information wirkt deshalb unerklärt und undifferen-
ziert als Feststellung politischen Mitläufertums noch lange nach.
Die biographischen Umstände – die Mutter berichtet sie (68–75)
– sind ausgespart. Das Individualgeschichtliche ist ins Typische
eines Dokumentarfotos übergetreten.

Diese Typik also stellt sich her einmal, weil Kempowski streng
seine Schreibregel befolgt: «Nicht versuchen zu argumentieren,
auch nicht durch Dialogführung. Einfach nur aufzeigen.»[280] Das
Dargestellte bleibt somit ohne genauere Verstehensdirektive,
das heißt, in der Rezeption läßt sich Individuelles einer Klasse
oder einem Stereotyp zuordnen, wobei die hier nicht zugehörigen individuellen Merkmale unberücksichtigt bleiben: So ist, soweit wir sehen, in der Literaturkritik immer nur der politische
«Typus» des bürgerlichen Mitläufers im Vater gesehen worden,
nie seine über die ja nachdrücklich «aufgezeigten» persönlichen
Eigenschaften als isoliert und leidend angelegte Individualität.
Zum andern wird Typus-Bildung in der Rezeption natürlich dadurch begünstigt, daß Kempowski ja tatsächlich mit noch nicht
gekannter Präzision Grundsituationen (z. B. Tischrituale), Kon-
versationsmuster, Requisiten (z. B. der Inhalt des Bücherschranks) und Verhaltensformen des Alltagslebens einer bestimmten bürgerlichen Schicht darstellt, indem er präzise erinnert oder recherchiert: aus der Vergangenheit der einzelnen eigenen Familie. Hier schlägt das historisch Individuelle ins Typische automatisch um, weil es seinerseits bereits Grundmuster
reproduziert hatte.

Erst mit diesen Einsichten werden wir verstehen, daß Kempowski sich mit dem *Tadellöser* zum akzeptierten «Chronisten
des deutschen Bürgertums» machen wird, ohne im Schaffensprozeß je die Absicht zu einem solch allgemeingültigen literarischen
Dokument verfolgt zu haben. Uns interessiert das aus nun schon
bekanntem Grunde. Kempowski zahlt ja erst einmal einen Preis
für den hohen Grad an allgemeiner Wahrheit in seinem Roman:
Die psychologisch tief motivierte und aufs Individuelle zielende
Auseinandersetzung mit «Kindheit und Familie» wird von ihr
verdunkelt. So ergeht es ihm mit der Person des Vaters. Sie wird
zweifellos absichtlich überzeichnet, doch offenkundig zur Markierung dieser besonderen Individualität. Während der Arbeit an
Tadellöser 291–92 notiert das Tagebuch:

«Heute Abschiedsstelle, U und J fahren nach Dänemark. Vater Klopapier und schiefer Mund, R nutzt zu Erkundigungen. Rührung und Härte nebeneinander. Haarscharf vorm Kitsch. Wie Zahnarzt, der sich an den Nerv ranbohrt. Vater wieder ganz lebendig. Obwohl ich ihn im einzelnen schief zeichne, wird das Gesamtbild ziemlich richtig.»[281]

Die Eindringlichkeit der Erinnerung findet in der Textoberfläche kein Unterkommen. Außer einer Spruchweisheit bleibt von ihr:

«Mein Vater war eigentlich recht klein. Wird schon werden. Scheiße mit Reiße. Im linken Ärmelaufschlag des Mantels Klopapier.»

Sicher ist hier eine Lektüre vorstellbar, die auch die lediglich signalisierte, auf's Psychologisch-Individuelle zielende Schicht konkretisiert. Lebensweltliche Disposition etwa durch eigene Kindheitserfahrung wird sich in die nüchternen Feststellungen aus der kindlichen Erzählerperspektive einfühlen können: «Mein Vater war eigentlich recht klein.» Daß dies bestimmte Lesergruppen können, werden wir sehen. Die Darstellungsform des Textes (im Sinne konventioneller Leserlenkung) stellt diese Sicht nicht von sich aus ein. Es wird des Kontextes der folgenden Romane Kempowskis bedürfen, damit sie als Angebot deutlich ist und vollzogen wird. Für den *Tadellöser* kann Kempowski dies noch nicht erwarten. Das ist ihm natürlich nicht bewußt. In der Sprache unserer psychologischen Verschiebungshypothese: Die Ablenkung psychischer Energie von der eigenen Person (und ihrer ehemaligen Selbst-Objekte wie die des idealisierten Vaters) auf das Werk, ihre Investition in das Bemühen um die «künstlerische Form» muß offensichtlich kein Prozeß sein, der strikt auch *außerhalb* des Schaffensvorgangs abläuft. Hier bleiben die ursprünglichen Besetzungen offenbar zu erheblichen Anteilen erhalten, wie ja auch das Fortleben der Größenphantasien anzeigt. Anders gewendet: Die erkältende «Anwendung» des Darstellungsverfahrens auf psychisches Material ist das Eine (= die Verschiebung), der Umgang mit dem eigenen Selbst und seinen Objekten (= narzißtische Besetzungen) ist ein anderes.[282] So mag sich auch hier die nicht klar bewußte Differenz erklären zwischen der distanzierten, emotions- und verstehensabstinenten Darstellung des Vaters und des Umgangs mit seinem Erinnerungsbild:

«Letzter Brief meines Vaters, der leider verloren ging, ist vom 12. 4. 45. 14 Tage später war er tot. Ich spreche noch imme mit ihm.»[283]

Das Aufbrechen dieser Differenz durch Urteile von Lesern muß
deshalb erst einmal einen Schock auslösen:

«Heute zum ersten Mal wildfremde Leute über meinen Vater diskutieren hören: schockierend. Die verstehen nichts.»[284]

Einige Monate später ist das Urteil über den Vater in der literarischen Öffentlichkeit bereits festgeschrieben: Er wird «fast ausschließlich negativ verstanden»[285], wie die ganze Familie als in
vieler Hinsicht repräsentativ («typisch») für «das Bürgertum»
unter dem Nationalsozialismus[286]; als individueller Zug wird oft
seine Skurrilität herausgestellt. Gerade Kempowskis Kunst der
Figurenzeichnung wird dabei in den positiven oder beschreibenden
Rezensionen besonders hervorgehoben.[287] Ein Resümee zeigt, daß
Kempowski sich mit der Differenz zwischen Vorstellung und Darstellung (bzw. Rezeption) nur schwer abfinden kann:

«Kritiken nochmal durchgelesen. Wie schade, daß Vater so mißverstan-
den wurde. Wie schlimm, daß es mir nicht gelang, ihn liebenswerter zu
machen.
Oder haben sie alle nicht richtig gelesen?»[288]

Dieser Konflikt löst sich dann für Kempowski allmählich auf. Der
Erfolg des *Tadellöser* bringt die notwendige Rollenzuschreibung
mit sich («Deutscher Historiograph», «Chronist des Bürgertums»)
als die «Objektivierung der ursprünglichen Konzeption»[289] des
Romans. Sie stellt dem Autor die «objektive Wahrheit des
Werks»[290] vor, deren er zu seinem – nun einmal öffentlich vermittelten – Selbstverständnis notwendig bedarf. Das Verhältnis des
Autors zu seinem Werk ist ja «insofern immer das zu einem
beurteilten Werk»[291] (Bourdieu). Diesen komplizierten Prozeß
behandeln wir weiter unten ausführlicher. Kempowski tritt notwendig in ihn ein und erhält für den *Tadellöser* einen subjektiv
nicht intendierten Werk-Sinn, der (als die Konkretisierung einer
«Schicht») zutrifft und den er akzeptiert. Es ist die Konkretisation
der typisierenden «Schicht» im Text. Als Kempowski mit *Gold* zur
Fortsetzung des Familienromans ansetzt, hat sich sein Konzept
dafür bereits nach dem nun objektivierten Selbstverständnis ausgebildet:

«ML – Kapitel 1 geschrieben. . . . Grundfrage: Wie verhält sich das
Bürgertum bei einer solchen Katastrophe?»[292]

Natürlich schreibt Kempowski eben nicht an diesem Konzept

entlang. Er erzählt weiterhin die Geschichte *seiner* Familie, die von Individuen in ihrem Alltag – verkürzt um Psychologie, Anteilnahme, Verstehen, um eben den Sinn dieser Geschichte. Neu ist die *Gewißheit*, daß sich den Lesern ein (wenn auch nicht auf das Biographisch-Individuelle bezogener) Sinn erschließen wird. Gewißheit ist damit auch – der Erfolg des *Tadellöser* zeigt das ganz konkret – daß die im Darstellungsverfahren beschlossenen Verzichte eintragen, was in der Sprache der Sachs'schen Hypothese so formuliert ist:

«Durch diese Verschiebung vom Ich auf's Werk . . . erreicht der Dichter . . . sein Ziel wirklich und es gelingt seinem Werk . . . die Menschenseelen zu bezwingen und zur Bewunderung hinzureißen.»[293]

4.4.9.2 *«Verwischung der eigenen Persönlichkeit»: Unzulässige Empfindungen*

Die eindrucksvollste Differenz zwischen Motivation (psychischer Besetzung) und Erscheinung im Text betrifft die Person des Ich-Erzählers, des kleinen Walter Kempowski. Er hat kein Gesicht (auch, wo der Heranwachsende es mißtrauisch überprüft, bekommen wir es nicht zu sehn, 202), besitzt kaum persönliche Charakteristika, als Figur stellt er sich vor allem her durch seine Handlungen, Erlebnisse und als Erzählmedium. So hat ihn auch die Literaturkritik nicht als ausgeformte Figur wahrgenommen.[294]

Die fortlebende Wirksamkeit der Kindheitserinnerungen hat also nicht dergestalt ihren Ausdruck im Roman gefunden, daß das erinnerte Ich zu seinem «Helden» geworden wäre und seine Physiognomie bewahrt hätte. Dieser Sachverhalt stellt die konsequenteste Ausprägung des Bedingungszusammenhangs dar, den Darstellungsverfahren und schaffenspsychologische Notwendigkeit für Kempowski miteinander eingegangen sind. Wir untersuchen ihn abschließend unter seinen beiden Aspekten, dem darstellungsästhetischen und dem psychologischen, und zeigen an einem Beispiel, wie deren gegenseitige Bestimmtheit sich im Schaffensprozeß bei der Darstellung des erinnerten Ichs durchsetzt.

1. Der besondere Kunstgriff in der Darstellungsweise des *Tadellöser* liegt in der Erzählperspektive. Es scheint sich um die unvermittelte Sicht des berichtenden Jungen zu handeln, der die Bedeutung dessen noch nicht versteht, was er da so präzise mitteilt. Der

große Anteil referierter Rede anderer (wie eben der Eltern) steht ohne Wertung, wodurch sich wohl – wie bei der unbewegten Wiedergabe politischer Kommentare oder der unbeeindruckten Ausstellung enormer Naivitäten über die Zeitläufte – die stärksten Wirkungen ergeben. Die absolute Sachlichkeit der Chronik hat damit auch lebensweltliche Plausibilität. Gäbe sich der Erzähler als ein Erwachsener zu erkennen, würde es schwierig sein, die Urteilsabstinenz zu motivieren. Er wäre nicht mehr ein natürlicherweise durchlässiges Medium (vergangener) Wirklichkeit, die Demonstrationsabsicht bliebe unverkennbar. Ein auf seine alltagsweltliche Umgebung beschränkter Junge jedoch kann diese ohne Arg reproduzieren, er muß es gewiß nicht auf «Einsichten» in sie abgesehen haben. So ergibt sich der Rezeptions-Effekt, daß der Leser es sozusagen besser weiß als der Erzähler, wodurch sich schließlich auch, wie schon gezeigt, der Text-Sinn des «Typischen» herstellt.

Den Effekt des «besser Wissens» hat Kempowski ja auch systematisch angezielt: «. . . Sie dürfen es nicht merken. Sie sollen mich für fast dumm halten.» (9) Interessanterweise setzt dies Zitat das Erzähler-Ich des Romans mit dem des Autors faktisch ineins. Wer für «fast dumm gehalten» werden kann, ist ja nur die Erzählerfigur, Kempowski kann ja nicht ernstlich erwarten, daß man deren enge Perspektive und kommentarlos ungerührte Sachlichkeit dem Autor selbst zuschreiben, sie anders denn als Kunstgriff einschätzen würde (wie es dann in der erfaßbaren Rezeption auch nirgendwo geschehen ist). Dennoch gleitet ihm hier seine gegenwärtige Person mit der historischen Ich-Repräsentation ineinander. Und dies geschieht nicht ohne Berechtigung.

Handelt es sich bei der Erzählerperspektive denn tatsächlich um die eines Zehn- bis Fünfzehnjährigen? Schon die eben getroffene Feststellung des Alters zeigt die Problematik, die uns der *Tadellöser* als *faction*-Text – also in seiner Mischung aus glaubhaft als historisch präsentierten Tatsachen und «Hinzuerfinden im Sinne des Wahrscheinlichen und Wünschenswerten» (7) – bereitet. Der glaubhaft gemachte historisch-faktische Gehalt berechtigt den Leser, sich sowohl an dem Geburtsdatum des Autors zu orientieren (es findet sich auf dem Vorblatt des Buches); wie an der dazu stimmenden Altersangabe im Text (S. 17). Hat er damit nun wirklich das Alter des Erzählers? Gewiß, insofern dieser Teil der von ihm erzählend dargestellten Welt ist. Wir erfahren über ihn: Er ist Schüler, hat Klavierstunde, schätzt den Jungvolk-Dienst nicht; ist nicht besonders groß, trägt das Haar lang usw. usw.

Doch – *wann* erzählt der Erzähler? Er benutzt die Vergangenheitsform, gibt also kein fortlaufendes Protokoll. Da nichts anderes indiziert ist, kann man erwarten, daß er irgendwann begonnen hat zu erzählen, als das Geschehene vergangen war. Und hier bietet sich ein Zeitkontinuum von 1945 bis 1970 an. Ohne den Sachverhalt noch weiter komplizieren zu wollen, stellen wir erst einmal fest: Der Erzähler muß längst erwachsen sein, als er, sich in die Perspektive seiner zehn bis sechzehn Jahre zurückversetzend, aus ihr zu erzählen beginnt. Diese Feststellung treffen wir weiterhin innerhalb des von den Merkmalen von *faction* gesetzten Rahmens, der nicht empirische Wirklichkeit bedeutet, also noch nicht zuläßt, den Autor selbst in die Überlegungen einzuführen.

Wie aber wird erzählt (berichtet)? Es wird gar nicht der Versuch unternommen, eine Erzählrede zu simulieren, wie sie dem vorgeblichen Alter des Narrators entspräche, etwa nach dem Vorbild Queneaus oder Salingers (den Kempowski zur Einstimmung gelesen hat). Im Text des *Tadellöser* dominiert lexikalisch und syntaktisch «Hochsprache», die sich allerdings in ungewöhnlichem Maße gesprochener Sprache annähert, zuweilen mit ihr konvergiert. Diese hohen Anteile literarisierter Alltagssprache[295] – es handelt sich um alltagssprachliche Formen wie Anakoluth, Verbauslassung, Implikationen wie «Aposiopese» usw. in der unvermittelten Erzählrede bis hin zur phonographisch genauen Wiedergabe in der referierten Rede anderer – erwecken den Eindruck, es handele sich um eine altersspezifische Redeweise des Ich-Erzählers. Tatsächlich ist sie an jeder Stelle – im Modus des Literarischen – normale Alltagssprache (von Erwachsenen). Über sie stellt sich dann in der Rezeption die besondere Redesituation zwischen Text und Leser her. Bei genauer Prüfung wichtiger Merkmale einer Erzählerfigur (Alter, Redestil) tritt die des kleinen Walter Kempowski erheblich zurück. Sie wird «persona», Produkt und Mundstück eines älteren Erzählers, dessen Existenz wir *im Text selbst* über handfeste Indizien (eben Alter und Redestil) ausmachen können. Man kann diese Urheberinstanz den «impliziten Autor» nennen.[296] In der normalen Erzählkommunikation wird der Leser, wo er seine Existenz wahrnimmt, ihn wohl nicht mit dem empirischen Autor zusammentreten lassen, dazu ist er viel zu sehr «abstraktes Subjekt» (Schmid). Anders in unserem Fall. Hier ist er

– unter dem Druck der glaubhaft gemachten Anteile von Biographisch-Faktischem – benennbar: Der «Erzähler des Erzählers» ist eben der sich erinnernde ältere Walter Kempowski. Zu dieser Identifizierung trägt erheblich bei, daß die Erzählerfigur den Namen des empirischen Autors behalten hat.

Wenn sie gehalten sind, sich das bewußt zu machen, erkennen Leser des Romans den hier analysierten Sachverhalt sehr wohl (siehe 5.4.3). Bei normaler – nicht reflektierter – Lektüre dürfte die Vermischung der Erzählerinstanzen nicht so sehr auffallen und die Fiktion des jugendlichen Ich-Erzählers willig angenommen werden. Wir haben unsere Überlegungen jedoch angestellt, um am Text selber nachzuweisen, daß das erinnernde Ich des *Tadellöser*, das des empirischen (hier: = impliziten) Autors, mit dem erinnerten Ich, dem des Erzählers, zusammentreten. Die Erzählinstanzen des *Tadellöser* bilden gleichsam ein Kontinuum, auf dem der «junge» vom «älteren» Walter Kempowski schwer unterscheidbar ist. Das «sie dürfen es nicht merken. Sie sollen *mich* für fast dumm halten» (kursiv vom Verf.) der Schreibregel drückt das aus. Wäre dann die Erzählperspektive des *Tadellöser* denn kein Kunstgriff, sondern Sichtweise des Autors? Sie ist beides. Kunstgriff zweifellos dort, wo der kleine Walter ohne Wertung und Kommentar seine Lebenswelt und die der Erwachsenen, die er noch nicht zu verantworten hat, ausstellt, besonders deutlich im politischen Bereich. Notwendige Selbsteinschränkung des Autors Walter Kempowski scheint jedoch dafür verantwortlich, daß er seinem erinnerten Ich psychologisch und emotional eine Innensicht verweigert, ihm kein Gesicht verleiht, seine Persönlichkeit nicht ausformt. Mit dieser Feststellung sind wir allerdings bereits aus der darstellungsästhetischen in die schaffenspsychologische Dimension übergewechselt.

2. Schaffenspsychologisch handelt es sich um die Ausdifferenzierung eines Grundbefundes in dessen markantester Erscheinungsform: der Verzicht auf die Besetzungen des eigenen Selbst(Ich) als «Verwischung der eigenen Persönlichkeit» im Werk. Es ist dazu zu erinnern: Auf die Darstellung des Selbst der Größenphantasien war in einem schwierigen Umsetzungsprozeß «verzichtet» worden. Die Einlösung dieser prinzipiell nicht abzugeltenden Phantasien waren über das zu schaffende Werk zu erwarten; die in ihnen wirksame psychische Besetzung war erfolgreich und nachhaltig auf die Arbeit am Text verschoben worden. Die Schreibregeln des

Darstellungsverfahrens stellen bereits die Institutionalisierung dieser Verschiebung dar. Doch die Grundmotivation für den Familienroman schafft das Problem auf andere Weise neu: Der hier wirksame Wunsch nach Restitution von Kindheit und Familie – als Phantasieinhalte gleichrangig mit den Größenvorstellungen – bringt die Verlockung als objektive Notwendigkeit, daß «der Dichter in eigener Person als Held des Tagtraums auftritt»[297]. Nun kann dieser «Held» nicht das völlig abgelöste Ich der Kindheit sein. Die Intensität der darauf gerichteten Phantasien macht ja deutlich, daß diese Ablösung nicht vollzogen ist. Das entspricht unserem textanalytischen Befund, daß erinnerndes und erinnertes Ich ein Kontinuum bilden. Wenn der Autor den kleinen Walter darstellt, stellt er – das ist die außergewöhnliche schaffenspsychologische Situation – ein gut Teil seines aktuellen Selbst mit dar. Wir können diesen komplizierten Sachverhalt psychologisch im Einzelnen nicht befriedigend begründen. Es reicht jedoch für unsere Überlegungen zu, ihn zu konstatieren – bekräftigt von einem Selbst-Konzept Walter Kempowskis:

«. . . daß ich mein Lebensalter habe, an das ich mich fixiert habe, in dem es plötzlich einen Ruck gegeben hat. Und ich meine, wie Wasser zu Eis erstarrt bei minus zwei Grad, so habe ich – glaube ich – mich selbst gefunden oder bin ich der geworden, der Walter Kempowski ist. Wahrscheinlich . . . als ich 11 wurde oder 12, oder 10.»[298]

Insofern stellt sich für Kempowski also noch einmal die gleiche Situation wie zum «Buch über Bautzen» her, als er im *Tadellöser* einen «Helden» darstellt, dem aktuell wirksame psychische Besetzungen gelten. Es handelt sich eben nicht nur um einfühlende Rückschau aus zeitlicher Distanz. Die Darstellung der eigenen Kindheit barg die gleiche Gefahr einer Präsentierung des unverhüllten Selbst, wie sie – mit zunehmender Konsequenz abgewehrt – bis zum *Block* bestanden hatte. Die im Verfahren beschlossenen Verzichtzwänge werden deshalb nicht nur aus angeeigneter Stil-Routine wirksam, sondern aus – wenn auch wohl schwerlich reflektierter – akuter Einsicht in die psychologische Notwendigkeit, die «eigene Persönlichkeit zu verwischen» (Sachs):

«Um dieses Hindernis [die zu stark ausgeprägte eigene Persönlichkeit] zu beseitigen, muß der Dichter einen unpersönlichen, oder besser gesagt, einen überpersönlichen Helden erschaffen, mit dem er sowohl wie alle Hörer sich identifizieren können, weil er gleichzeitig jeder ist und keiner.»[299]

Diese Regel wendet Kempowski streng an, so rigoros, daß von einem «Helden» eigentlich nicht mehr die Rede sein kann, wie dann die Rezeptions-Zeugnisse erweisen. Der Ich-Erzähler des *Tadellöser* bietet weniger eine Identifikationsmöglichkeit mit seiner allgemein gehaltenen Person, als mit den Situationen, Handlungen und Erlebnissen, durch die er dargestellt ist. Ein – nicht zu unterschätzender – Rest der eigenen Persönlichkeit des Autors hat sich im übrigen ja doch in den Text umgesetzt. Wenn Sachs den beschriebenen Vorgang resümiert, «daß die Figur des Helden aufhört, den Namen und die Züge seines Schöpfers zu tragen»[300], so stimmt das ja nicht für den Walter Kempowski des Romans. In der Beibehaltung des Namens hat sich die psychische Besetzung des Selbst gegen die Zwänge des Verfahrens einmal durchgesetzt.[301]

Die Strategie des weitgehenden Verzichts auf spezifische biographische Persönlichkeitsmerkmale der Erzählerfigur ist bei der Rekonstruktion des Schaffensprozesses über eine Vielzahl kleiner Eingriffe in bereits geschriebene Textpassagen zu ermitteln. Als grundsätzliche Darstellungsregel ist sie vorgängig schon bei der Konzeption und der Zettelsammlung für den Roman wirksam geworden; erhebliche Abweichungen von ihr lassen sich auf keiner Textstufe feststellen. Jedoch finden sich immer wieder kleinere Einbrüche im Konzept, die anzeigen, daß sich psychologische oder emotionale Züge in der Darstellung durchsetzen wollten. Kempowski greift hier bei späterer Kontrolle tilgend oder verkürzend ein. – Wir geben ein Beispiel dafür aus dem Roman-Abschnitt 14, in dem die «Klavierstunde» beschrieben wird. Sie hat biographisch für Kempowski einiges Gewicht. Im Verhältnis zu seiner Mutter irritierte ihn hier biographisch das erste Mal eine ihrem sonstigen Wesen scharf kontrastierende Härte, mit der sie auf dem Besuch der Stunde bestand. Eine ähnliche Verwirrung löste zwei Jahre später aus, daß die Mutter ihn unnachgiebig in die «Presse» der prügelnden Tante Anna schickte. Erinnernd sieht Kempowski Klavierstunde und «Presse» später als Erlebnisse erheblicher Irritation zusammen (wir kennen bereits ein eindrucksvolles Traumzeugnis dazu; 4.3.2):

«Ich will sagen, daß ich dieses Nebeneinander von Härte, von Unbarm-
herzigkeit in der Erziehung und von Milde, was andere Dinge anging, nie
habe verstehen können. Ich habe einmal weinend im Bett gelegen . . .»[302]

Fast wörtlich findet sich die Fortsetzung des obigen Gesprächs-
Zitats auf einem Zettel für die erste Manuskript-Fassung:

«Abends, wenn sie an meinem Bett saß und sich zum Beten anschickte,
bat ich sie unter Tränen, sie möge mich da wegnehmen. Aber sie blieb
hart.»[303]

Dieser Passus hätte dem Erzähler-Ich etwas mehr Empfindungstie-
fe zugestanden, den Beziehungskonflikt zur Mutter wenigstens
angezeigt, das dem Autor wichtige Biographisch-Individuelle markiert. Das war offenbar unzulässig. Kempowski streicht die Passage schon im ersten Manuskript.

Kapitel IV:
Leserreaktionen zu «Tadellöser & Wolff»

5. *Die empirische Untersuchung*

Die Untersuchung, aus der hier einige Ausschnitte vorgelegt werden, wurde vom September 1977 bis März 1978 überwiegend mit Teilnehmern literarischer Kurse an Volkshochschulen (VHS) in Nordwestdeutschland durchgeführt. Sie war schon angelaufen, als Walter Kempowski die Möglichkeit eröffnete, auch die Produktionsseite des *Tadellöser* zu erforschen. Hypothesen[304] und Untersuchungsinstrumente (insbesondere der Fragebogen) konnten deshalb nicht mehr so verändert werden, daß sich die Gegenstandsbereiche Produktion und Rezeption noch im Detail aufeinander hatten beziehen lassen. Allerdings ließen sich die Gespräche mit Walter Kempowski an den Grundannahmen der Rezeptionsuntersuchung orientieren. Nur war eben diese nicht mehr auf Erkenntnisinteressen hin auszurichten, die sich aus allmählichen Einsichten in Kempowskis Schaffensprozeß herstellten. Da es sich aber schließlich um Kempowskis Text handelte, ergab sich eo ipso in einigen Sektoren – vor allem in der Interpretation repräsentativer Textpassagen – eine bis zum Reziproken reichende Bezogenheit beider Untersuchungen aufeinander. Aus diesem Überschneidungsfeld stammen die folgenden Beobachtungen und Analysen. Bei diesen dominieren zwei Hinsichten:

1. sollen Leserreaktionen untersucht werden auf Eigenschaften des Textes, deren Zustandekommen wir bereits beobachtet haben. Die Frage ist, inwieweit Entsprechungen und sonstige Beziehungen zwischen der Produktion und der Konkretisation (Realisierung) des Textes feststellbar sind.

2. sollen Gemeinsamkeiten und Differenzen zwischen der Textkonkretisation von Lesern und der Interpretation des Autors bearbeitet werden.

5.1 *Anlage und Verlauf der Leser-Untersuchung*

Die Auswahl richtete sich bewußt auf einen bestimmten Lesertypus. Die *Population* bestand aus 113 Personen, davon 78 weiblichen und 27 männlichen Geschlechts (8 ohne Angaben). Davon waren 19 keine VHS-Teilnehmer, ließen sich aber nach Bildungsgrad und Lesegewohnheiten dem VHS-Typus zurechnen. Der Bildungsgrad war relativ einheitlich («mittlere Reife» oder bei Älteren Äquivalente dafür dominieren). Die Verteilung der Altersstufen entspricht Erfahrungswerten in der Zusammensetzung literarischer VHS-Zirkel (95 Angaben):

18–25	25–30	30–35	35–40	40–45	45–50	50–55	55–60	60–65	65–70.
13	8	11	9	5	9	11	8	8	13

Gemessen an der Altersnormalverteilung sind Gruppen jüngerer Leser von 18–35 mit 32 Personen unterrepräsentiert, die Altersgruppen von 50–70 mit 40 überdurchschnittlich vertreten.

Erhoben wurde in 5 VHS-Gruppen und bei 19 Einzelpersonen mit einem Fragebogen in pro Gruppe 5 Sitzungen zu vierzig Minuten. Von 16 Personen wurden Paraphrasen einer längeren in sich geschlossenen Textsequenz («die Harzreise») angefertigt. Alle Interviewsituationen waren nach einem Standard strukturiert.

Die codierbaren Informationen wurden mit dem Programm des «Statistical Package for the Social Sciences» (SPSS) elektronisch verarbeitet.

Beteiligt an der Datenerhebung und der Codierung waren außer dem Verfasser als Leiter der Untersuchung eine wissenschaftliche Hilfskraft und sieben Examenskandidaten. Diese bearbeiteten dann in ihren Examensschriften jeweils eine Teilmenge der erhaltenen Daten.[305]

Die Gesamtauswertung der Untersuchung wird in einem gesonderten Bericht vorgelegt. Während dort aufgrund der größeren Datenmengen und anderer Zielsetzungen mit differenzierteren Rechenverfahren vorgegangen wird, genügen für den Auswertungsausschnitt Frequenzberechnungen. Ein Schwergewicht liegt auf Interpretationen der Beantwortung offener Fragen.

Die Auswertung zeigte, daß auf viele Fragen keine altersspezifisch signifikant unterschiedlichen Antworten gegeben wurden, was sicherlich in der Homogenität des Lesertypus begründet ist. In diesen Fällen kommt immer die Gesamtpopulation zu Wort. Bei Textvorgaben und Einschätzungsfragen, in deren Beantwortung die Altersspezifik durchschlägt (etwa durch Zeitgenossenschaft der älteren Teilnehmer), wird nach Gruppen gesondert ausgewertet. Zwei Probleme unter den vielen, die heute jede literaturempirische Untersuchung anerkennen muß (aber noch nicht lösen kann), sollen im Folgenden herausgestellt werden.

5.2 *Hermeneutische und empirische Anteile der Untersuchung*

Ausgangsbasis für die Hypothesenbildung waren Annahmen über bestimmte Eigenschaften des Textes (z. B. großes Angebot an Konkretisations-Spielraum), die die Rezeption auf gewisse Weise lenken würden. Zu diesen Annahmen war der Verfasser durch seine subjektive Textinterpretation gelangt, die im Wesentlichen von den ihm vertrauten Auslegungskonventionen, der Kenntnis der Rezensionen von *Tadellöser* und schließlich auch durch die Diskussion um Rezeptionsästhetik und Rezeptionsempirie bestimmt waren. In einem über den *Tadellöser* abgehaltenen Seminar sind sie noch überprüft worden. Aus diesen Annahmen ist dann schließlich auch der Fragebogen hervorgegangen, dessen Angebot an Konkretisations- und Beantwortungsmöglichkeiten von ihnen gesteuert wird. Das wird besonders deutlich an der Festlegung der für die Textbeschaffenheit repräsentativen Stellen. Hier wäre deren vorgängige empirische Festlegung durch dieselbe Lesergruppe vorzuziehen gewesen, weil der Text eben einen hohen Grad an «Offenheit» besitzt – etwa nach dem Unterstreichungsverfahren Riffaterres, mit dem über die Häufigkeit der Unterstreichung von Textpassagen und -elementen die für bestimmte Leser relevanten Stellen festzustellen sind.[306] Diese wünschenswerte Unabhängigkeit von der «subjektiven Heuristik des Wissenschaftlers» (Groeben 1977, 94) war aus ökonomischen Gründen nicht zu leisten. Man kann noch so willige Informanten nicht überbeanspruchen. Wir haben uns also vorgängig bei unserer Fragebogen-Erstellung die eigentlich empirisch zu ermittelnde Position des Riffaterre-'schen «Superlesers» angeeignet. Damit sind wir, gemessen an den strikten Anforderungen an literaturempirische Untersuchungen, noch dem «hermeneutischen Paradigma» verpflichtet, dem etwa Groeben sein «szientistisches» Empirisierungsprogramm mit dem Anspruch entgegenstellt, die Vermischung von Interpretation und Rezeption aufzuheben (Groeben 1977, 13). Diese methodische Differenz, die uns notwendigerweise trennt von dem Ideal einer ausschließlich der Leserseite verdankten Beschaffenheit der Daten, soll ausdrücklich markiert werden. Wir halten sie allerdings

nicht für eine entscheidende Wertminderung der folgenden Beob-
achtungs- und Analyse-Ergebnisse, da unsere vorgängige Textinterpretation nicht eng auf die Erstellung von absoluten Text-
Bedeutungen und eines ausschließlich gültigen «Text-Sinns» abge-
zielt hatte, sondern sehr wohl «Amplituden» der Mehrfachinter-
pretierbarkeit versucht hat zu integrieren.

Nun haben wir, nachdem die eben erörterte Interpretation
abgeschlossen war, noch mehr über *Tadellöser & Wolff* erfahren,
als einem Leser/Interpreten über den veröffentlichten Text zugänglich ist. In hermeneutischer Rekonstruktion, deren Mittel von
Empathie im schaffenspsychologischen Bereich bis hin zur Einschätzung archivalischen Materials reichten, haben wir beispielsweise die primäre Autorintention bestimmen können, wie sie sich
im Text vielfach nicht hat realisieren lassen. Obschon wir Anspruch auf deren Gültigkeit erheben, ist die «intersubjektive Nach-
prüfbarkeit» unserer Darstellung natürlich begrenzt. Empathie als
heuristische Orientierung (etwa zur Feststellung von Relevanz bei
Tagebuchnotizen oder bei Gesprächsäußerungen) ist keine über-
prüfbare «Prozedur». Überprüfbar dagegen ist die Zusammenstel-
lung des ausgewählten Materials, die Analyseverfahren und die
gezogenen Schlüsse. Gegenüber einem strengen empirischen Ansatz – man vergleiche Groebens Vorschlag zur Ermittlung der
Autorintention (1977, 220) – haben wir auch hier eine Mischposi-
tion von Hermeneutik und Empirie eingenommen. Auch diese soll
hier markiert werden. Unser Beobachtungs- und Analyseansatz sei
an einem Beispiel dargestellt:

1. *Intention des realen Autors:* Sie wurde ermittelt durch Verstehen von biographischem Material, unterstützt von psychoanalytischen Hypothesen, aber auch durch Analyse von materiellen
Zeugen aus dem Schaffensvorgang (z. B. der Zettelsammlungen).
Neben ihrem Zustandekommen interessierte uns die Differenz dieser Intention zu ihrer Realisierung im Text. Im Folgenden wird sie
wichtig für die Eigen-Interpretationen Kempowskis von 1977/78.

2. *Intention des «impliziten Autors»:* Sie wurde ermittelt durch
unsere Interpretation des veröffentlichten Textes, gründet sich
also nur auf die dort enthaltenen Elemente. Im Unterschied zum
Normalfall, in dem der «implizite Autor» ein abstraktes Konstrukt
ist, können wir ihn als Ausdruck der empirischen Person Kempowskis genau bestimmen, wenn auch als Verkürzung: Das Darstellungsverfahren hatte hier ja zu Verzichten gezwungen.

3. *Text-Konkretisationen durch reale Leser:* Wir ermittelten sie über den Fragebogen und durch Erhebung von Paraphrasen. Sie sollen in Beziehung gesetzt werden zur Text-Intention (des «impliziten Autors»): insofern sie sie realisieren und insofern sie sie verfehlen. Schließlich soll überprüft werden, ob die Leser-Konkretisationen auch Elemente der Autor-Intention erfaßt haben, die in den Text nicht oder nur als schwache Signale eingegangen sind.

5.3 *Experimentalsituation und «normaler Lesevorgang»*

Die Frage ist, welche Geltung unsere Daten für den normalen Rezeptionsvorgang (= verarbeitendes Lesen) bei *Tadellöser* haben können. Diese Frage gliedert sich auf:

1. Gibt es überhaupt gesicherte und zusammenhängende Erkenntnisse über den empirischen Leseprozeß, also von der «graphemischen Dekodierung» (dem Zusammenbuchstabieren) bis zur Konkretisation und schließlich «Normalisierung» (Assimilierung) eines Textes, zu denen unsere im Experiment erhobenen Daten in Differenz stehen könnten? Diese empirische Rekonstruktion des mutmaßlich ja höchst komplexen Prozesses gibt es nicht. Bereits vorliegende empirische Untersuchungen haben sich auf abgegrenzte Sektoren des Leseprozesses gerichtet (von der Konkretisation einer «euphonischen» Textschicht bis hin zu textüberschreitenden Wirkungsanalysen), wobei vor allem die unterschiedliche Strukturierung des Objektbereichs (durch unterschiedliche Text-/Leserhypothesen) die Ergebnisse schwer vergleichbar macht. Alle Untersuchungen fanden in einer Experimentalsituation statt (die wichtigsten sind bei Groeben 1977 referiert). Am plausibelsten erscheint uns immer noch die Hillmann'sche Formel, nach der schließlich auch ein längerer Romantext von einem wissenschaftlich an ihm nicht interessierten Leser kaum so aufgenommen wird, daß er den Oberflächenzusammenhang des Textes an jeder Stelle aktualisiert; überschlägt Seiten, vergißt Gelesenes, rekombiniert eigenständig Textbedeutungen auch gegen die Textintention usw.[307]

Die vorliegenden Modellierungen des Lesevorgangs in der Rezeptionstheorie (phänomenologischer, materialistischer, strukturalistischer Fundierung) sind weder unverändert empirisierbar noch können empirische Daten zu ihrer Geltungsüberprüfung dienen. Die ihnen zugrundeliegenden Konzepte von Wirklichkeit und Bewußtsein bilden diese Gegenstandsbereiche auf einer anderen Ebene ab als die Hypothesen einer notwendig dem aufgeklärten Neopositivismus («Szientismus»)nahen Empirie. Für das «transzendentale» (Iser) Konzept des «impliziten Lesers» beispielsweise läßt sich kein Untersuchungsinstrument entwickeln. Daß es sich bei den rezeptionstheoretischen Konstruktionen andererseits um notwendige «Fragemodelle» (Iser) handelt, die zum Entwurf empirischer Fragestellungen anregen, steht außer Zweifel. In diesem Sinne verdankt ihnen unsere Untersuchung viel.

2. Unser Fragebogen erbrachte einmal Antworten, die einen bereits abgeschlossenen Leseprozeß voraussetzen auf Fragen vom Typ: «Mit welchen Merkmalen würden Sie Vater Kempowski charakterisieren?» Hier wird eine Reaktion auf den Text abgerufen, die im Bewußtsein des jeweiligen Lesers in unterschiedlichen Verfestigungsgraden (oder gar nicht) vorgeformt war, das heißt, je nach Interesse, die er der Figur des Vaters entgegengebracht hatte. Die Antwortvorgaben nun bringen alle Verfestigungs-(Interesse-)Grade auf denselben Level,.als ob die Romanfigur allen Befragten gleich «konkret» sei. Die Leser können einheitlich nur auf dieselben Antwortmöglichkeiten reagieren. Der Leseprozeß wird auf diese Weise für alle nachträglich in diesem Punkt egalisiert. Diese Tatsache ist natürlich so unvermeidbar wie bei den im Alltag üblichen Frage-Antwort-Spielen. Anders als bei diesen allerdings muß man sich bei der Auswertung der Antworten darüber besser im Klaren sein, daß sie über einen zurückliegenden (Lese-)Vorgang nur begrenzt etwas aussagen und nur über seine Richtung informieren, etwa derart: Hatte während des realen Lesevorgangs der Leser eine *Tendenz,* den Vater als «autoritär» zu empfinden? Fragen, die Stücke aus dem abgeschlossenen Leseprozeß abrufen, erbringen Daten, die ungleich bestimmter sein können, als ihre Inhalte es ursprünglich waren.

3. Konkretisationen vorgelegter Textausschnitte sollen nicht den «normalen Leseprozeß» simulieren. Es darf aber angenommen werden, daß dennoch ein Bild der spezifischen Rezeption von *Tadellöser* entsteht. Dies aus folgenden Gründen:

Die gut bemessene Lesezeit und die aufgelockerte Experimentalsituation ermöglichten die Entfaltung des je individuellen Lesehabitus. Daraus folgt, daß die Leser ihr «Voraussetzungssystem» (S. J. Schmidt), ihr «Vorprogramm» (Fietz) einbringen konnten.

Da die Gesamtlektüre abgeschlossen war, war der Makrokontext der Vorgaben den Lesern bekannt im Sinne jedenfalls einer leitenden «Text-Tiefenstruktur» (van Dijk). Der unmittelbare Kontext mochte allerdings vergessen oder undeutlich geworden sein. Jedenfalls kommt die Lektüre der Textausschnitte jener gleich, wenn ein Leser in einem vor kurzem beendeten Buch noch einmal etwas nachliest.

Allerdings geben unsere Eingriffe in die Vorgabe der Konkretisation eine gewisse Richtung: von reinen Stimulus-Response-Konstellationen bis hin zur Verengung des Frageinteresses auf die Erzählperspektive. Der Einfluß solcher Eingriffe wird jeweils erörtert werden. Die hiermit verbundene, wohl kaum normale, Intensität der Lektüre hatte für die Konkretisation bestimmter Texteigenschaft auch große Vorteile. Gerade *Tadellöser* ist besonders auf genaues Lesen angewiesen. Viele alltagsweltliche Details z. B. werden als redundant «überlesen», was nicht heißt, daß sie faktisch nicht wahrgenommen werden: In weniger bewußten Dimensionen des Leseprozesses werden diese Informationen aufgenommen, sie prägen hier ebenso wie die schon in der Textoberfläche markanten und beim Lesen deutlich realisierten Passagen den Charakter des *Tadellöser* für den Rezipienten. (Das hatten bereits Pre-Tests gezeigt.) Durch genaues Lesen werden nun auch diese Textinformationen bewußt und für den Leser zum mitteilbaren Datum.

In die Auswahl der Vorgaben und in die Fragestellungen sind übrigens wichtige Anregungen aus der Rezeptionsästhetik eingegangen, insbesondere Isers *(Der Akt des Lesens)*. Sie sind jedoch, wie oben erörtert, umdefiniert worden, um mit den Methoden von Empirie erfaßt und interpretiert werden zu können. Beispiel: Das phänomenologisch fundierte Konzept der «Leerstelle» hat in unserer Untersuchung den Status eines Stimulus (für Assoziationen) oder den eines Konnotationsangebots.

5.4 *Stichprobe und Lesertypus*

Die Stichprobe von 113 Personen hat, in der Terminologie empirischer Sozialforschung, den Charakter einer «bewußten Auswahl nach Zugehörigkeit». Die Befragten gehörten – bis auf 19 – literarischen Volkshochschul-Arbeitsgemeinschaften an. Diese

Auswahl wurde nach den Bedingungen der Untersuchung getroffen: Die VHS war (außer Schule und Universität) die einzige Leseinstitution (für den gewählten Text), deren Mitglieder sich freiwillig und interessiert beteiligen würden und auch die nötigen Voraussetzungen erfüllten: Einen Text von 476 Seiten intensiv zu lesen, an 5 Sitzungen hintereinander teilzunehmen und sich insgesamt 200 Minuten befragen zu lassen. Es handelt sich dabei um einen bestimmten Lesertyp. Die demographischen Daten bestimmen ihn kaum:

GESCHLECHT:
Von den 105 Befragten, von denen wir solche Angaben erhielten, waren 78 weiblichen und 27 männlichen *Geschlechts*, die weiblichen Leser standen also zu den männlichen im Verhältnis 3:1. Bei den restlichen 8 Befragten ohne Angabe ergibt sich (nach den Teilnehmerlisten) dieselbe Tendenz. Das entspricht einem Erfahrungswert für die Zusammensetzung von VHS-Literaturkreisen.

ALTER:
Die bereits aufgeschlüsselten *Altersgruppen* fassen wir zu drei Obergruppen zusammen (hier insgesamt 95 Angaben):
41 Befragte von 18 bis 40 Jahren; Kriterium: Sie haben die im Roman dargestellte Zeit nicht (bewußt) erlebt.
14 Befragte von 40 bis 50 Jahren; Kriterium: Sie haben zunehmend Nähe zum Alter der Erzählerfigur des kleinen Walter (wenn man diese Festsetzung einmal akzeptiert) und haben die Zeit bewußt erlebt. Bei den bis 45-jährigen ist ja zu veranschlagen, daß in der ersten Nachkriegszeit «Nazizeit und Krieg» noch sehr präsent waren und eine Rückverstärkung nicht voll artikulierter Erfahrung bei jüngeren dieser Gruppe anzunehmen ist.
40 Befragte von 50 bis 70 Jahren; Kriterium: Sie haben das Alter der Elterngeneration des Romans.

BILDUNG:
Der *Bildungsabschluß* verteilt sich folgendermaßen:

Volksschule	Realschule	Abitur	Fachhoch- schule	Hochschule
16	27	17	18	16

BERUF:
Für die derzeitige wie frühere *Stellung im Beruf*, die für den Lesertypus kaum Aussagewert hat, geben wir nur die ausgeprägten Häufigkeiten.

Derzeitiger Beruf:

Ungelernte Angestellte	Gehobene/ höhere Beamte	Schüler/Stud.	Hausfrauen/ Rentner
12	8	11	44

Früherer Beruf/Tätigkeit:

Ungelernte Angestellte	Gehobene/ höhere Beamte	Hausfrauen
24	9	40

Auswertung. Weiterer Umgang mit den Daten

1. Die Verteilung nach Geschlechtszugehörigkeit zeigt den Erfahrungswert eines völligen Überwiegens (3:1) der weiblichen Befragten. Dieser Sachverhalt entspricht dem Lesertyp. In den jeweiligen Befragungsauswertungen wird deshalb nur dann nach Geschlecht getrennt, wenn ausdrücklich geschlechtsspezifische Antworten erwartet werden müssen.

2. Die Altersstruktur zeigt ein Überwiegen älterer Leser von 40 bis 70 Jahren, auch dies ein Erfahrungswert für die Stichprobe. Die Aufschlüsselung der Antworten nach generationsspezifischen Obergruppen wird dann vorgenommen werden, wenn die Fragen entsprechend signifikante Unterschiede erwarten lassen.

3. Das Bildungsniveau ist weit überdurchschnittlich. Per se produziert es natürlich noch keine literarischen Interessen, erleichtert aber ihre Unterhaltung einmal, insofern es sie auf breites Allgemeinwissen und intellektuelle Beweglichkeit gründet, zum andern einen gewissen literarischen Kenntnis-Kanon über den Bildungsweg hergestellt hat. Geringere formale Abschlüsse sollen hier jedoch nicht Nachteile bedeuten (Volksschulabschluß: 16). Bei diesen Personen ist das Interesse an der (literarisch akzentuierten) Weiterbildung sehr ausgeprägt und wurde z. B. durch das höhere Bildungsniveau und den gehobenen Beruf des Ehemannes oder durch systematischen Besuch von Fortbildungskursen befördert. – Die Bildungsabschlüsse sind bei solcher Homogenität kein ausgeprägtes Kriterium und werden von uns nicht genutzt.

4. Die jetzige und frühere Stellung im Beruf ist (im Rahmen

des zu definierenden Lesertypus) ohne Aussagekraft. Höhere Bildungsabschlüsse wurden oft gar nicht genutzt, ein Beruf von den älteren weiblichen Befragten oft gar nicht angestrebt. Die ungelernten Tätigkeiten betreffen meist Mithilfe im elterlichen Betrieb oder dem des Ehemanns oder zwischenzeitliche Erwerbstätigkeiten in Krisenzeiten. – Die Berufsangaben werden von uns nicht verwendet.

5. Die Stichprobe läßt bei 5 VHS-Kursen in unterschiedlichen Bevölkerungsgebieten (Großstadt- bis Land-VHS) einen zuverlässigen Schluß auf die Grundgesamtheit von literarisch interessierten VHS-Besuchern zu. Empirisch gesichert kann man von ihr nicht extrapolieren auf andere Lesergruppen. Erfahrungswerte allerdings legen das nahe z. B. für Besucher von Autorenlesungen, bei denen gerade Kempowski eine hohe Hörerzahl erreicht. In den Grundtendenzen entspricht sie überhaupt dem «Typus des Viel-Lesers mit breitem Interessen-Spektrum», wie der jüngste Infratest-Bericht herausarbeitet. Unser Interesse ist es allerdings auch nicht, den «Durchschnittsleser» des *Tadellöser* zu definieren, sondern einen für *Tadellöser* kompetenten Lesertypus.

6. Die Stichprobe hat 113 Informanten erfaßt. Durch Angabenverweigerung verfügen wir jedoch nicht über sämtliche demographischen Daten in dieser Höhe (so: 105 Angaben zur Geschlechtszugehörigkeit, 95 Angaben zum Alter). Wo die Alters- oder Geschlechtsverteilung interessant und aussagekräftig ist, werden in der Auswertung nur die entsprechend bestimmbaren Informanten gezählt. Bei weniger spezifischen Verteilungen nutzen wir die höhere Antwortenmenge bis zu 113.

Der Lesertypus
Er soll noch mit einigen weiteren Untersuchungsdaten konturiert werden. In der *Freizeitgestaltung* verteilen sich die Präferenzen in der Reihenfolge der Häufigkeit auf Buchlektüre, Musikhören, Wandern und «musische Beschäftigungen». 103 Befragte gaben ihren *persönlichen Besitz an Büchern* wie folgt an: bis 100 Bücher = 30, bis 200 Bücher = 22, darüber = 51. Bei 71 Befragten soll es sich um die Hälfte und mehr um «anspruchsvolle Literatur» handeln. Über literarische *Neuerscheinungen informiert* man sich vorwiegend beim Buchhändler, dann aus Fernsehen und Rundfunk und gleichermaßen aus dem überregionalen und lokalen Feuilleton.

Die *Lektürevorlieben* schließen sich bei 103 Antwortenden nach Genres so auf:

Erzählende Literatur, davon Romane (77) und Erzählungen (44); Gedichte (14) und Dramenlektüre (12). Nach Häufigkeit gewichtet beziehen sich die Präferenzen in der erzählenden Literatur an erster Stelle auf «moderne zeitgenössische Literatur (z. B. Böll oder Handke)», dichtauf gefolgt von «‹älterer› Literatur (z. B. Fontane)» und «Literatur der letzten 70 Jahre (z. B. Thomas Mann, außer Gegenwartsliteratur)»; an vierter Stelle werden «Klassiker (z. B. Goethe)» genannt, gefolgt von «Unterhaltungsliteratur». Lyrik, gleichviel ob «modern» oder «älter», findet sich am Ende der Nennskala.

Die Daten ergeben das äußere Profil von Lesern, die sich intensiv und kontinuierlich für «Belletristik» interessieren. Sie besitzen weit überdurchschnittlich viele Bücher, worunter sich ein wiederum überdurchschnittlicher Bestand an «anspruchsvoller Literatur» befindet. Hierin und auch in wichtigen demographischen Merkmalen (Anteil von Frauen!) entsprechen sie einem Lesertypus, wie ihn die umfassende infratest-Untersuchung (1978) als «Viel-Leser mit breitem Interessenspektrum» beschreibt[308]: Kennzeichnend ist die Bereitschaft, sich den Problemen zu stellen und die eigenen intellektuellen und emotionalen Fähigkeiten zu erproben. Es handelt sich durchweg nicht um esoterische «schöngeistige» Leser. Andererseits sind hoch zu veranschlagen die – auch historisch – breiten Kenntnisse von Literatur (Vergleichsmöglichkeiten!) und eine gewisse Trainiertheit im «genauen Lesen». Der Aufmerksamkeit für den Text steht dabei nicht entgegen die Neigung, ihn in Bezug auf die eigene Lebenserfahrung oder die private «Philosophie» zu setzen.

5.5 *Textkohärenz und Lesekompetenz*

Ein erzählender Text muß für den Rezipienten «Zusammenhang» haben. Sonst wird er – anders als bei kürzeren experimentellen Texten, die eine über knappe Dauer zu leistende Herstellung von Kohärenz auch recht heterogener Bedeutungen abfordern können – den Leseprozeß abbrechen, da sich ihm kein Text-Sinn ergeben kann. Der Text muß also einen linearen Zusammenhalt bieten, wobei es gleichgültig ist, ob der Leser diesen Zusammenhang auch immer realisiert. Wenn er ihn braucht, muß er jedenfalls faßbar sein. Die linguistisch bearbeitete Frage nach der «Konsistenz» – den grammatischen Mitteln, die Sätze und Satzverbindungen aufeinander beziehen – führt nicht zu befriedigenden Antworten. Zweifellos verlockend ist die Annahme einer «Text-Tiefenstruktur» (van Dijk), eines zugrunde liegenden «global plan», der die Oberflächen-Konsistenz (die Leseebene) des Textes semantisch aussteuert. Empirische Beweise dafür sind jedoch noch völlig unzureichend[309] und für die Länge eines Romans wohl auch erhebungstechnisch gar nicht zu erbringen. Plausibler und empirischen Nachweisversuchen zugänglicher scheint uns die Annahme eines für den Leser erkennbaren *thematischen* Textzusammenhangs (Textkohärenz). Ein Generalthema liegt zugrunde: im *Tadellöser* etwa «das Schicksal einer Familie, bewegt vom Gang der äußeren Ereignisse», das die Erzählchronologie bestimmt. Dies Grundthema faltet sich auf in Teilthemen, die es als abgeschlossene Einheiten oder immer wieder aufgenommene Themenstränge über den Text verteilen. Ob diese Teilthemen in ihrem Binnenzusammenhang nun realisiert werden können, liegt auch beim Leser. Von seinen lebensweltlichen Erfahrungen und seinem historischen Wissen hängt es ab, ob und wie beispielsweise die Teilthemen der *Tadellöser* Abschnitte 1–4: «Einzug, Wohnung, unmittelbare Nachbarschaft» oder der Themenstrang «Hitlerjugend» als kohärent realisiert werden. Da der *Tadellöser* aus thematisierten Blöckchen komponiert ist, fügen sich diese dem Leser erst zu Einheiten zusammen, wenn er das ihnen gemeinsame Thema erfaßt hat.

Natürlich ist es keine Frage mehr, *daß* sich für Leser die thematische Kohärenz des *Tadellöser* herstellt. Der Roman ist von einem breiten Publikum angenommen worden, das sich einer – wie die Blöckchen-Typographie oberflächlich nahelegt – schwierigen Bemühung um «Sinn-Konstanz» (Hörmann)[310] über schier 480 Druckseiten gewiß entzogen hätte. Interessant ist, *wie* sich Text-Kohärenz ergibt und damit ein Text-Sinn. Der *Tadellöser* dürfte ja der Fall eines besonders «offenen» Kunstwerks sein, das eine hohe (aber offenbar nicht schwierig zu leistende) Leserbeteiligung zu seiner Konkretisation erfordert. Heuristisch müssen wir ja davon ausgehen, daß die überwiegende Menge der Bedeutungen im Text bereits festgelegt ist und ihre Konkretisation diesen Festlegungen folgt.[311] Darüber hinaus gibt es nur teilweise im Text festgelegte Bedeutungen, die der Leser zu ergänzen hat (z. B. durch gesteuerte Konnotationen) und schließlich können Bedeutungen vom Leser subjektiv – aber legitim – hergestellt werden, wo sie als Möglichkeit vom Text angeboten werden (z. B. freie Assoziationen). Diesen Betrag an Bedeutungskonkretisation meinen wir, wenn wir von *hoher* Leserbeteiligung sprechen. Er ist ebenso wie der bereits vom Text her festgelegte Betrag Voraussetzung für Sinnhaftigkeit. Zu den nur teilweise festgelegten Bedeutungen rechnen wir auch einige spezifisch ästhetische Verfahren wie den Einsatz von Symbolik und Motiven oder die Verfremdung des Dargestellten durch die differenzierte Erzählperspektive. Sie *können* – müssen aber oft nicht – vom Leser erfaßt werden. Allerdings trägt ihre Erfassung oft erheblich bei zur Realisierung eines Teilthemas oder läßt es erst in seiner Differenziertheit erkennen.

Außer an das «Vorprogramm» (Fietz) an lebensweltlichen und historischen Kenntnissen des Lesers werden auch Anforderungen an seine (literarisch-)ästhetische Kompetenz gestellt. Diese wird aktiv erst einmal in den ästhetischen Erwartungen, mit denen der Leser an einen bestimmten Texttyp herangeht. Je nachdem, ob diese erfüllt werden, er sie dem Text allmählich anpaßt oder bei der Lektüre in ihnen konstant enttäuscht bleibt, wird auch die Aufmerksamkeit für solche spezifisch ästhetischen Bedeutungsträger ausgeprägt sein.

Wir werden im Verlauf der Daten-Interpretation die für *Tadellöser* spezifischen Kohärenz-Faktoren ermitteln. In einem ersten Schritt untersuchen wir Urteile der Leser über den Text, in denen vor allem ihre (literarisch-)ästhetische Erwartung an das Genre Roman wirksam ist.

5.6.1 *«Weicht ‹Tadellöser & Wolff› ab von Ihren Vorstellungen von einem Roman?»*

Von 77 Lesern beantworteten diese Frage mit
In gewissem Maße: 45/58,4%
erheblich: 20/26,0%
überhaupt nicht: 12/15,6%
Die Häufigkeiten zeigen Irritation an. Die bei diesem Lesertypus erwartbare Orientierung an der «klassischen» Romanform schlägt hier durch. Sie ist übrigens keineswegs altersspezifisch: über 80% der jüngeren Leser (18–40) finden, daß *Tadellöser* in «gewissem

Maße» abweicht. Während 75% älterer Leser (40–70) diese Meinung teilen, macht gerade diese Altersgruppe jedoch auch bei jenen, die «überhaupt keine» Abweichung sehen, wiederum drei Viertel aus. Die Altersanteile jener, für die *Tadellöser* «erheblich» abweicht, verteilen sich fließend von 25 bis 70. Es handelt sich offenbar um eine am «Kanon» orientierte Erwartung, der hier nicht entsprochen wird, wenn insgesamt fast 85% der hier antwortenden Leser den *Tadellöser* vom Genre «Roman» abweichen sieht. Sicher entspricht das dem Lesertypus, der eine ausgeprägte Vorliebe für Romane hat, aber auch in der von ihm präferierten «modernen zeitgenossischen Literatur» Böll Peter Handke vorzieht. Durch ihre «literarische Sozialisation» unterscheiden sich die dem von uns erfaßten Typus zugehörigen jungen Leser in ihren Lesegewohnheiten davon nicht.

Die irritierte Gewohnheit macht deshalb Schwierigkeiten bei der Lektüre: Von 92 Befragten hatten 54 Mühe mit dem Text.

Tabelle 1: *Schwierigkeiten beim Lesen*

Gründe für die Schwierigkeiten (Antwortvorgaben)	Gesamt: 54
– weil der Text zu stark in Abschnitte und Absätze unterteilt ist	= 19/35,2%
– weil oft kein Zusammenhang deutlich wird	= 17/31,5%
– weil es keine durchgehende Handlung gibt	= 14/25,9%
– weil ich die Zeit nicht kenne, in der der Roman spielt, und ich vieles nicht verstehe, weil es nicht erklärt wird	= 4(9)/7,4%

Der *Tadellöser* enttäuscht also die Erwartung eines durcherzählten Romans mit fortlaufender Handlung. Schwierigkeiten bereitet die Fraktionierung des Textes und sein scheinbarer Mangel an innerem Zusammenhang. Dies bleibt mit Abstand das größte Lektürehemnis, obwohl in freien Zusätzen (5) noch Schwierigkeiten mit der Verwendung zeitspezifischen Sprachgebrauchs («Modewörter», Militärjargon) angemeldet werden. Nun sind diese Daten Indikator für ein *überwundenes* Lektürehemnis, denn schließlich haben alle unsere Leser den Roman – nachprüfbar – absolviert. Die markierten Schwierigkeiten geben uns eine heuristische Orientierung, *wie* sich Textkohärenz und schließlich Text-Sinn ergeben haben müssen: Durch verstärkte Anstrengung der Leser, thematische Zusammenhänge zu entdecken oder auch streckenweises Begnügen mit der scheinbar zusammenhanglosen, aber in sich interessanten Textpassage, schließlich auch durch einfaches Überschlagen nicht integrierbarer Partien im Sinne der plausiblen Hillmann'schen Formel. Freie Zusätze zu den obigen Antwortvorgaben deuten bereits darauf hin:

> «Eingewöhnungsschwierigkeiten» (GB 70)[312] «Schwierigkeiten, weil für mich erst eine Eingewöhnung in die Technik erfolgen mußte – ungewohnt –.» (OA 49) «Nach einiger Zeit habe ich mich dann eingelesen.» (ED 01)

Ein Informant deutet auch an, durch welche Anstrengung dies «Einlesen» wohl gelungen sein möchte:

> «Jeder Absatz zeichnet ein Bild. Diese (Bilder) werden nicht so sehr durch den Text als durch den Leser verbunden.» (OA 60)

Ein anderer Grund enttäuschter Erwartung betrifft die sprachliche Darstellung im *Tadellöser*, deren Mischung aus Berichtsstil und referierter wie direkter Alltagsrede. Hier ist für viele Leser offensichtlich eine ästhetische Konvention verletzt, die auch in der perspektivischen Darstellung von Alltagswelt und bei Einbezug von Alltagsrede ausgeformte Hochsprache verlangt. An die im nächsten Schritt (5.3.3) zu behandelnde dafür repräsentative Textvorgabe hatten wir eine entsprechende Frage angeschlossen. Es antworteten 91 Personen auf

Tabelle 2: *«Läßt sich dieser Stil vereinbaren mit IHREN ERWARTUNGEN an das sprachliche Niveau eines Romans?»*

Ja:	53/58,2%
Nein:	38/41,8%

Anders als bei der Frage, ob *Tadellöser* abweiche von den «Vorstellungen von einem Roman», findet sich jetzt eine scharfe Markierung nach Altersgruppen. Die mit «Ja» antwortenden gehören mit wenigen Ausnahmen zu den 18–50jährigen, die (41,8%) Verneinenden sind (bis auf 5) 50 bis 70 Jahre alt. Unsere Annahme ist, daß sich dies aus einem altersspezifischen Verhältnis zu sprachlichem Ausdruck überhaupt begründet. Die infrage stehende Altersgruppe der 50–70jährigen gehört Generationen an, in der formale Bildung sehr eng mit sprachlicher Bildung überhaupt verbunden wurde, bis hin zu deren Ethisierung («Ethos der Sprache»). Die «Literatur» galt darin als Vorbild. Jüngere Generationen haben ein zunehmend pragmatischeres Verhältnis zur Sprachverwendung, in der insbesondere Alltagsrede auch in formalen Situationen eine zulässige Strategie ist. Literatur, die Alltagsrede nicht nur ästhetisch eingebettet vorführt, sondern sie zum Medium der Darstellung selbst wählt, ist ja längst – im Sinne Mukarovskys – von der geltenden ästhetischen Norm akzeptiert.

Erstreckt sich die Reserve vor dem «sprachlichen Niveau» auf das «künstlerische Niveau» des *Tadellöser* überhaupt? Wir haben – im Anschluß an die obige Frage – eine indirekt darauf zielende Einschätzung verlangt, indem wir nach dem wir nach dem Arbeitsaufwand des Autors fragten, der ja nicht anders verstanden werden konnte als die Intensität der ästhetischen Formung des vorliegenden (Erinnerungs-)Materials:

Tabelle 3: *Wenn Sie einmal an große Romane denken: Steckt im Verhältnis dazu im obigen Text aus «Tadellöser & Wolff»*

weniger Arbeit?	= 17/18,7%
genausoviel Arbeit?	= 74/81,3%

Die Einschätzungen, die dem *Tadellöser* den Arbeitsaufwand wie für «große Romane» absprechen, betragen weniger als die Hälfte (von 48%) der Nichtübereinstimmung mit dem «sprachlichen Niveau». Unter den 17 so Urteilenden sind es 11, die bei den entsprechenden Fragevorgaben negativ gewertet haben, darunter nur noch 8 der 33 50–70jährigen. Die in ihrer Beurteilung der Sprachverwendung «konservativen» älteren Leser wissen also sehr wohl, daß nicht-kanonische Erzählweisen einen vergleichbaren Arbeitsaufwand wie die ihnen vertrauten Roman-Vorbilder erfordern. Wir folgern daraus, daß sie auch wissen, daß dieser Arbeitsaufwand zu einer – wenn ihnen auch nicht mehr ganz zugänglichen – Organisation des Textes geführt hat, der einen neuartigen «ästhetischen Wert» besitzt. Eine solche Informiertheit entspricht auch dem Lesertypus.

Zusammenfassend läßt sich feststellen, daß dreiviertel der Leser den Roman als von ihren Genre-Erwartungen abweichend empfindet. Leseschwierigkeiten sind ganz dominant auf die neuartigen Bedingungen für Textkohärenz zurückzuführen. Einen ausgeprägten Vorbehalt gegenOber der Sprachverwendung («Niveau») im

Tadellöser haben die älteren Leser. Über die Einschätzung der investierten Arbeit – also die ästhetische Organisation der Erzählmaterie – jedoch kann *Tadellöser* von mehr als 80% der Befragten dem Genre «Roman» als werthaft (wenn auch möglicherweise weiterhin persönlich unvereinbart) zugeschlagen werden.

5.6.2 *Der Erzählstil: Welche Abweichungen gesprochener von «korrekter» Sprache fallen den Lesern am häufigsten auf?*

Oberflächlich gesehen, fingiert der *Tadellöser* die Sicht- und Sprechweise des jungen Walter. Während diese jedoch nur wenige syntaktische Lizenzen von gesprochener Sprache nutzt, dringen über die ständig referierte Rede anderer, vor allem der Eltern, syntaktische wie lexikalische alltagssprachliche Muster massiv in den Roman ein. Es war uns hierzu interessant zu erfahren, welche Formen des Regelverstoßes gegen hochsprachliche Konventionen den Lesern am häufigsten auffielen.

Fragebogen Nr. 48

Der folgende Absatz steht hier als repräsentativ für die Erzählweise des Romans.
    Diese ist dadurch gekennzeichnet, daß der Autor einen 10- bis 15-Jährigen berichten läßt.

Lesen Sie den Text:

1 Wenn es regnete, saß ich mit Lili und Elke in der Liegehalle
   und ließ die Beine baumeln. Schwarze Schnecken auf dem
   Weg. Das Wasser schoß aus der defekten Regenrinne, und
   in den Pfützen schwammen gelbe Blasen.
5 Mein Vater stand mit seiner Zigarre unter der Tür und
   sagte: «Typisch.» Kaum zu glauben, was da für Wasser
   runterkomme. Wenn man das mal ausrechne, das seien gewiß ich weiß nicht wieviel Tons. «Wo kommt bloß all das
   Wasser her?».
10 Meine Mutter fand es zum Verzweifeln. Aber es höre gewiß
   bald auf, es könne ja nicht ewig regnen. Das sei meistens so:
   eh man sich's versehe komme die Sonne durch und: wie
   schön, daß man im Juli gefahren sei und nicht im August.

Wenn im August noch ein paar schöne Tage kämen, könne
15 man sie ja auch zu Hause noch genießen.
Was wohl ihre Blumen machten, auf dem Balkon, und die
schöne Aussicht.

Kennzeichnen Sie durch <u>Unterstreichungen</u>, *wo der obige Text von
der «korrekten» Grammatik abweicht.*

Tabelle 4: *Markierung von Sätzen oder Satzteilen als grammatisch abweichend*

Gesamt: 81 Leser. Prozentangaben aus der Summe aller Markierungen

1. Schwarze Schnecken auf dem Weg. (2/3)   = 45/23,7%
2. Was wohl ihre Blumen machten, auf dem Balkon,
   und die schöne Aussicht. (16/17)   = 42/22,1%
3. . . . das seien gewiß ich weiß nicht wieviel Tons. (7/8) = 29/15,3%
4. . . was da für Wasser runterkomme. (6/7)   = 16/8,4%
5.   . . . *r*unterkomme (7)   = 15/7,9%
6. wie schön, daß man im Juli gefahren sei . . . (13)   = 12/6,3%
7. e—, sich's (11/12)   = 12/6,3%
8. Konjunktive der indirekten Rede:
   runterkomm*e* (7)
   ausrechn*e*, hör*e*, könn*e*, komm*e*, käm*e*n, gefahren *sei* = 8/4,2%
   insgesamt: = 11/5,8%

Die häufigste Markierung (1) trifft die Ellipse. Sie stört den Fluß
der Sätze. An sich eine auch literarisch akzeptierte Form, mag sie
hier kontextbedingt der gesprochenen Sprache zugeschlagen worden sein. Interessanter ist Abweichung (2): Der Satz ist nicht nur
ein Musterfall für heterogene Fügungen in alltäglichen Äußerungen, sondern auch für die Wirkungen von indirekter Rede, die
solche assoziativ, aber nicht grammatisch verbundenen Äußerungen jetzt in einen Zusammenhang bringt, der sie notwendig defekt
erscheinen läßt. Diese Form der Redewiedergabe erzeugt nicht
unschuldig einen Anakoluth. Der komische Effekt (insbesondere
durch die scheinbare Geltung von «machten» auch für «schöne
Aussicht») wird dabei durch ein Kalkül erreicht, das gegen einen
«10- bis 15-Jährigen» als vorgeblich durchlässiges Medium spricht.
Dies müssen die Leser allerdings nicht bewußt wahrgenommen
haben, wohl aber die komische Denunziation der Sprunghaftigkeit
Mutter Kempowskis. Entsprechend Fall (3): Hier kollidiert gram-

matisch der «richtige» Konjunktiv mit dem eingeschobenen Indikativ Präsens, inhaltlich das «gewiß» mit «ich weiß nicht». Die alltagssprachliche «Originaläußerung» wäre rekonstruierbar, und sie wäre nicht komischer oder sinnloser als so viele andere dahingesprochene unausgeführten Überlegungen. Das Referat durch den Ich-Erzähler jedoch arbeitet durch die scheinbar harmlose Tempus-Ungenauigkeit die Absurdität der Umrechnung in Tonnage heraus. Auch diese Strategie ist dem fingierten Erzähler nicht angemessen. (Das ist sicherlich nicht bewußte Beobachtung der Leser an dieser Stelle gewesen.) Die Unterstreichungen zu (4), (5), (7) und (6) markieren einen umgangssprachlichen Ausdruck, übliche Elisionen und eine vorausgegangene Ellipse, Normalerscheinungen von Alltagsrede. Bemerkenswert ist jedoch, daß (von 16 Personen 19 mal) ausdrücklich der Konjunktiv der indirekten Rede als grammatischer Verstoß angemerkt wird. Wir wollen das nur *indiziell werten:* Ein Fünftel der Leser kommt offensichtlich nicht immer mit der Orientierung der Erzählperspektive zurecht und hält hier den Indikativ für angebracht. Das heißt, sie nehmen die referierte als direkte Rede auf. Diese Leser akzeptieren offenbar die Fiktion des «10- bis 15jährigen» Erzählers, dem die komplizierten konjunktivischen Konstruktionen unangemessen sind, und sie «normalisieren» diese im pragmatischen Lesevollzug.

5.6.3 *Einstellungen zur öffentlich-politischen Dimension von «Nazizeit und Krieg». Urteile über die Familie Kempowski*

Wir haben auf der Produktionsseite des Romans bereits am Schicksal der Autor-Intention beobachtet, wie die angezielte Individualität der von Kempowski dargestellten Personen und Ereignisse durch sein Verfahren (Verzicht auf Verstehensdirektiven, sachlogische Reproduktion lebensweltlich-schichtspezifischer Grundmuster durch genaue «Erinnerung») für viele Leser notwendig ins Typische umschlagen mußte (4.4.9.1). Dabei haben wir auch erwogen, daß «Betroffene» (gleicher Herkunft, gleichen Alters) das Schema auch wieder durchbrechen können, indem sie den individualgeschichtlichen Hintergrund aus eigener biographischer Erfahrung mitveranschlagen (in der von Kempowski angenommenen weiteren «Schicht» im Text). Aus der empirischen Untersuchung haben wir nun Leser-Urteile über die Mitglieder der Familie

Kempowski erhalten, die wir kurz referieren und unter obigem Aspekt interpretieren wollen. Alfs (1978) wird seine Bearbeitung dieser Daten gesondert vorlegen.

Da «Nazizeit und Krieg» (wie wir die zeitgeschichtlichen Lebensbedingungen der Familie auf eine Formel gebracht haben) 1977 – zum Zeitpunkt der Untersuchung – wieder ein öffentliches Thema war, haben wir die Grundeinstellung der Leser dazu erhoben. Dabei interessiert uns hier nur die Binnendifferenzierung der Leser nach dem Alter, die gewisse unterschiedliche Einstellungs-*tendenzen* verrät. Reichardt (1978), der diesen Sektor untersucht hat, kommt dabei zu diesen Schlußfolgerungen:[313]

Junge (nach Reichhardt: 18–35jährige) Leser vermuten bei den Deutschen in der Bundesrepublik eher ein weiterlebendes *Schuldbewußtsein* über die NS-Zeit als die älteren (35- bis 70jährigen) Teilnehmer der Untersuchung. Jedoch sind die älteren mehr geneigt, eine weiter wirksame *Betroffenheit* des «Durchschnittsdeutschen» (etwa durch Kriegsverbrecherprozesse) anzunehmen. So sind diese älteren Leser auch mehr bereit, einer Verurteilung von Kriegsverbrechern – auch von «heute alten Leuten» – zuzustimmen als die jüngeren und sehen sich auch weniger als diese mit einer Verjährung von Kriegsschuld einverstanden. Bemerkenswert ist vor allem, daß «konkrete Nachwirkungen von Nazizeit und Krieg, die mich auch heute noch in meinem Alltag beeinflussen», zwar leicht mehrheitlich von der Gesamtleserschaft festgestellt wurden, diese Feststellung sich jedoch relativ häufiger bei den jüngeren als bei den älteren Lesern findet. So befürworten die Älteren auch stärker eine Orientierung auf die «gegenwärtigen Probleme». Schließlich war – im Zusammenhang mit der «Hitlerwelle» und der 1977 neuerlich aufkommenden Faschismusdiskussion – gefragt worden, ob hinter der periodisch wiederkehrenden journalistischen Aktualisierung von «Nazizeit und Krieg» eher private oder Marktinteressen stünden oder ein tatsächliches öffentliches Bedürfnis: Dies öffentliche Bedürfnis vermuteten überwiegend die jungen, während die älteren Leser eher den anderen Gründen zuneigten. Auch lag letzteren mehr als den jungen an der Akzentuierung, die heutige Jugend werde «nicht realistisch» über Nazizeit und Krieg informiert.

In unserer *Interpretation* ergibt das tendenziell in Konturen folgende Einstellungs-Formationen: ältere Teilnehmer der Untersuchung haben ein Schuldbewußtsein «abgelebt» – wenn sie es je im Sinne einer individuellen Tatfolge gehabt haben; wir denken da eher an die psychisch kurzlebigere Empfindung von «Kollektiv-schuld». Deshalb vermuten sie solches auch bei den anderen Deutschen. Wo allerdings konkrete («kriminelle») Schuld auf sich geladen wurde (z. B. KZ-Verbrechen), sind sie weniger nachsich-tig. Gerade solche Form des individuellen Schuldigwerdens – die man realistischerweise unter unseren Probanden nicht vermuten kann – hat ja mehreren Generationen die Kollektiv-Schuld einge-tragen, obschon diesen kaum nachvollziehbar. «Betroffen» aller-dings müssen sie sich sehen – aus vielen Gründen, darunter sicher-lich «Mitläufertum», «Wegsehen», Mangel an Mut zum Protest oder zur individuellen Hilfe. Obschon «Nazizeit und Krieg» wohl bei den meisten Älteren erheblich in die Biographie eingegriffen hat, verstehen sie unter deren *Nachwirkungen* im heutigen Alltag offenbar Konkreteres als die Jungen und stellen sie weniger fest. So ist man in diesen Generationen auch bereit, sich stärker an Gegenwartsproblemen zu orientieren. Ein «öffentliches Bedürf-nis» an Information über jenen Geschichtsabschnitt wird von ihnen wohl deshalb weniger empfunden, weil sie seit Kriegsende ja tatsächlich (was heute leicht vergessen wird) in hohem Maße informiert worden sind. (Die *Holocaust*-Erschütterung beruht doch darauf, daß hier eben nicht nur «informiert» wurde.) Dies gilt insbesondere bei älteren Lesern auch für die sogenannte «Bewälti-gungsliteratur» seit Kriegsende.

Alles in allem bieten die älteren Leser tendenziell das erwartba-re Bild von Menschen, für die Zeitgeschichte auch eigenes gelebtes Leben gewesen ist. Man hat diesen Zeitabschnitt «abgelebt», ohne daß man die Verbindung zu ihm verloren hätte. Aber auf seinem öffentlich-politischen Aspekt – zu dem wir unsere Fragen gestellt haben – ist man nicht fixiert. Junge Leser zeigen hier tendenziell ein stärkeres Interesse, das – so möchten wir vermuten – sich sowohl aus der Aktualität des Themas wie aus dem Mangel an biographischer Erfahrung begründet. Dieser Mangel an konkreter Erfahrung wiederum scheint uns das Paradox zu begründen, daß gerade junge Leser tendenziell eher für die Verjährung von NS-Kriegsverbrechen gestimmt haben. Deren Konkretheit ist ihnen nicht mehr zugänglich. – Wie es allerdings mit der nichtveröffent-lichten, nicht-politisierten Dimension gelebten Lebens im fragli-chen Zeitabschnitt bei den älteren Lesern bestellt ist, wird noch zu beobachten sein.

Einiges dazu erfährt man aus den Urteilen der Leser über die Roman-Personen. Hier ist ein Blick auf die offizielle Literaturkritik angebracht, die als «Objektivierung der ursprünglichen Konzeption» des Romans seine «Wahrheit» herausgestellt und damit für lange Zeit die geltende Werk-Auffassung geprägt hat, wie wir das bereits mit Bourdieu dargestellt haben. Alfs (1978[314]) zeigt, daß diese Werk-Auffassung weitgehend typisiert: Die Familie Kempowski wird als durchweg zeitrepräsentativ begriffen. In der Charakterisierung des Vaters dominiert die soziologische Klassifizierung («Reeder» usw.), gefolgt von der Akzentuierung seiner Sympathie zum Militärischen und schließlich die Repräsentativität seines Nationalismus, der vom Nationalsozialismus zunehmend nichts wissen will. Individuelle Merkmale werden ihm in weitaus geringerem Maße zugeschrieben, und sie sind überwiegend negativ. Die Auffassung der Mutter konzentriert sich auf ihre Rolle als Mutter und Hausfrau, als Mittelpunkt der Familie. Auch hier haben individuelle Merkmale kaum Gewicht, wo sie genannt werden, sind sie allerdings überwiegend positiv. Der Ich-Erzähler Walter wird kaum konturiert, einzig sein symbolischer «Widerstand» gegen die Vereinnahmung durch das nationalsozialistische Erziehungssystem wird nachdrücklich hervorgehoben. Es liegt wohl vornehmlich in der Funktion von Literaturkritik, feste Zuschreibungen vornehmen zu müssen (dem die typisierende Schicht im Roman ja auch sehr entgegen kam), wenn sie die Familie und ihre beiden Hauptpersonen weit überwiegend typologisch dargestellt hat.

Auf den ersten Blick unterscheiden sich Beurteilungen der Leser in unserer Untersuchung nicht sehr von den Urteilen der Literaturkritik. Die Gesamtleserschaft befindet weit überwiegend, die Kempowski-Familie sei «typisch für ihre Schicht und ihre Zeit», wobei sich allerdings (in anderen Fragezusammenhängen) eine Tendenz bemerkbar macht, dies in Richtung auf eine begrenzte Repräsentativität zu relativieren. Zur Charakterisierung des Vaters wurden (nach Häufigkeiten) aus einer Vorgabe folgende Merkmale als dominant gewählt: «standesbewußt», «autoritär», «egozentrisch, aber lebensecht». Der Mutter kommen (Vorgabenauswahl) diese drei dominanten Eigenschaften zu: «mütterlich», «naiv», «macht und denkt vieles falsch, hat trotzdem gesunden Instinkt». «Mütterlich» dominiert dabei absolut (mit 76%, 18 Prozentpunkte vor den beiden folgenden, fast gleichrangigen Zuweisungen). Zum jungen Walter gibt es (das lag am Frageinteresse) nur eine tendenzielle Häufigkeit. Unter 5 Wahlmöglichkeiten, welches denn das Hauptthema des Romans sei, bezogen sich zwei auf ihn als mögliche (wenn auch zurückgehaltene) Hauptperson. Jedoch findet sich erst an dritter Stelle – mit 28 Prozentpunkten Differenz zu der häufigsten Meinung, es gehe um das typische Verhalten einer bürgerlichen Familie – (mit 18% der Stimmen): «Erlebnisse des Walter Kempowski in Nazizeit und Krieg.» Der Trend der Literaturkritik wird also bei der Gesamtleserschaft bestätigt, auch für Vater Kempowski. Die absolute Dominante «standesbewußt» (73%) aus der Vorgabe ist eine vollkommene Entsprechung zur vorherrschenden soziologischen Klassifizierung der Literaturkritiker. Wie bei diesen wird der Vater auch überwiegend negativ gesehen. Das Beurteilungs-Profil der Gesamtleserschaft zeigt also ebenfalls die Neigung zum überindividuell-Klassifikatorischen, hat das Text-Angebot zu Typisierung angenommen.

Ist damit Kempowskis Hoffnung, eine weitere «Schicht» der Individualisierung könne im Roman entdeckt werden, von den Lesern widerlegt worden? Wir werden dem in einem ersten Schritt durch eine Analyse der Leserurteile zur Gestaltung des Vaters nachgehen, dessen vermeintliche Verkennung den Autor ja am meisten bekümmert hat.

In Tabelle 5 (S. 174) die erhobene Frage (Fragebogen-Nr. 48). Die Antworten sind schon nach Häufigkeiten hierarchisiert. Prozentangaben beziehen sich auf die Gesamtzahl der Stimmen der jeweiligen Lesergruppe.

Was läßt sich aus den Daten für unsere Fragestellung herausarbeiten?

1. Wir werten erst einmal die Antworten der älteren Lesergruppe aus, da sie durch Lebenserfahrung und Kenntnis der sozialen Verhaltensformen der fraglichen Zeit urteilskompetenter ist: Die klassifikatorischen Zuweisungen nach äußerem Sozialverhalten sind hier dominant. Sie meinen einen soziologisch definierbaren Typus: standesbewußt, autoritär. Dazwischen allerdings schiebt sich «egozentrisch, aber lebensecht» (wobei «aber lebensecht» vielfach wohl nur mit in Kauf genommen werden mußte). «Egozentrisch» ist nun keine Kategorie mehr, die ein soziales Rollenverhalten bezeichnet, sondern eine die individuelle Persönlichkeit betreffende, psychologische Kennzeichnung. Sie ist negativ, ihre positive Entsprechung «individualistisch» haben die Leser kaum

Tabelle 5: *Mit welchen Merkmalen würden Sie Vater Kempowski charakterisieren (Mehrfachankreuzungen möglich)?*

Antwortvorgaben	Ältere Leser (40–70) Gesamt: 52 = 59,1%	Jüngere Leser (18–40) Gesamt: 36 = 40,9%
standesbewußt	32/61,3%	32/88,9%
egozentrisch, aber lebensecht	29/55,8%	18/50,0%
autoritär	27/51,9%	21/58,3%
überzeichnet	24/46,2%	6/16,7%
albern	22/42,3%	5/13,9%
schwach	19/36,5%	8/22,2%
väterlich	11/21,2%	7/19,4%
Charakter wirkt konstruiert	9/17,3%	3/8,3%
individualistisch	5/9,6%	5/13,9%
gebildet	3/5,8%	1/2,8%
seriös	2/3,8%	4/11,1%
stark	–	5/13,9%

gelten lassen. Eine weiter ausgeprägte individuelle Auszeichnung wird noch mit «schwach» gegeben. Bemerkenswert ist schließlich, daß immerhin jeder fünfte ältere Leser hinter der – sonst negativ beurteilten – Fassade die Eigenschaft «väterlich» erkennen will. Daß die Qualifizierungen «überzeichnet» und (verstärkend) «albern» relativ hohe Werte haben, zeigt dann an, daß man die Übertreibung von Einzelzügen der Person nicht im Sinne einer Typus-Darstellung, sondern als literarisch-zweckhafte Deformation einer realiter noch anders beschaffenen Individualität versteht. Die älteren Leser kennzeichnen den Vater also dominant als sozialen Typus, zeigen aber auch eine ausgeprägte Tendenz, ihn individuell werten zu wollen. Hervorzuheben ist die nachdrückliche Feststellung (46,6%) seiner überzeichneten, also nicht realistischen, Darstellung.

2. In den typisierenden Urteilen folgen die jüngeren Leser den Präferenzen der älteren, auch in der Häufigkeit bei «egozentrisch, aber lebensecht». Auch hier findet sich eine ausgeprägte Tendenz, individuell werten zu wollen («schwach»/«stark» = 13/36,1%). Bemerkenswert ist jedoch, daß diese Lesergruppe den Merkmalen «überzeichnet» und «albern» soviel weniger Zuweisungen gibt als

die ältere (Differenz: 58 Prozentpunkte). Man nimmt die literarische Übertreibung offensichtlich hin. Dies scheint uns die wichtigste Beobachtung: die jüngeren Leser monieren damit nicht den mangelnden Realismus in der Personendarstellung. Als Grund dafür bietet sich vor allem an, daß sie keine Vergleiche mit einer ihnen bekannten Realität anstellen können und ihnen die Überzeichnung nicht als Deformation individueller Wirklichkeit interessant ist.

Unsere Frage nach einer weiteren «Schicht» ist also prinzipiell dahin zu beantworten, daß sich bei allen Leser-Urteilen über die Person des Vaters eine ausgeprägte Bereitschaft findet, hinter der dominanten Typik auch das Individuelle sehen zu wollen. Ältere Leser reagieren dabei in der Tendenz nachdrücklich auf Überzeichnung als vorenthaltene individuelle Wirklichkeit. Wir werden mit der vollen Beantwortung unserer Frage allerdings nur schrittweise weiterkommen, indem wir im Folgenden die Text-Konkretisationen auch unter diesem Aspekt prüfen. Im Grunde betrifft sie ja das Problem, inwieweit die Leser in den Text-Hintergrund und in die Nähe der dort signalhaft vorhandenen ursprünglichen und vollkommenen Autorintention vordringen, die das Darstellungsverfahren verkürzt hat.

5.7 Text, Leser, Autor: Die Rezeption repräsentativer Textausschnitte. Ihre Interpretation durch Walter Kempowski. Beobachtungen zur Differenz Produktion: Rezeption

In den folgenden Untersuchungen werden wir Text-Konkretisationen der Leser in Beziehung setzen zu Interpretationen und Kommentaren, die der Autor 1977 zu denselben Textausschnitten gegeben hat. Es geht dabei sowohl um inhaltliche Hinsichten (Text-Bedeutungen, Text-Sinn) wie um Bestandteile des literarischen Verfahrens (Erzählperspektive, Symbolik usw.) Ein für sich stehendes Nebeninteresse ist dabei, wie die Leser überhaupt bei der Konkretisation vorgehen. Vielleicht lassen sich einige generalisierbare rezeptionsempirische Einsichten daraus gewinnen.

5.7.1 *Der Autor als Leser seines Textes*

Die Situation des Autors als sein eigener Leser ist dabei kurz zu erörtern. Ist er der «ideale Leser»? Eigentlich müßte er über seinen Text ja mehr wissen als alle anderen. Das Problem ist, daß er zuviel darüber weiß, sehr viel mehr, als in ihm zu finden ist, obschon er es dort sieht. Das ist aus schon bekannten Gründen auch für Kempowski zu erwarten. Erinnern wir noch einmal: Das (zum *Block* entwickelte) Darstellungsverfahren ließ bestimmte, psychisch hochdeterminierte, Inhalte nicht zu (wie die Darstellung des idealisierten Vaters), es zwang zum Verzicht auf ein explizites Sinn-Angebot und versagte den Gefühlsausdruck. Wir haben schon zum *Block* vermutet, daß an die Reste dieser Tilgungsarbeit, die doch Eingang in den Text gefunden haben, Besetzungsenergien wieder anschließen könnten, die für Kempowski das gelöschte Ganze wieder aufrufen (3.3.2.1). Zum anderen enthält der *Tadellöser* einen hohen Betrag an Partikeln einer vom Autor biographisch als Ganzes erfahrenen Wirklichkeit. Auch diese Wirklichkeit könnte sich dem Autor-Leser über ihrer fragmentarischen Erscheinung im Text wieder zusammenfügen. Beide vorgenannte Formen der Selbst-Interpretation sind nach ihren Bedingungen als konstant bleibende zu erwarten, die sich auch in der Wiederholung nicht verändern. Eine beweglichere Text-Auffassung dürfte dort auftreten, wo Kempowski es mit Partien zu tun hat, die auf dem Wege der «disziplinierten Assoziation» entstanden sind (vgl. 4.3.3). Hier können sich Assoziationsrichtungen und damit die Inhalte beispielsweise aus der zeitlichen Distanz heraus verändern. Ihre Bedingungen liegen ja weder im Unbewußten noch in der historischen Lebenswirklichkeit.

Kempowski war, als der Verfasser ihn 1977/78 befragte, die Position Leser/Interpret seines eigenen Werkes zu sein, nicht neu. Der herrschende personalisierte Literaturbetrieb verlangt ja institutionell die Selbsterörterung eines Autors («Werkstattgespräche», «Autor-Skooter» usw.) und dies zunehmend im Code der Literaturkritiker und -Wissenschaftler; viele neuere Autoren haben auch Germanistik studiert. Dieser Code ließ sich bei Kempowski durchbrechen: Er ist auch ein tatsächlich «naiver» Leser seiner Bücher. So existiert vom *Tadellöser* ein mit leeren Blättern durchschossenes Exemplar, in dem der Autor beim mehrfachen Wiederlesen Kommentare, Assoziationen und Neuentdeckungen im eigenen Text festgehalten hat. Die Notizen sind auch der linguistischen Form nach, wie wir gleich sehen werden, völlig unmetaphorisch als Dialog mit dem Werk zu bezeichnen. Wir geben einige Beispiele aus dem Einschuß-Exemplar des *Tadellöser* (wiedergelesen ab 1972); die Seitenzahlen beziehen sich auf den gedruckten Text.

Typ: Reaktion auf Leserkommentare

«Unverständlich, warum die Kritik meinen oder *den* Vater für einen Nazi hält.» (15)

Das bezieht sich auf den letzten Satz im Tableau des ersten Abschnitts (15): «Mein Vater sogar als SA-Mann unter einer Birke.» Kempowski hat diese biographische Tatsache, die ja wenig zum sonstigen Verhalten des Vaters stimmt (er war ja auch wieder aus der SA ausgetreten), nicht erklärt und wieder «aufgelöst». Wir haben gezeigt, daß das unmittelbare Folge des Verzichts auf lebensgeschichtliche Begründungen und Verstehbarkeit (Sinn-Verzicht) gewesen ist (4.4.9.1). Dieser strategische Eingriff in die erinnerte Wirklichkeit wird beim Wiederlesen offensichtlich vor dieser selbst vergessen.

Typ: Aktualisierung der lebensgeschichtlichen Realität

Text: Die Frühstücksbrötchen waren versteckt, «meistens auf dem Schoß meiner Mutter». Handschriftlicher Zusatz: «. . . oder im Heizkörper, wo sonst die Teller zum Warmstellen standen.» (13)

Text: Mein Vater grabbelte sich stets die krossen Brötchen. Zusatz: «Damit ist nicht gemeint, daß er egoistisch war. Wir suchten sie für ihn heraus, schon beim Bäcker: ‹Bitte, krosse›.» (35)

Text: Bei einem Betrunkenen behielt der Vater seinen Handschuh an. Zusatz: «Vielleicht behielt er den Handschuh wegen seiner Hand an, schämte sich wohl.» (21)

Kempowski aktualisiert hier dargestellte Lebenswelt bis zum Detail am Frühstückstisch. Das Verhalten des Vaters wird neu bedacht, als ob der Sohn es mit seiner Gegenwart noch immer zu tun habe.

Typ: Neue Entdeckungen im eigenen Text

«Archetypisches Bild: Der winzige Hahn bin ich.» (16)

Die Anmerkung meint einen Wandschmuck bei Woldemanns, zu deren Tochter der kleine Walter erste erotische Zuneigung faßt:

«An der Wand ein Hühnerhof in Öl: der schwarze Rahmen doppelt so breit wie das rosa Bildchen.»

Im Text also ein beiläufiges Dekor, ohne irgendeine weitere Funktion. Der «winzige Hahn» fehlt. Kempowski «sieht» offensichtlich das historische Original. Die Vermutung, hier habe sich ein seine damalige Situation bedeutendes primäres Bild «archetypisch» beim Schreiben durchgesetzt, verweist auf Kempowskis ja berechtigtes Vertrauen in die unbewußten Anteile am Schaffensvorgang. Auch hier nimmt er nicht wahr, daß gerade das bedeutende Bild-Element keinen Eingang in den Text gefunden hat. – Anderes wieder, das sich hier als beiläufig erinnerte Impression findet, wird überraschend als von biographischem Gewicht erkannt, wie es sie beispielsweise frühkindliche sinnliche Eindrücke als weiterlebende Wahrnehmungsmuster besitzen. Eine Beobachtung aus der «Harzreise»:

«Schwarze Schnecken auf dem Weg. Das Wasser schoß aus der defekten Regenrinne, und in den Pfützen schwammen gelbe Blasen.» (87)

gewinnt beim Wiederlesen die Tiefe von

«Erinnerung an ganz frühe Kindheit, Bad Sülze».

Typ: «disziplinierte Assoziation»
Hier baut sich dem Autor-Leser über einer Passage oder einem einzelnen Ausdruck assoziativ ein neuer Sinn auf, der sich nicht wie die vorigen Beispiele einer Erinnerungskonstante verdankt, sondern einer gegenwärtigen intellektuellen, emotionalen Disposition. Dieser Sinn ist vereinbar mit einem möglichen Gesamtsinn des Textes, ist also keine unwillkürliche Assoziation. Er kann sich jedoch von der ursprünglichen Autor-Intention entfernen. Am Schluß der «Harzreise» (der Kriegsausbruch steht bevor) heißt es (89):

«Drei Tage vor der Zeit reisten die Königsberger ab. Einen ganzen Tag würden sie fahren, durch urdeutsches Land und im Korridor die Fenster nicht öffnen dürfen. ‹Hoffentlich kommen wir noch durch!›
‹Oh, oh›, sagte meine Mutter, ‹das sieht ja böse aus. Wie isses nu zu fassen . . .› (Der ‹Konsul› war gottlob in Greifswald.)»

Kempowski notiert dazu:

178

«‹Drei Tage›: Die heilige 3, dadurch das Feierliche der nahenden Katastrophe auszudrücken. ‹Es begab sich aber zu der Zeit . . .› – ‹noch durchkommen›: Essay-würdig: ein versumpfter Urwald, der zuwächst; durchkommen um unterzugehen: der Konsul. Das ist nicht ‹zu fassen›, es entgleitet.»

Der Autor-Leser gewinnt hier also zwei Ausdrücken bei beibehaltener Geltung des Gesamt-Kontextes (Kriegsausbruch; das familieneigene Schiff kommt in der Folge noch mehrmals durch, um bei Wilhelmshaven unterzugehen) mehr Intensität ab, indem er deren Referenz gegen ihre Funktion im engeren Kontext ausweitet. Im ersteren Fall erhält die «drei» ihre nur in anderen Zusammenhängen erwartbare Symbolik, der beabsichtigt ambivalente Ausdruck «vor der Zeit» (= «vorzeitig» wie «vor der Zeit des Kriegsausbruchs») wird mit dem Bibel-Bezug beschwert. Der vom Text ja gerade unterlaufene Sinn (die Katastrophe zeigt sich an) wird hergestellt. Die zweite Assoziation preßt dem Ausdruck «durchkommen» ein Bild ab, verbindet ihn dabei mit einer erst später gegebenen Information über den «Konsul». Auch hier stellt sich Sinn her aus dem Bedenken dessen, was – entgegen den kargen und komischen Textbedeutungen – denn «eigentlich» geschieht: die Verdichtung der Ereignisse zur Katastrophe, die Absurdität, ihr entgehen zu wollen. Man kann das schlicht als Überinterpretation bezeichnen. Sie ist es jedoch nicht im Verstande von Unverträglichkeit mit dem Gesamt-Kontext. Das assoziative Verfahren Kempowskis haben wir eben nachgezeichnet. Es besteht darin, Bedeutungen zu beschweren und damit ihren Begriffsumfang zu weiten. Es ist dasselbe Verfahren, mit denen er «diszipliniert» «Spuren am Objekt» abliest (4.3.3). Entsprechend der Lesesituation wird jetzt aus Text-Spuren wieder das von ihnen vertretene Sinn-Ganze hergestellt. Es handelt sich um die Assoziationsart der Konnotation, die den Ausdrücken eine sinnverträgliche nachvollziehbare Bedeutungsvariante zufügt. (Daß sie sich auch ins private ungenaue Assoziieren verlieren kann, zeigt allerdings der letzte Satz in Kempowskis Notiz.)

Während der Interviews traten alle hier bezeichneten Interpretations-Typen auf, die Aktualisierung lebensgeschichtlicher Realität und der damit ursprünglich verbundene (dann dem Text vorenthaltene) Sinn herrschen vor. Die Fälle von aktuell motivierter «disziplinierter Assoziation» waren davon unterscheidbar, weil sich diese Interpretationen während der langen Gespräche nicht konstant hielten, Varianten und Widersprüche dazu auftauchten. Von unserer Seite wurde während der Gespräche darauf geachtet, durch Nachfrage die Konstanz der Interpretationen zu überprüfen.

Die Befragungs-Situation war durch längeren Umgang miteinander sehr gelockert. Walter Kempowski las dieselben Textpassagen des *Tadellöser*, die auch den Lesern unserer Untersuchung vorgelegen hatten. Wo es sinnvoll war, bekam er dieselben (Fragebogen-)Fragen vorgelegt wie diese. Manchmal äußerte er sich nur zu einem Kernstück des Textes. Die Äußerungen wurden auf Tonband festgehalten.

Die folgende Darstellung macht jeweils vier Schritte: 1. Zum Fragebogenausschnitt wird von uns angegeben, was wir dazu erfahren wollten, wenn nötig, verbunden mit einer Textinterpretation. 2. Darauf folgt die Interpretation der Leser-Daten. 3. Anschließend wird Walter Kempowskis Textverständnis wiedergegeben. 4. Schließlich werden beide Textauffassungen gegeneinander gestellt und analysiert.

5.7.2 *Vermutetes Rezeptions-Hindernis: Unkenntnis historischer Zusammenhänge*

Zwar haben wir schon festgestellt, daß nur ein geringer Teil der hierzu befragten Leser Schwierigkeiten mit dem Text damit begründet hat, «weil ich die Zeit nicht kenne, in der der Roman spielt, und ich vieles nicht verstehe, weil es nicht erklärt wird» (9 von 92). Doch ist immer noch zu erwarten, daß die Leser solche Schwierigkeiten durch Überlesen des Nichtverstandenen oder durch «Normalisierung» (Assimilation an eigene Verstehensmöglichkeiten) bewältigt haben. Dem sind wir mit der folgenden Frage nachgegangen:

Fragebogen Nr. 51

Es ist natürlich eine Frage des Alters, ob der Leser auch alle zeitgenössischen Anspielungen im Text verstehen kann. Der folgende Text gibt ein Beispiel dafür:

Zu Mittag gab es tadelloses Rührei. «Kind, nun iß tüchtig, blöde Hunde werden nicht fett . . .»

180

Schön feucht und mit Schnittlauch drin.
«Linke Hand am Tellerrand!»
Hinterher Wickelkuchen mit warmer Milch.
Jija-jija Das war der wahre Jakob.
Mein Vater spendierte Old-Gold-Zigaretten, die hatte er vom Stalag
bekommen. Irgendwie hing das mit dem Roten Kreuz zusammen. Kleine
graue Packungen.

1. *Was lesen Sie aus den letzten drei Sätzen, ab «Mein Vater spendierte . . .»?*
Aus 93:
19/20,4% ☐ *Verstehe die Anspielung nicht*
51/54,8% ☐ *Zigaretten sind rar, das hier ist ein seltener Genuß*
Aus 80:
39/48,8% ☐ *Hier wird ironische Kritik geübt. Warum? (Stichworte)*
34/42,5% Antworten ....
....
Wie könnte das mit dem Roten Kreuz zusammenhängen? (Stichworte)
45/56,3% Antworten ....
....

1. *Begründung der Textvorgabe*
Daß die Leser den historisch-politischen Rahmen kannten, in dem
die Familiengeschichte spielt, wurde von uns vorausgesetzt. Die
Tadellöser-Personen haben es auch vorwiegend mit den Alltagsfol-
gen der Großvorgänge zu tun. Hier waren die eigentlichen Ver-
ständnisschwierigkeiten zu erwarten. Organisationen, Instanzen
und die schon stereotypen täglichen Verrichtungen («In den Keller
gehen») werden aus der Erzählperspektive als selbstverständlich
gesetzt. Der hier nicht informierte Leser kann damit natürlich
fertigwerden, etwa über Vermutungen. Sofern der Text jedoch
solches Wissen voraussetzt, um besondere Wirkungen zu erzielen,
entgehen dem Leser auch diese.
Unsere Vorgabe enthält die Pointe, daß der Vater englische
Zigaretten raucht, die vom roten Kreuz statt an Kriegsgefangene
eines «Stalag» (Stammlagers) auf den schwarzen Markt gelangt
sind. Sie zeigt, daß sich kriegsübliche Korruption entwickelt,
insbesondere, daß auch der prinzipientreue Vater als Offizier an
ihr teilhat. Um diese Intention zu erfassen, müssen Leser sowohl
«Stalag» wie die Beziehungen des roten Kreuzes dazu entschlüsseln können.

181

2. Das Leserverhalten

Ein Fünftel versteht die Anspielung nicht. Über die Hälfte akzeptiert erst einmal eine Bedeutung, die sich aus der kulinarischen Situation ergibt und, ohne die eigentliche Pointe zu erfassen, das Verständnis des Blöckchens befriedigend abschlösse. Sicherlich wird bei dieser Art von Schwierigkeit der *Tadellöser*-Text zum Nutzen zusammenhängenden Lesens in der Regel auch so «normalisiert».

Die Vorgabe «Hier wird ironische Kritik geübt» will dann ermitteln, wie die Leser nun die als solche gekennzeichnete Pointe entschlüsseln. Die Vorgabe ist ein Eingriff und sagt somit weniger über normales Leseverhalten als über Vorwissen oder über ein auf den Roman eingestimmtes Vermutungsgeschick etwas aus. Ein Drittel jener Leser, die das «Normalisierungs»-Angebot («Zigaretten sind rar . . .») angenommen haben, versuchen sich jetzt auch an der Entschlüsselungsvorgabe (= 16). Dazu kommen jene, die von vornherein die komplizierte Textbedeutung vorgezogen hatten (= 23/24,7%). Wir erhielten drei Typen von Antworten. 1. präzise (= «richtige») Angaben, worum es sich bei «Stalag» handele und worin die Ironie bestünde; 2. ein Verständnis, daß es sich hier um eine unrechtmäßige «Schiebung» handele, ohne daß man nun wußte, was «Stalag» war und daß speziell das sonst hervorgekehrte Offiziersethos des Vaters litt (= «zureichend»); 3. eine Vermutung etwa, daß der Vater als Offizier an «Sonderzuteilungen» («Beuteware») gekommen sei (= «ungefähr»); 4. unsinnige Antworten, die die Ironie z. B. in den «mangelnden Tischsitten» erkennen wollten (= «falsch»). Zur Altersverteilung ist vorweg festzuhalten, daß von den 22 beteiligten *jungen Lesern* (18–40) es 16 gleich vorgezogen hatten, das Normalisierungs-Angebot oder «Verstehe die Anspielung nicht» anzukreuzen.

Tabelle 6: *«Hier wird ironische Kritik geübt.»*

Häufigkeiten und Altersverteilung
Ankreuzungen Gesamt: 39; davon Begründungen: 34

Alter	richtig 4/11,7%	zureichend 14/41,1%	ungefähr 8/23,5%	falsch 8/23,5%
18–40		1		3
40–50	1	4	2	
50–70	3	9	6	5

Das Ergebnis überrascht nicht. Richtig oder zureichend entschlüsseln konnten (fast) nur die älteren unter den Lesern (40–70), die sich auf diese Aufgabe eingelassen hatten. Auch die ungefähren Deutungen setzen offenbar noch zeitbezogenes Vorwissen voraus. Von den 4 jungen Lesern, die sich hier versucht haben, suchten drei die Ironie in völlig anderem Zusammenhang.

Die zweite Frage soll testen, ob die angedeutete Abzweigung der Gefangenenverpflegung durch das betreuende Rote Kreuz verstanden worden war. Stärkere Mittel als solche Andeutungen setzt der Roman ja nicht ein, etwa um die fortgeschrittene Korrumpierung des humanitären Ethos auch im Militär anzuzeigen. Wir können die Antworten wieder nach vier Typen zusammenfassen. Nach den «richtigen» zählen wir als «zureichend» Feststellungen wie, daß sich auch das Rote Kreuz an einer «Schiebung» beteiligte. Ungefähres Verständnis zeigte, wer zwar erkannte, daß auch das Rote Kreuz bei «Tauschgeschäften» mitmachte, die Spitze der Kritik aber beispielsweise auf die Übervorteilung (deutscher) Verwundeter gerichtet sah und sich so von der Verbindung mit «Stalag» und von dem thematischen Kern der Pointe in einer völlig anderen Richtung wegbewegte. «Falsch» antwortete, wer die Zigaretten beispielsweise als offizielle «Spende» ansah.

Tabelle 7: *«Wie könnte das mit dem Roten Kreuz zusammenhängen?»*

Häufigkeiten und Altersverteilung
Antworten insgesamt: 45

Alter	richtig 6/13,3%	zureichend 17/37,7%	ungefähr 13/28,8%	falsch 9/20,0%
18–40		4	5	6
40–50	1	4	2	2
50–70	5	9	6	1

Die Grundtendenz bleibt auch hier erhalten. Es sind (mit 19/42,2%) weit überwiegend die Älteren, die ein richtiges oder zureichendes Verständnis zeigen. Auffällig ist jedoch der gestiegene Anteil junger Leser an zureichenden bis ungefähren Deutungen (9 von 15). Überhaupt hat diese Frage die Jungen zu größerer Beteiligung angeregt (15 von insgesamt 22 der 18–40-Jährigen), obschon die meisten von ihnen zuvor angegeben hatten, sie verstünden die Anspielung nicht. Das liegt sicherlich daran, daß hier die Erwähnung des Roten Kreuzes gegenüber dem Text akzentuiert wird. Die Aufgabe dieser Organisation ist natürlich auch den Jungen bekannt und deshalb ihr nicht korrekter Zusammenhang mit Vater Kempowskis Zigaretten besser erkennbar oder zu vermuten. Insgesamt haben sich auch mehr Leser aus dieser Frage vor allem im Bereich «zureichend»/«ungefähr» etwas machen können als bei der vorigen (30 zu 22) und sich damit der Textintention angenähert.

Bevor wir unsere Beobachtungen zusammenfassen, geben wir noch einmal zu bedenken, daß wir nur *Tendenzen* des Leserverhaltens ermitteln, nicht aber eine feste Struktur; zum andern, daß wir die Leser so intensiv mit den relevanten Textelementen befaßt haben, wie dies privat nur bei höchst eindringlicher Lektüre geschieht.

Es läßt sich sagen: Bei einer komplizierten Anspielung auf historische Sachverhalte, die eine (hier: die Zeitmoral) charakterisierende Funktion hat, besteht die ausgeprägte Neigung, ein die Schwierigkeit überbrückendes Verständnis zu entwickeln oder sich Unverständnis einzugestehen (und dann zu «überlesen»?), wozu ganz besonders junge Leser tendieren. Eine Minderheit (hier: ein Viertel) versucht dagegen sofort, sich den Text – ob aus Vorkenntnissen oder Entschlüsselungsehrgeiz – nach seiner Intention zu erschließen.

Zu einem Erschließungsversuch der ausschließlich zeitgebundenen Textbedeutung lassen sich nur wenige (18%) der jungen, aber doch ein größerer Anteil (42%) der älteren Leser bewegen. Ein exaktes Textverständnis erlangen hier auch nur die Älteren, was (mit einer Ausnahme) auch für zureichende Deutungen gilt.

Wird jedoch die historische Anspielung durch eine auch heute verstehbare Bedeutung (Rotes Kreuz) zusätzlich bestimmt, nimmt das Erschließungsinteresse junger Leser ausgeprägt zu (68% von ihrem Gesamt), während die Teilnahme der älteren konstant bleibt. Zu einer exakten Interpretation kommen die Jungen auch hier nicht, wohl aber zum selben relativen Anteil an den zureichenden Deutungen (um 18%) und zu einem überrepräsentativen Anteil an ungefährem Textverständnis (22% zu 10%).

Als *Grundtendenz* kann gelten: Ältere Leser neigen dazu, sich bei komplizierten historischen Textbedeutungen auf eine Normalisierung einzulassen. Sie befassen sich jedoch, wenn Anlaß besteht,

184

in relativ hohem Maße mit der Textstelle und kommen weit überwiegend zu textnahem Verständnis.

Junge Leser resignieren vor komplizierten historischen Textbedeutungen. Wo sie jedoch eine Entschlüsselungschance sehen, engagieren sie sich ungleich stärker als ältere, erreichen dabei zwar kein exaktes Verständnis, jedoch im selben Maße wie die Älteren Textannäherungen.

3. *Der Autor über den Text*

Die Textinterpretation, die wir bereits zur Erstellung des Fragebogens vorgenommen hatten, wird von Kempowski bestätigt, wenn auch nicht in ihrem ganzen Umfang. Es ging ihm nicht um den allgemeinen Verfall der Zeitmoral (der mit indiziert wird), sondern um Privates. Der Kern seiner Absicht war, indirekt zu zeigen, «daß sich hier der sonst so korrekte Vater auf einmal doch ‹beteiligt› hat»[315]. Auf die Frage, worin er die Sicherheiten sehe, daß die Leser die Anspielung auch verstünden, nennt er als erste Bedingung den *Kontext:* «Es handelt sich in dem ganzen Kapitel um Kriegsgefangene . . . Zwar wird das Wort ‹Stalag› nicht erklärt, aber es kommt doch heraus, daß es eine staatliche Bezeichnung ist und mit Kriegsgefangenen zu tun hat.» (*Tadellöser,* 178: «Er war ‹Oberneutlant› geworden, Ortskommandant, mußte Kriegsgefangene auf die umliegenden Güter verteilen . . . ‹Die Herrn vom Stalag in Stettin . . .›») Zum andern nimmt Kempowski an, daß sich der Bezug «Rotes Kreuz: Gefangene» herstellen würde, also die Zigaretten als Inhalt von Rote-Kreuz-Paketen erkannt würden. «Dazu kommt natürlich das Reizwort ‹Old-Gold-Zigaretten›. Die gibt es im Krieg in Deutschland nicht, die müßten Eckstein heißen oder Juno.» Schließlich meint er, daß ja fast explizit eine Verbindung hergestellt sei mit dem Satz «Irgendwie hing das mit dem Roten Kreuz zusammen.»: «Er ist natürlich eine wörtliche Rede, denn ich habe als Kind natürlich meinen Vater gefragt: ‹Wie kommst du denn zu diesen Zigaretten?› ‹Ach› sagte er, ‹das hängt irgendwie mit dem Roten Kreuz zusammen.›»

4. *Zu den Textauffassungen der Leser und des Autors*

Es gibt prinzipiell nur einen signifikanten Unterschied zwischen der Autorintention und beachtenswerten Leserauffassungen: Die Neigung der Leser, sich mit einer Anstrengung vermeidenden Überbrückungsdeutung («Normalisierung») zufrieden zu geben.

Sie drückt die Tendenz aus, nicht jeder Miniatur im *Tadellöser* auf den Grund gehen zu wollen. Die überwiegende Mehrzahl der Leser, die sich dann doch um eine genauere Erfassung bemühten, hat mit erschlossenen Textbedeutungen wie «Schiebung» (die dann ja notwendig mit der Person des Vaters verbunden sein mußte) die Intention des Autors getroffen. Diesem war es, anders als unserer Interpretation, nicht darauf angekommen, daß der Leser die Beziehungen «Stalag-Rotes Kreuz-Offiziersehre des Vaters» für sich genau artikulierte. Er hatte hier den Text zugunsten nur einer Bedeutung (Inkorrektheit des Vaters) unterbestimmt gelassen. Unsere Interpretation geht also sowohl über die Absicht des Autors wie über die Leser-Konkretisationen hinaus.

Die Frage, ob «Unkenntnis historischer Zusammenhänge» bei vorliegendem Textausschnitt ein Rezeptions-Hindernis war, muß also mehrfach beantwortet werden.

a. Unter dem Aspekt professionell *ausschöpfender Textinterpretation:* Es wurden von uns zu genaue historische Kenntnisse gefordert bzw. die Bereitschaft, sie zu aktivieren. Aus dieser Sicht sind nicht alle latenten Bedeutungen konkretisiert worden. Insofern bestand für die objektive semantische Feinstruktur ein Rezeptionshindernis.

b. Unter dem Aspekt von *thematischer Textkohärenz:* Für ein Siebtel (= 13, meist junge Leser) gibt, trotzdem sie sich nach einem ersten «Verstehe die Anspielung nicht» doch noch bemüht haben, die Textstelle überhaupt nichts her. Hier läßt sich von einem absoluten Rezeptionshindernis sprechen. Eine bestimmte Menge solcher Hinternisse würde die thematische Kohärenz des Gesamttextes für solche Leser ernsthaft bedrohen. Mehr als die Hälfte aller Leser zeigt erst einmal die Tendenz, es bei einem oberflächlichen Textverständnis zu belassen, das die charakterisierende Funktion dieser Stelle und damit ihr Thema verpaßt; ein Drittel davon bemüht sich aber in der Folge noch um ein themanahes Verständnis. Wir werten die verbliebenen 35 (= 37,6% vom Gesamt) Oberflächen-Deutungen zwar als beständige Tendenz, die thematische Textkohärenz im Sinne von Normalisierung zu verfehlen, beschränken dies aber auf den Fall, daß das Thema mit heute entlegeneren historischen Inhalten aufgebaut wird. Die restlichen 45 Leser müssen zum Gesamt der 80 (= 93–13) überhaupt zu einer Rezeption Gelangenden ins Verhältnis gesetzt werden. Nimmt man ihre maximale Verständnisleistung, die zur zweiten Frage, läßt sich sagen: 23 Leser (= 28,8%) erfassen (richtig oder zureichend) das Wesentliche der Pointe und damit das Thema. Für sie ist die Kohärenz des Textes erhalten und mit der Anreicherung des Teilthemas «Vater Kempowski» auch ein Text-Sinn gegeben. Die 13/16,3% «ungefähren» Verständnis-Annäherungen erfassen jedenfalls einige thematische Merkmale und stellen zwar nicht Kohärenz, so doch eine Form schwebenden sinnhaften Zusammenhangs der Textbedeutungen her. 9/11,3% Konkretisationsversuche scheitern.

c. Unter dem Aspekt *Autorintention:* Sie ist in diesem Fall identisch mit der Anreicherung des Teilthemas «Vater Kempowski» (daß dieser «sich hier . . . auf einmal doch ‹beteiligt› hat»), d. h. mit der Vertiefung der Personendarstellung um eine weitere «Schicht» im Text, auf deren Herstellung Kempowski ja setzt. Für sie gelten die zur Frage der Textkohärenz erhobenen Daten. Als *Tendenz* für beide Aspekte ausgedrückt: Ein gutes Viertel der Leser ist in der Lage, komplizierte Anspielungen mit historischen Inhalten zu erfassen.

5.7.3 *Wer erzählt in «Tadellöser & Wolff»?*

Schaffenspsychologisch hatten wir die Beobachtung gemacht, daß, wenn Kempowski den kleinen Walter als berichtenden Erzähler darstellt, er in die scheinbare Kinderperspektive ein gut Teil seines aktuellen Selbst eingehen läßt. Dies war zu verstehen als Ausdruck der ungewöhnlich intensiv fortlebenden Besetzung der Kindheit, anders gewendet: als ein Fortleben der Welthaltung des Zwölfjährigen im Erwachsenen. Darstellungsästhetisch bilden deshalb die Erzählinstanzen (empirischer = impliziter Autor, Ich-Erzähler) des *Tadellöser* ein Kontinuum, auf dem der «junge» vom «älteren» Walter Kempowski oft schwer unterscheidbar ist (4.4.9.2). Wir wollten Hinweise erhalten, welche der beiden Instanzen in der Sicht der Leser dominierte.

Fragebogen Nr. 49

Der Roman wird vom kleinen Walter (10- bis 15-jährig) erzählt. Für den folgenden Textabschnitt ist der Erzähler (1941) 12 Jahre alt.[316] *Lesen Sie bitte den Text!*

Der Lehrer Peule ist gefallen. «Hannes» hält die Gedenkrede.

1 Dann sprach er vom Gotterleben im Kriege. Allzu empha-
tisch hob er beide Arme, so wie er es beim Kopfrechnen
immer tat.
Das kannte man doch? Das war doch eingedrillt! Alles
5 sprang auf. Auch die Lehrer, die dicken und die dünnen,
die mit und die ohne Parteiabzeichen, wußten nicht warum,
kuckten, reckten sich. War der Kreisleiter gekommen oder
was?
Da nützte es nichts, daß Hannes wehrte. Laß doch, laß!
10 Eisern blieb man stehen. Vor mir, der Eckhoff, der stand
besonders gerade, der stand für Deutschland.
Die Zeit ist hart und wird noch härter werden
Der Kämpfer braucht stahlharte Kampfgefährten . . .
Endlich stimmte der zerknitterte Direktor das Deutschland-
15 lied an, viel zu tief, wie sich bald herausstellte.
Von der Maas bis an die Memel
von der Etsch bis an den Belt!
Und wir mußten die ganze Zeit grüßen, mit schwerer wer-
dendem Arm. Schließlich stützte man sich auf die Schulter
des Vordermannes.

---

1. *Ist das aus der Perspektive eines 12-Jährigen berichtet?*
Aus 87:
29/33,4% ☐ *Ja, weil* ....
58/66,6% ☐ *Nein* ....
2. *Wenn nein: Was spricht dagegen? Betreffende Textstellen unterstreichen!*

---

1. *Begründung der Textvorgabe*
Der Text zeigt die Mischperspektive des Romans recht prägnant.
Sie setzt sich folgendermaßen zusammen: Die Darstellungsstrate-
gie (Ironisierung) geschieht aus der Position eines Erwachsenen
(Qualifizierungen, Pointierungen), was besonders lexikalisch
deutlich wird. Sie überschneidet sich jedoch auch einmal in einer
alltagssprachlichen Wendung (7/8) mit der möglichen Position
eines Zwölfjährigen. Diese ist markiert durch die Weise, in der die
Szene erlebt wird: Kindliche Teilnahmslosigkeit vor dem Tod,
dabei genaue Beobachtung von nebensächlichen Einzelheiten.
Generell ist die kindliche Position ja durchgehend als rezeptions-
empirisch möglich dadurch eingestellt, daß nirgendwo im Roman
der Zeitpunkt fixiert ist, aus dem tatsächlich erzählt wird. Da der

Ich-Erzähler unter dem Erlebnisaspekt eines 10- bis 15-Jährigen berichtet, suggeriert sich oberflächlich zeitliche Nähe zum Berichteten bis hin zum Effekt der Zeitgleichheit (Leser OA 58: «Er schreibt ja Tagebuch.»).

2. Das Leserverhalten

Die Frage, ob die Passage «aus der Perspektive eines 12-Jährigen berichtet» sei, wird eindeutig beantwortet: 58 (66,6%) der Leser verneinen das, 29 (33,4%), nur ein Drittel also, ist dieser Meinung. Interessant ist in diesem Fall die genaue Altersverteilung der jeweils Antwortenden:

Tabelle 8: *«Ist das aus der Perspektive eines 12-Jährigen berichtet?»*

Häufigkeiten und Altersverteilung

18–25	25–30	30–35	35–40	40–70	
13	5	12	8	49	*Gesamt: 87*
2	3	3	–	21	*«ja»: 29*
11	2	9	8	28	*«nein»: 58*
6,9%	10,3%	10,3%	–	72,4%	*% aus Gruppe «ja»*
19,0%	3,4%	15,5%	13,8%	48,3%	*% aus Gruppe «nein»*
15,4%	60,0%	25,0%	–	42,9%	*% aus Altersgruppe («ja»)*
84,6%	40,0%	75,0%	100%	57,1%	*% aus Altersgruppe («nein»)*

Insgesamt stellen die 18- bis 40-Jährigen 51,7% der mit «nein» Antwortenden. Statistisch erwartbar (nach ihrem Anteil am Gesamt) wären 43,7% gewesen. Das bedeutet einen Wert von beachtlichen 8 Prozentpunkten mehr. Die Altersverteilung innerhalb dieser «nein»-Gruppe jüngerer Leser zeigt, daß insbesondere die ganz jungen (mit 11/84,6%) nicht akzeptieren, daß der Text von der Erzählperspektive eines Zwölfjährigen bestimmt ist.

Bemerkenswert anders liegen die Einschätzungen der 40- bis 70-Jährigen. Hier wären 56,3 Prozent der «nein»-Stimmen voraussehbar gewesen, das empirische Ergebnis jedoch zeigt 8 Prozentpunkte weniger. Entsprechend sind dann 72,4% ältere unter jenen Befragten, die sich für die behauptete kindliche Erzählperspektive entschieden haben. Hier beträgt ihr Anteil 16,1 Prozentpunkte mehr, als man statistisch hatte erwarten müssen.

189

Die jüngeren Leser zeigen also eine sehr ausgeprägte Tendenz, sich nicht auf die suggerierte Erzählperspektive des Textes einzulassen. Ältere dagegen neigen dazu offensichtlich in weitaus höherem Maße.

Argumente für die behauptete kindliche Erzählperspektive:
Die hier erhaltenen 20 Antworten sind altersmäßig unspezifisch. Wir analysierten jedoch nur die 14 Begründungen älterer Leser. Davon verwechseln zwei die Erzählperspektive mit der erzählten Realität selbst. Sie haben sich für Zustimmung entschieden, weil «es damals bei solchen Anlässen in den Schulen so war»[317]. Dominant aber ist die Begründung (zu der sich die übrigen 12 zusammenfassen lassen), so erlebe eben ein Zwölfjähriger und so verhalte er sich: Er habe «noch keine Beziehung zum Tod» (WD 2) und die «Äußerlichkeiten sind ihm wichtiger» (ED 102); er sei unpathetisch (WD 10) und «wirklichkeitsnah» (WC 40). «Der Text entspricht seiner Gedankenwelt» (WD 15). Diese Lesergruppe argumentiert also psychologisch. Sie hat den Eindruck kindgemäßer Optik und achtet nicht auf das Verfahren, das diese Optik für sie doch einzustellen scheint.

Argumente gegen die behauptete kindliche Erzählperspektive
Leser, die so votieren, müssen am Darstellungsverfahren selbst genauere Beobachtungen gemacht haben. Die Text-Anstreichungen, mit denen sie dann ihre Auffassung begründeten, geben wir nach den wichtigsten Häufigkeiten wieder. Eine altersspezifische Verteilung war nicht festzustellen.

Tabelle 9: *Markierung von Sätzen oder Satzteilen, die gegen die Perspektive eines 12-Jährigen sprechen*

Gesamt: 58 Leser. Prozentangaben aus der Summe aller Markierungen = 183

1. . . . der stand für Deutschland. (11)	= 35/19,1%
2. Das war doch eingedrillt! (4)	= 28/15,3%
3. . . . die mit und ohne Parteiabzeichen . . . (6)	= 26/14,2%
4. emphatisch (1)	= 25/13,7%
5. . . . die dicken und die dünnen . . . (5)	= 15/8,2%
6. Die Zeit ist hart und wird noch härter werden. Der Kämpfer braucht stahlharte Kampfgefährten.	= 14/7,7%
7. Gotterleben im Kriege (1)	= 11/6,0%

190

Bei Argument (1) handelt es sich um eine zitathafte Pointierung, nicht mehr um berichtete Wahrnehmung. Argument (2) ist nach der Wortwahl («eingedrillt») eine wertende Qualifizierung. Beide Argumente setzen urteilende Wirkungsabsichten voraus, die einem Zwölfjährigen nicht zukommen. Daß (3) und (5) häufig markiert wurden, hat Pikanterie: Hier sollte doch – ganz gegen die Regel – mit Scheinnaivität ein Effekt erzielt werden, der sich im Roman sonst von selbst einstellt: eben der genauer kindgemäßer Beobachtung von scheinbar Nebensächlichem. Das Kalkül schlägt aber offensichtlich zu sehr durch und erzeugt den entgegengesetzten Eindruck, daß dies ein Arrangement des «impliziten Autors» ist. (4) ist als direkte Äußerung unangemessen. (7) hätte als referierte Rede durchgehen können, nach der Version, der kleine Walter sei unbeteiligt durchlässiges Medium von Erwachsenen-Äußerungen. Daß die Stelle Ablehnung im Sinne der Frage gefunden hat, ist jedenfalls ein Indikator, daß bei genauer Prüfung auch diese Auffassung vom kleinen Walter sich auflösen kann. Das markige Zitat von Argument (6), für sich durchaus mögliches Spruchgut damaliger Zwölfjähriger, fällt jedoch in Verbindung mit (1), dem eifrigen Hitlerjungen Eckhoff, als Pointe aus der Kompetenz des Ich-Erzählers.

Fassen wir zusammen: Ein Drittel der Leser wählt aus der vom Text angebotenen Mischperspektive den psychologischen Aspekt. Sie sehen das Berichtete bestimmt vom kindlichen Auffassungsvermögen des Ich-Erzählers. Dabei vernachlässigen sie offenkundige Textsignale, die auf die Dominanz eines («älteren») «impliziten» Autors schließen lassen. Diese Leser gehören zu fast dreiviertel der älteren Gruppe an. (Für diese Tatsache müssen wir eine Erklärung noch hinausschieben.) Zweidrittel der Leser verneint eine kindliche Perspektive, weil herausragende Textmerkmale die Position eines älteren Erzählers (ästhetisch: die Erzählinstanz des «impliziten Autors») festlegen. Hierbei sind die jüngeren Befragten erheblich überrepräsentiert. Wir haben damit den empirischen Beweis dafür erhalten, daß Leser – werden sie gehalten, sich das bewußt zu machen – sehr wohl erkennen, daß im Text ein «Erzähler des Erzählers» dominiert.

3. *Der Autor über den Text*
Kempowski bestreitet nachdrücklich, die Fiktion eines 10- bis 15jährigen Erzählers beabsichtigt zu haben.[318] Trete sie für den

Leser auf, begründe sich das ganz anders. Wir haben in unserer schaffenspsychologischen Analyse diesen Grund bereits einmal angeführt (4.4.9.2). Kempowski versteht sich als «naiver» Schreiber, pointiert: «aus kindlichem Herzen heraus». Der scheinbar kindliche Erzählwinkel sei nicht kalkuliert, sondern stelle sich eben ein, weil er der genuine des Autors Kempowski sei. Mit diesem verhalte es sich eben so

> «. . . daß ich mein Lebensalter habe, an das ich mich fixiert habe . . . Wahrscheinlich . . . als ich 11 wurde oder 12 oder 10. . . . Zur Erzähler-perspektive würde ich also sagen, das ist meine Lebenshaltung . . . dieses sachliche Alter der 10jährigen.»

Mit vierzig sei dieses sachliche Alter dem Erwachsenen potentiell wieder erreichbar: «Man hat mitunter zwanzig Jahre damit zu tun, wieder in diese vorpubertäre Menschenunschuld zurückzufinden.» Es handelt sich also um ein Selbstkonzept, dem wir bereits viel psychologische Gültigkeit zugestanden haben. Es versteht die tief motivierte Regression auf «Kindheit und Familie» im Schaffens-prozeß zu Recht als naiv verfügbaren Bestandteil des aktuellen Selbst. Natürlich muß dies Selbstkonzept nun auch verstehbar machen, was wir ganz anderen Motiven und Gegenzwängen unter-liegen sehen haben: den Verzicht auf die eigene Persönlichkeit, auf Gefühl und teilnehmende Innensicht der im Roman dargestellten Eltern. Dieser Verzicht zugunsten des notwendigen Darstellungs-verfahrens hatte jedoch auch im *Tadellöser* noch gegen intensive Strebungen durchgesetzt werden müssen. Es wird jetzt unzutref-fend dem Konzept unterstellt, das nun den Weg über die phantasti-sche Kafka-Phase, die schwierige Gewinnung des *Block*-Verfah-rens bis hin zum *Tadellöser* als endgültige Rückkehr zur kindhaft-naiven Sachlichkeit («vorpubertäre Menschenunschuld») begreift. Allerdings zeigt sich hier an, daß Kempowski jetzt (1977) sich tatsächlich zu seinem Darstellungsverfahren nicht mehr in Diffe-renz sieht. Auch dessen Kalküls kann er jetzt naivem Hervorbrin-gen zuschlagen: «Nie, daß ich eine bewußte Raffiniertheit etwa anstrebe.»

4. *Zu den Textauffassungen der Leser und des Autors*
Wenn wir beide Textauffassungen aufeinander beziehen, können wir bei den Lesern natürlich nur von Tendenzen sprechen, die allerdings ausreichend markiert sind.

Um eine Gemeinsamkeit zwischen Autor und Lesern festzustellen, müssen wir uns auf ein scheinbares Paradox einlassen: Gerade jenes Leserdrittel, das die Suggestion des kindlichen Ich-Erzählers willig annimmt, trifft sich mit der Interpretation des Autors, der die Absicht dieser Suggestion nachdrücklich bestreitet. Beide haben für den Erzählwinkel des Textes dieselben Argumente: Sachlichkeit (und verwandte Bestimmungen). Das Paradox löst sich im Psychologischen auf. Wie gezeigt, reagierten diese Leser auf eine erspürte psychische Realität im Text, ganz gegen alle Merkmale des Darstellungsverfahrens, die ihn als hochgradig kalkuliert auswiesen. Sie haben damit genau jenes «kindlich»-sachliche Weltverhältnis erfaßt, das auch der Autor für sich in Anspruch nimmt.

Nun ist das nur ein Teil der Wahrheit. Zweidrittel der Leser schließen von der kalkulierten Textorganisation auf einen «älteren» Erzähler; nach Ausweis der Argumente auf einen, der bewußt ein literarisches Verfahren handhabt. Natürlich haben sie genauso recht, nämlich in einer anderen Wahrnehmungsdimension des Textes. Es gibt offensichtlich kein Motiv für sie, seine Machart zu übersehen zugunsten eines psychologischen Eindrucks. (Das könnte uns auch erklären, warum fast alle jungen Leser so reagieren: Sie engagieren sich nicht am für sie fernen Ich-Erzähler, während er für viele Ältere Erinnerung an die eigene Jugend bedeuten mag.) Hier tritt eine Differenz zur Textauffassung des Autors auf, insofern, als diese die Erkennbarkeit des einst bewußt eingesetzten Verfahrens außer Acht läßt.

Was haben wir nun zur Erzählperspektive in Erfahrung gebracht? Von den Lesern wie vom Autor haben wir bestätigt bekommen, daß sich im Roman ein Kontinuum von Erzählinstanzen vorfindet, auf dem der Leser (auch der Autor als nachträglicher Leser) die Position wählen kann, die er rezipieren will. Diese Wahlmöglichkeiten liegen zwischen der die Rezeption begleitenden Erkenntnis des Darstellungsverfahrens und einer es ausblendenden psychischen Option.

5.7.4 *Symbol und Kapitelschluß: Tendenzen der Erfassung*

Wie die meisten Textblöcke bleiben auch die Kapitel (Abschnitte) des *Tadellöser* überwiegend «offen». Sie eröffnen einen Imaginationsspielraum, der jedoch – wenn auch in unterschiedlichem

Maße – vom Text bestimmt wird. Es kann sich dabei um eine Pointe handeln, in der eine Thematik kumuliert, oder auch um ein bloßes Auslaufen eines Themas, indem eine Aussagenreihe willkürlich abbricht. Die Eröffnung eines Spielraums wird gewöhnlich noch typographisch durch das Freibleiben der restlichen Kapitelseite unterstützt. Phänomenologisch könnte man mit Iser von einer «Leerstelle» als «ausgesparter Anschließbarkeit»[319] an das nächste Kapitel sprechen, das im *Tadellöser* in der Regel mit neuer Thematik einsetzt. Der Leser wird hier besonders aktiviert: «Als Unterbrechung der Textkohärenz transformieren sich Leerstellen zur Vorstellungstätigkeit des Lesers . . . es gilt, das Vorenthaltene durch Vorstellungen zu besetzen.»[320] Empirisch müssen wir eine solche «Leerstelle» als Stimulus für Assoziationen auffassen. Im vorliegenden Fall ist die «richtige» Assoziationsbahn von der Textintention her genau festgelegt. Wir wollten von den Lesern erfahren:

1. Wieweit waren sie bereit, die symbolisierende Pointe mit etwas Anstrengung zu erschließen?

2. Welche der möglichen Deutungs-Vorgaben bevorzugten sie?

3. Erfaßten sie die symbolisierende Pointe über die im Text angelegte Assoziationsbahn?

4. Welche anderen Möglichkeiten hatten sie, den über den nicht anschließbaren Kapitelschluß eröffneten Spielraum zu füllen?

Fragebogen Nr. 43

Sie lesen nachfolgend einen typischen Kapitelschluß. Das Damenkränzchen tagt bei Kempowskis. (Es ist 1942.) Walter hört zu.

Ihrem Sohn, dem stehe der Sinn auch nicht nach Musik, sagte Frau Amtsgerichtsrat Warkentin und setzte sich zurecht. Neulich sei er dagewesen. («Ach . . . auf Urlaub? schön!») «Mutter», habe er gesagt, «du mußt mir Zeit lassen, viel Zeit.» «Junge», habe sie gesagt, «geh doch mal über den Rosengarten, damit du auf andere Gedanken kommst . . .» Aber nein, immer zu Hause gesessen.

«In der Küche steht noch eine halbe Melone, mein Jung', die nimm dir man, die darfst du essen . . .»
Laßwitz, Kurt: «Auf zwei Planeten».

194

Was fängt der Leser mit den letzten zwei Sätzen an?
Aus 86:

14/16,3% ☐ *Versteht er sie als Erinnerung Walters ohne besondere Bedeutung und liest darüber hinweg?*

72/83,7% ☐ *Versucht er, etwas damit anzufangen?*

Mögliche Beispiele (Mehrfachanstreichungen möglich):
Aus 72:

44/61,1% ○ *Frau Warkentin erzählt etwas, was der Junge nicht hören soll; er wird in die Küche geschickt.*

29/40,3% ○ *Das Buch von Laßwitz liegt in der Küche herum; der Autor erinnert sich also noch genau daran. Der Leser soll das merken.*

17/23,6% ○ *Die Erwähnung einer Melone soll im obigen Textzusammenhang etwas bedeuten.*

34/47,2% ○ *Irgendetwas im obigen Text bringt Walters Gedanken auf «zwei Planeten».*

28/39,0% *Wenn sie der Meinung sind, was bewirkt die Assoziation? (Stichworte) ....*
...
...

Aus 86:
10/11,6% ☐ *Die Phantasie des Lesers schweift hier ab.*

Man erinnert sich an selbsterlebte ähnliche Situationen; an ähnliche Buchtitel vielleicht; an (Stichworte) ....
...
...

16/18,6% ☐ *Eventuell noch andere Beispiele, wie Sie den obigen Kapitelschluß verstehen: (Stichworte) ....*
...
...

---

1. Begründung der Textvorgabe

Sie stellt, wie schon beschrieben, einen typischen «offenen» Kapitelschluß dar. Der Abdruck des Textes im Fragebogen entspricht etwa seiner Präsentation im Buch: Dort folgt eine ¾-Leerseite, der Folgetext ist nicht sichtbar. Typographisch eröffnet sich ostentativ ein Leerraum, es gibt eine Pause in der Lesefolge. In diesen Leerraum strahlt semantisch das letzte Textblöckchen ein. Dies läßt das Teilthema «Krieg, Frieden, Fronterlebnis, Heimat» in eine Pointe einlaufen, die jedoch nicht abschließt, sondern – wie unabsichtlich – das Dilemma markiert und es gerade erst bedenkenswert macht. Die Struktur dieser beiläufigen Pointe ist zweistufig: Der erste Textblock legt die Bedeutung «Fronterlebnis vs. Heimat» fest; der zweite läßt den Ich-Erzähler über die Formähnlichkeit einer Melone den Buchtitel «Auf zwei Planeten» erinnern. Für den Leser soll hier nach der Textintention über eine rückläufige Assoziationsbahn sich der Sinn «Front und Heimat sind zwei Welten» erschließen. Deren Mittelglied «Melone» gehört dabei in die mögliche Assoziationsperspektive des Jungen, die sein Verständnis des eben Gehörten wie unabsichtlich symbolisiert. Genau genommen, handelt es sich hier um ein durchaus raffiniertes Spiel mit der Erzählperspektive, der nur halbbewußt medialen eines Kindes und der symbolisierenden aus der objektiven Textorganisation. Je nach dem Annäherungsgrad an die Stufen der Pointe stellen die Leser thematische Kohärenz zwischen den beiden Textblöcken her und erschließen sich über die Erfassung des Symbols auch einen ästhetischen Reiz. Je nach ihrem Verständnis der letzten zwei Sätze bewältigen sie auch deren «ausgesparte Anschließbarkeit» als «Leerstelle» – indem sie sie einfach ignorieren oder aber den eröffneten Vorstellungsspielraum nutzen, sei es biographisch-erinnernd, sich einfühlend oder auf andere Weise.

2. *Das Leserverhalten*

Ein Sechstel der Leser akzeptiert die Vorgabe «ohne besondere Bedeutung» und bezeichnet die Neigung, über den Schluß hinwegzulesen. Es sind (nach Ausweis der Erfassungslisten) wieder genau diejenigen, die schon bei der Erschließung einer historischen Anspielung (Old-Gold-Zigaretten, 5.7.2) sich sofort mit einer Normalisierung oder gar mit «verstehe nicht» begnügten: weit überwiegend ältere (11 von 14). Diesmal läßt sich diese Gruppe auch auf die weiteren Detailfragen nicht mehr ein. Über vier Fünftel versuchen, mit dem Kapitelschluß etwas anzufangen (s. Tabelle 10 auf S. 197).

Die höchsten Stimmanteile bekommt die zutreffende lebensweltliche Deutung, Walter werde fortgeschickt, weil er nicht mehr zuhören soll. Junge wie ältere Leser votieren hier nach ihrer statistischen Erwartbarkeit. Man kann natürlich vermuten, daß die älteren eher den Grund (die defaitistischen Reden der Frau Warkentin) erkannt haben, während den jüngeren nur die Situation bekannt vorkam. Jedenfalls dürfte dies Textverständnis in der Normalrezeption dort dominieren, wo die Pointe nicht bemerkt oder verstanden wird.

Tabelle 10: «*Versucht er, etwas damit anzufangen?*
Mögliche Beispiele (Mehrfachanstreichungen möglich):»

Häufigkeiten und Altersverteilung. Prozentangaben bezogen auf das jeweilige Gesamt

18–40	40–70	Gesamt	
32/44,4%	40/55,6%	72/100%	Versucht er, etwas damit anzufangen?
19/43,2%	25/56,8%	44/61,1%	Frau Warkentin erzählt etwas, was der Junge nicht hören soll; er wird in die Küche geschickt.
9/31,0%	20/69,0%	29/40,3%	Das Buch von Laßwitz liegt in der Küche herum; der Autor erinnert sich also noch genau daran. Der Leser soll das merken.
4/23,5%	13/76,5%	17/23,6%	Die Erwähnung einer Melone soll im obigen Textzusammenhang etwas bedeuten.
15/44,1%	19/55,9%	34/47,2%	Irgendetwas im obigen Text bringt Walters Gedanken auf «zwei Planeten».
12/42,9%	16/57,1%	28/38,9%	Stichworte hierzu

Das zweite Deutungsangebot bezieht sich auf das Darstellungsverfahren selbst, also auf seine ostentative Ausstellung erinnerter Details (hier des Buchtitels). Einer relativ hohen (40%) Zahl der Leser scheint auch diese verfahrensanalytische Beobachtung, die die erste Deutung nicht ausschließt, plausibel. (Die auffällige Altersverteilung ist nicht sinnvoll interpretierbar.)

Die dritte Vorgabe («Erwähnung einer Melone») sollte etwas auf die Pointe einsteuern, hat diese Aufgabe aber nicht erfüllt. Sie ist überwiegend als bloße Vermutung gewählt worden. Nur 7 der 17 hier Votierenden kommen dann zu einer Entschlüsselung. Die angebotene Assoziationskette wird offenbar nicht spontan erfaßt, sondern erst durch die nun folgende engführende Frage, die zu mehr Konzentration auffordert. Sie hebt – wie es auch seiner Funktion im Text entspricht – das Endglied der Assoziationskette hervor und macht auf deren Existenz aufmerksam: «Irgend etwas im obigen Text bringt Walters Gedanken auf ‹zwei Planeten›.»

28 Leser machten hierzu Angaben. Davon waren schließlich 19 insoweit «richtig» als sie den Buchtitel «Zwei Welten» mit dem

Gegensatz «Front/Heimat» zusammenbrachten und somit dessen Pointierung erfaßten. Muster: «Zwei Planeten = der große Unterschied zwischen dem Geschehen an der Front und dem Leben zuhause.» (ED 102) Die Pointe ist also nur von einem guten Viertel der mit diesem Fragekomplex befaßten (72) Leser verstanden worden. Das reizvolle Valeur schließlich, daß man damit ja die vom Ich-Erzähler wie nicht begriffen schon hergestellte Assoziation (Melone → «Zwei Planeten») nachvollzog, erkannten nur 7 Leser. Ein Zehntel also aller damit befaßten 72 Leser hat die assoziative Gesamtstruktur des kapitelschließenden Symbols erfaßt, ein Sechstel (16,7%) hat es sich durch Assoziation von Entsprechungen verständlich gemacht. Bei den restlichen 9 («falschen») Symbolentschlüsselungen handelt es sich um lebensweltliche Assimilierungen des Textes im Sinne biographisch bestimmter Assoziationen vom Typus: «1942 gab es meines Wissens keine Melonen zu kaufen.» (WD 13)

Wir fassen diese 9 Angaben mit den 26 Antworten zusammen, die wir auf die letzten beiden Fragen erhalten haben. Die befragungstechnische Analyse der Daten hat gezeigt, daß wir sie nur als allgemeine Tendenzen dafür werten können, wie der Kapitelschluß alternativ zum Symbolverständnis rezipiert wird.[321] Sie lassen sich unter drei Kategorien fassen:

1. *Allgemein lebensweltliches Verständnis*
Hier wird der Kapitelschluß, wohl seiner Knappheit wegen, «erklärt» und die vom Text umrissene Situation «vervollständigt». 6 der 35 Leser haben so reagiert. Muster:

«Als Trost, daß Walter in die Küche geschickt wird, bekommt er eine Melone.» (GB 69)
    «Walter sind die Frauen da egal. Er muß anstandshalber ‹Guten Tag› sagen, ist mit seinen Gedanken aber woanders.» (OR 48)

Dieser Konkretisationstyp bleibt dem Textinhalt verhaftet, erfaßt aber nicht seinen Sinn. Auf Komplettierung des Situationsverständnisses bedacht, macht er auch vom Spielraumangebot keinen Gebrauch.

2. *Autobiographisches/historisches lebensweltliches Verständnis*
Diese 21 Leser verstehen den Kapitelschluß ebenfalls von der dargestellten lebensweltlichen Situation her, interpretieren diese

aber aus eigener biographischer Erfahrung oder aus historischer Kenntnis. Es ergeben sich drei Gruppen. Acht Leser beeindruckt sehr verständlich die Erwähnung einer Melone:

> «Melonen gab es damals nicht!» (ED 109)
> «Melonen waren Schwarzmarktbeschaffungen.» (WC 38)

7 Antwortende erkennen offenbar aus eigener Erinnerung den Grund, warum Walter fortgeschickt wird.[322] Er solle (Erziehungsvokabel) «abgelenkt» werden, wohl, weil Frau Warkentins Reden defaitistisch zu werden drohen:

> «Ablenkung von dem Gespräch der Damen.» (OA 54)
> «Eigene Erinnerungen. 1942 gab es Zweifel.» (WD 04)

6 Leser schließlich versetzen sich, dabei etwas ungenau deutend, in die Lage der beteiligten Damen. Muster:

> «Die Mutter möchte dem Jungen etwas Gutes tun, denn sie hat ihn ja noch bei sich.» (ED 103)

Von diesen 21 Lesern wird der von den Schlußsätzen eröffnete Spielraum zu biographisch-historischen Exkursen genutzt. Zumindest die letztgenannten 13 Angaben nähern sich dem intentionalen Text-Sinn an, alle 21 bedenken das Thema «Krieg». Phänomenologisch interpretiert, ist die vom Kapitelschluß produzierte «Leerstelle» ausgefüllt. Empirisch haben wir es mit Assoziationen zu tun, die in einem wesentlich geringeren Grad als die das Symbol erfassenden vom Text gesteuert sind.

3. Verfahrensorientiertes Verständnis; Buchtitel

8 Befragte geben dem Spielraum aus analytischer Position Inhalte, indem sie sich überlegen, was vom Darstellungsverfahren her beabsichtigt war. Muster:

> «Daß der Leser darüber nachdenkt, was das Buch von Laßwitz beinhalten könnte.» (WD 12)

Es stört bei diesen Antworten nicht, daß sie das Verfahren reflektieren. Diese Haltung wird ja in einzelnen Abschnitten der Befragung angesprochen und ist schließlich auch ein passagerer Bestandteil des normalen Lesevorgangs. Das Manko ist nur, daß die vermuteten Spielraum-Inhalte bis auf zwei assoziierte «ähnliche Titel»[323] nicht konkretisiert werden. Die Antworten zeigen also nur an, daß der Aufforderungscharakter des eröffneten Freiraums erfaßt wurde.

Fassen wir zusammen:

1. *Verstehen des Text-Sinns:* Ein Sechstel der Leser zeigt die ausgeprägte Tendenz, sich nicht darum zu bemühen. Die verbliebenen 72 produzierten insgesamt hierzu 90 Konkretisationen (Vorgaben plus offene Fragen, *ohne verfahrensorientierte Antworten*). Von diesen erfaßten 32/35,6% in sehr unterschiedlichen Verständnisgraden den intentionalen Text-Sinn. Die Mehrheit von 58/64,4% jedoch stellt eine inhaltlich ergänzende Ausdeutung der umrissenen lebensweltlichen Situation dar oder eine Sinn-ferne Interpretation aus eigener biographischer Erfahrung beziehungsweise aus historischen Kenntnissen.

2. *Erkennen und Nutzung des Spielraums:* «Offenheit» als Textqualität kann nur heißen, daß der Vorstellungsspielraum als Angebot erfaßt und, je nach Disposition, möglichst auch gefüllt wird. Das einfache «Überlesen» der Bedeutungen im Kapitelschluß und folglich der mechanische Anschluß an das nächste Kapitel durch ein Lesersechstel (von 86) ist somit gar nicht qualifizierbar. – Da diesmal auch die *verfahrensorientierten* Antworten zu berücksichtigen sind, gehen wir von 127 Konkretisationen der verbliebenen 72 Leser aus: Die insgesamt 50/39,4% Optionen für die inhaltlich ergänzende Situationsdeutung («Frau Warkentin erzählt etwas . . .») stehen nicht für ein Überschreiten der Textgrenze in einen Imaginationsfreiraum; eine mögliche «Steigerung der Vorstellungstätigkeit» (Iser) mag hier indiziert sein, sie komplettiert jedoch nur das vom Text Umrissene und zielt nicht darüber hinaus. Die 37/29,1% Voten für die Beobachtung am Verfahren («. . . Der Leser soll das merken.») beziehungsweise die expliziten Überlegungen dazu zeigen eine besondere Weise möglicher Spielraum-Nutzung an: das Bedenken der biographisch verbürgten Qualität des Erzählten mit den daraus folgenden Möglichkeiten, dazu zu assoziieren. Empirisch idealtypische Spielraumfüllungen stellen die 21/16,5% Konkretisationen dar, in denen Leser auf einen Text-Stimulus mit biographisch-historischen Exkursen reagieren. Schließlich die Symbolisierung im Kapitelschluß: Sie präzisiert den Text-Sinn «Fronterlebnis vs. Heimat», macht ihn gerade über den erschwerten Prozeß seiner Erfassung bedenkenswert und eröffnet somit ostentativ einen Imaginations- oder Reflexionsraum über die Textgrenze hinaus. Diese Intention wird allerdings nur in 19/15% Fällen konkretisiert, die genaue Struktur der Pointe wird sogar nur von 7/5,5% Konkretisationen nachvollzogen. – Auf *Grundtenden-*

zen vereinfacht läßt sich also feststellen: Von 127 Fällen wird der vom Kapitelschluß eröffnete Spielraum zu 60% genutzt oder in seiner möglichen Nutzung markiert.

3. Der Autor über den Text

Auch Kempowski schätzt das kapitelschließende Blöckchen als für den *Tadellöser* «typischen Schluß» ein. Aus dem schon erwähnten durchschossenen Exemplar des Romans zitiert er seine spätere Notiz «typischer Schluß, siehe Harz-Kapitel»[324]. Damit ist auch schon das Pointierungsverfahren angesprochen. Die «Harzreise» schließt mit der möglichen doppelten Bedeutung einer alltäglichen Situation:

> «Los, Kinder, kommt! Es wird jetzt höchste Zeit.
> Frau von Schmidt schloß alle Fenster.»

Assoziiert man, was nur indirekt vermittelt worden ist, den drohenden Kriegsausbruch, ist es auch deshalb «höchste Zeit». Nach der erinnerten Absicht Kempowskis wird der latente – aber genaue – Sinn «Ende des Friedens» durch das nachdrückliche und sachlogisch kaum begründete «schloß *alle* Fenster» abschließend verstärkt. Für solche Schlüsse gelte: «Wenn der Leser das Buch zuklappt, hallt das noch nach.»[325]

Diese Struktur des resümierenden «offenen» Schlusses, der einen latenten genauen Sinn anbietet, finde sich auch in unserem Fall:

> «Es ist so gemeint. ‹Zwei Welten›: Auf der einen Seite ein Junge, der an der Front steht, es ist wohl der Höhepunkt des Krieges, Stalingrad-Zeit. Und die sitzen hier und trinken Kaffee . . . Das Buch hat (Walter) dann (in der Küche) daneben liegen.»

Auch der (in 4.3.3 erörterte) ästhetische Eingriff, erinnerte «Tatsachen» wie Objekte assoziationsträchtig auszustellen, wird von Kempowski gekennzeichnet:

> («In der ersten Auflage) steht noch ‹Kurt Laßwitz›. Ich habe das dann umgedreht, um es zu betonen, so, daß es sich fast um eine Bibliothekseintragung handelt. Das wirkt natürlich viel statischer.»

Den von der objektiven Textorganisation gemeinten komplexen Aufbau der Pointe rekonstruiert Kempowski jedoch nicht. Dieser läuft über die Erwähnung der Melone. Nach Kempowski stattet die Erwähnung den Bericht mit einem lebensweltlichen historischen

Detail aus, das zugleich stutzig machen wie der Realitätstreue versichern soll:

> «Wo haben sie denn die Melone her? Die kommen ja aus Rußland: Das ist die Zeit dieser riesen Melonenernten, wo hier ganze Güterzüge mit Melonen reinkamen. Und die Russen kriegten sie nicht, und man sah noch die verhungerten Kriegsgefangenen. Das ist so eine gewisse Wohlhabenheit, was das Essen angeht . . . (Aber stutzen) müssen (die Leser), denn in Deutschland gibt es keine Melonen. Wo haben die die her mitten im Krieg?»

In seiner erinnerten Absicht kam es Kempowski damit also auf einen interessanten Nebenzug der berichteten Situation an, über den sich – aus Erfahrungswissen oder historischer Kenntnis – der Leser ein zusätzliches Stück alltagsweltlich wirksamer Zeitgeschichte hereinholen kann. Die vom Autor angelegte Pointierung hätte somit die einfache assoziative Analogie-Struktur «Buchtitel: Fronterlebnis vs. Heimat».

4. *Zu den Textauffassungen der Leser und des Autors*
Die Frage ist, wieweit der Text mit zwei seiner wichtigsten – vom Autor bestätigten – Verfahrensstrategien den Leser erreicht. Einmal bietet er zurückhaltend einen Text-Sinn an, indem er eine Korrespondenz von Bedeutungen in zwei Blöcken festlegt. Man kann dies als Maximum an Direktive des ja auf Sinn-Verzicht abgelegten Verfahrens bezeichnen («Zuschütten der Tendenz»):

Zwei Drittel der beachtenswerten Konkretisationen verfehlen diesen Sinn. Stehen sie aber damit in erheblicher Distanz zum Autor? Nach seinen Schreibregeln urteilend, wird man dies nicht sagen dürfen. Kempowski hat mehrere «Schichten» angelegt, konkretisiert wird hier eben nur die inhaltlich-narrative. Darunter finden sich – obschon sinn-fern – immerhin auch einige, die auf den kalkulierten Stimulus («Wo haben die denn die Melone her?») mit eigenen biographischen Bedeutungszuschreibungen reagieren, also leserseits eine weitere «Schicht» des Textes herstellen.

Daß nur ein Drittel der Konkretisationen den intendierten Text-Sinn (in unterschiedlichen Annäherungsgraden) erfaßt, entspricht dem Ergebnis in 5.7.2. Dort ergaben sich zum Teilthema «Vater Kempowski» 28,8% Deutungen, die über eine charakterisierende indirekte – historische – Anspielung sich eine latente Sinn-Schicht erschlossen haben. Hier drückt sich eine Tendenz aus: Um ein Drittel der Leser konkretisiert die unter der Text-Oberfläche

angelegten Bedeutungen und stellt einen intentionalen, aber latenten, Text-Sinn her.

Nach Kempowski eröffnet der Text zwei mögliche Assoziations-
felder als Spielraum: über eine historisch-lebensweltliche Bedeutung («Melone») und über den symbolisierend pointierten offenen
Schluß – zwei Stimuli, die er auseinanderhält.

Dem entsprechen 60% der Konkretisationen. Die *Tendenz* ist
formulierbar, daß die Strategie des lediglich signalhaften Anreizes
(«Melone») und die der kalkulierten Aussparung (Offenheit) die
überwiegende Mehrzahl der Leser erreicht.

Thematische Textkohärenz: Die Füllung des Spielraums bedeutet noch nicht Herstellung thematischer Textkohärenz, die sich ja
hier nicht auf den Anschluß an das Folgekapitel beziehen kann,
sondern auf die Erfassung des thematischen Zusammenhangs der
kapitelschließenden Blöckchen, also hier auch des Text-Sinns. Die
Konkretisationen stellen in ihrer Mehrheit (64,4%) einen thema-
fernen inhaltlichen Oberflächen-Zusammenhang her, indem sie
die Blöckchen-Inhalte zu einer lebensweltlichen Situation zusammenfassen. (In der vergleichbaren Textvorgabe zu 5.7.2 verhielt
sich so tendenziell die Hälfte der Leser.) Da in unserem Fall der
Text-Sinn mit dem Thema wiederum identisch ist, hat also nur ein
Drittel sich hier einen thematisch kohärenten Text erlesen.

Unsere professionell *ausschöpfende Interpretation* der *Pointen-
Struktur* wurde nun vom Autor nicht bekräftigt. Dennoch ist diese
Struktur objektiv und nachvollziehbar gegeben. Nur ein Viertel
der damit befaßten (72) Leser hat die Pointe überhaupt verstanden, nur ein Zehntel sie in ihrem exakten Aufbau erfaßt und sich
damit ein reizvolles ästhetisches Valeur erschlossen.

5.7.5 *Unterbestimmter Blöckchenschluß und Assoziationsver-
halten*

Im vorhergehenden Abschnitt haben wir es mit einem Beispiel für
das Darstellungsverfahren zu tun gehabt, in dem der «offene»
Schluß eines Kapitels vom Text intentional stark gesteuert wurde
und sowohl ästhetisch wie semantisch durchstrukturiert war (symbolisierende Pointe). Der latente Text-Sinn war mit dem Thema
(Bedeutungszusammenhang) der beiden Blöckchen identisch. *Innerhalb* der Kapitel wird neben dieser auch dort eingesetzten

Strategie noch nach einer anderen verfahren: Zwar fügen sich die Blöckchen zu Bedeutungssequenzen, sind somit in einem einfachen Verstande thematisiert; doch die Textgrenze der Blöckchen ist unterbestimmt, eine Reihe von Aussagen etwa bricht plötzlich ab, der letzte Satz öffnet sich unvermittelt in den Freiraum vor dem nächsten Textsegment. Dieser Satz ist überdies nicht nur in seiner Gerichtetheit unterbestimmt, sondern in seiner Aussage auch nach seinem Zusammenhang mit den vorhergehenden Aussagen, insofern semantisch beispielsweise Begründungen fehlen und syntaktisch unverbundene Reihung vorherrscht. Wir haben diese *Implizitheit* von Bedeutungen und Bedeutungsverbindungen bereits zum *Block* als ein wesentliches Element von Kempowskis Darstellungsverfahren erörtert, das sowohl hohe Leserbeteiligung wie Rezeptionsschwierigkeiten bewirkt (3.3.2). Tatsächlich ergab ja auch die Befragung, daß die Leser vor allem die Fraktionierung des Textes und den scheinbaren Mangel an innerem Zusammenhang anfänglich als erhebliches Lektüre-Hemmnis empfunden haben (5.6.1).

In der folgenden Frage, die wie ein Assoziations-Experiment angelegt ist, haben wir nach dem Eindruck des letzten Satzes eines Blöckchens gefragt, der nach seiner Funktion repräsentativ für das eben beschriebene Verfahren ist.

Wir wollten erfahren:

1. Reagieren die Leser auf den Satz als von seinem Kontext «freien Stimulus» und wie assoziieren sie?

2. Inwieweit stellen sie den (impliziten) Binnen-Zusammenhang des Blöckchens her und integrieren den letzten Satz?

3. In welchem Umfange laufen vom Gesamt-Text oder vom letzten Satz Assoziationen über den Text hinaus?

Fragebogen Nr. 41

Nach dem Bombenangriff verläßt die Familie die Stadt und zieht für eine Weile in den Ort, an den der Vater versetzt wurde.
Dort machen die Kempowskis einen Besuch beim Pastor Vorndran. Einer der Absätze, die diesen Besuch beschreiben, folgt hier. Lesen Sie ihn bitte.

Ich wurde zu den Kindern gesperrt, in ein Zimmer voller Betten. In der Mitte ein Riesentisch, man quetschte sich daran vorbei. In der Ecke ein weiß lackierter Waschtisch mit Steingut-Wasserkanne und -schüssel.

Ein älterer Sohn, ein achtjähriges Mädchen mit Namen
Trudi, Zöpfe, und zwei kleinere Geschwister.
Der Junge stand sofort auf.
«Hier faßt keiner was an!» sagte er und zeigte auf ein
Mikroskop, das da stand. Er ging durch die Glastür in den
Regen hinaus.

Wenn Sie *den letzten Satz lesen*, versuchen Sie, sich *irgendetwas dazu
vorzustellen!*
Einen Sinn muß es ja haben, daß dieser Satz da steht.
→ *Lesen Sie den ganzen Text noch einmal!*
→ *Jetzt haben Sie 15 Sekunden!*
Was, *einerlei was*, fällt Ihnen *spontan* zum *letzten Satz* ein? (Stichworte) ....
Beteiligte Leser: 85 ....
18–40 Jahre: 36/42,4% ....
40–70 Jahre: 49/57,6% ....

1. *Begründung der Textvorgabe*
In der Erläuterung des Fragebogens wurde bereits beschrieben, für
welche *Tadellöser*-spezifische Verfahrensweise der Textausschnitt
repräsentativ ist: Offenheit durch ästhetisch-semantische Unterbestimmtheit im Gegensatz zur zuvor analysierten Strategie der
gerichteten, intentional den Leser steuernden Offenheit.
   Die Frage hat an der Oberfläche eine «Stimulus-Response»-
Struktur. Der letzte Satz des Blöckchens ist semantisch-syntaktisch
nicht zureichend in den Text rückgebunden, angeschlossen ist er
lediglich durch die pronominale Ersetzung (der Junge → er). Das
Hinausgehen des Jungen ist im Kontext nur implizit begründet.
Abgehoben wird der Satz durch «die Glastür», die der bestimmte
Artikel gegenüber der vorhergehenden Beschreibung («*ein* Riesentisch» usw.) wie selbstverständlich setzt und mit scheinbarer
Bedeutung beschwert, sowie besonders durch das unmotivierte «in
den Regen hinaus». In dieser Hervorgehobenheit und in seiner
graphischen Freisetzung kann der Satz die Eigenschaften eines
Stimulus für Assoziationen annehmen.[326] Diese Assoziationen
werden uns als Vorstellungen (Bedeutungen, Sinn-Findungen)
und Stimmungen interessieren. Sie können auftreten als Bestandteile eines allgemeinen typisierten Wissensbestandes, worin sie als
Bedeutung oder Nebenbedeutung (Konnotation) mit dem Stimu-

lus in dieselbe Klasse gehören, oder sie treten als private Bedeutungszuschreibungen auf. Diese Unterscheidungen[327] sind nützlich, um die Assoziationsinhalte der Leser grob klassifizieren zu können.

2. Das Leserverhalten

Auf den letzten Satz als einen «freien Stimulus» reagierten 16,4% der Leser, eine für unsere Erwartungen recht geringe Anzahl:

Tabelle 11: *Kontext-Freiheit*

Häufigkeiten und Altersverteilung.
Prozentangaben vom Gesamt: 85

Alters-gruppe	Letzter Satz als kontextfreier Stimulus	Bevorzugte Stimuli im Satz:	
		Regen	Glas
18–40	7/8,2%	7	2
40–70	7/8,2%	3	1

Bemerkenswert ist außerdem eine inhaltliche Altersspezifik: Die jungen Leser assoziieren sämtlich eigene Stimmungs-Vorstellungen zum Wort «Regen», die Älteren beziehen diesen Stimmungsreiz ausdrücklich auf das Befinden des Jungen (3) oder sie bezeichnen die vermeintliche Wirkungsabsicht des Satzes, sie bleiben distanziert. Muster für Assoziationen der jüngeren Leser:

«Herbst, Einsamkeit, Regenschirm, Oktober, Laub, Äste.»(OR 47)
«Dunkel, ungemütlich, kalt, Flucht, trostlos.» (OA 61)

Es fällt an diesen repräsentativen Beispielen überdies auf, daß die Jungen wie im linguistischen Ein-Wort-Experiment nach grammatischen Klassen (paradigmatisch, syntagmatisch) assoziieren. Diese Konnotationen richten sich fast ausschließlich auf einen dominanten Reiz im Satz.

Assoziations-Muster für die älteren Leser:

«Junge, einsam, geht in den Regen.» (WD 23)
«Stimmungsmalerei» (ED 09)

Es wäre möglich, diesen Unterschied mit einer größeren Bereitschaft jüngerer Leser zum Sentiment zu erklären. Es kann sich aber bei der jeweils geringen Quote um eine statistische Zufallshäufigkeit handeln. So notieren wir lediglich folgende *Tendenz:* Ein Sechstel der Leser reagiert auf den unterbestimmten Schlußsatz eines Textblöckchens wie auf einen «freien Stimulus».

Mehr als zwei Drittel (69,4%) der Leser bezogen in ihre Reaktion den gesamten Text mit ein oder konzentrierten sich, den letzten Satz ganz außer acht lassend, nur auf diesen. Die Grundtendenz aller dieser Reaktionen war, den Zusammenhang der Text-Bedeutungen herzustellen und erst dann zu einem interpretierenden Überbegriff und zu einer Integration des letzten Satzes zu gelangen. Hier liegt auch keine Altersspezifik vor, jede Altersgruppe ist um ihre statistische Erwartbarkeit vertreten.

Tabelle 12: *Herstellung des Textzusammenhangs*

Häufigkeiten und Altersverteilung.
Prozentangaben vom Gesamt: 85

Alters-gruppe	Binnenzu-sammen-hang des Textes	Bevorzugte Interpreta-tionen:		Sonstige (symbolisie-rende u. a.)
		Situation	Charakter d. Jungen	
18–40	24/28,2%	19/22,4%	5/5,9%	5/5,9%
40–70	35/41,2%	29/34,1%	6/7,1%	7/8,2%

Nach den inhaltlichen Schwerpunkten finden sich zwei Formen des Leserverhaltens:

Die Situation wird rekonstruiert

«Altes Pastorenhaus mit Glastür in den großen Garten. Der ‹ältere Sohn› fühlt sich durch den Besuch gestört, fühlt sich erhaben über die Kinder und verschwindet.» (ED 102)

«Es wurde dem Sohn zu eng, er fühlte sich beengt, hatte keine Möglichkeit, seiner Freizeitbeschäftigung nachzugehen (Mikroskop). Entwich der Enge.» (OA 58)

Es geht diesen Konkretisationen um die Herstellung einer zusammenhängenden Situation, aus der die Verhaltensweise des Jungen begründet wird. Die in unverbundener Reihung auftretenden Aussagen des Textes werden nach ihrer impliziten Sachlogik in einen

Zusammenhang gebracht. Es handelt sich um dieselbe Form der Konkretisation, die wir als «inhaltlich ergänzende Situationsdeutung» aus dem vorhergehenden Text-Beispiel schon kennen. Der Anteil an Assoziationen ist gering, es werden naheliegende Attribute konnotiert («*altes* Pastorenhaus», «großer Garten» usw.) oder die Tätigkeit des Jungen bezeichnet («Freizeitbeschäftigung»). Der letzte Satz ist also eher ein Anreiz, die Implizitheit des Textes zu bewältigen, in dessen sachlogischem Zusammenhang er dann verstanden wird («Entwich der Enge»). Diese Rekonstruktion der Situation überwiegt mit 56,5%.

Der Charakter des Jungen interessiert

Ein Sechstel der Leser konzentriert sich auf das Verhalten des Jungen, der Tenor liegt auf «egoistisch», «autoritär», «kontaktarm»:

> «Machtkampf. Der Junge ist gewohnt, daß man ihm gehorcht. So kann er ohne Bedenken fortgehen.» (ED 103)
>
> «Junge hat Schwierigkeiten, sich anzupassen bzw. mit den andern in freundschaftlichen Kontakt zu kommen. Nimmt dafür sogar Regen in Kauf.» (OA 64)

Hier wird die Deutung der Situation komprimiert auf eine persönliche Begründung für die Aussage des letzten Satzes, von dem aus die Konkretisation quasi in den Text zurückgelaufen ist. Bemerkenswert ist hier eine Neigung der Leser, den Charakter des Jungen zu werten: «kaputter Typ» (OR 48), «Einzelgänger» (WC 32), «ein unverträgliches, egoistisches Kind» (WC 35). Die vom Text ausgesparten Qualifizierungen einer Person werden also nachgetragen.

Es läßt sich die *Tendenz* markieren: Mehr als zwei Drittel der Leser stellt den Binnenzusammenhang des Textes her, wobei weit überwiegend die dargestellte Situation aus ihren unverbundenen Elementen als zusammenhängend rekonstruiert wird und zu einem kleineren Anteil eine deutlichere Personenkennzeichnung vorgenommen wird. Der letzte Satz wird dabei integriert.

Die 14,1% «sonstige» Konkretisationen enthalten einen assoziativen Kern, der dem Gesamttext Bedeutungen oder übergreifenden Sinn abgewinnt, die dort nicht intentional angelegt sind. Wir haben sie als textüberschreitende Assoziationen mit den bereits behandelten «stimmungshaften» zusammengefaßt:

Tabelle 13: *Assoziationen, die vom Stimulus-Satz oder dem Gesamttext ausgehen und neue Bedeutungen/Sinnvarianten herstellen*

Häufigkeiten und Altersverteilung

Alters-gruppe	stimmungshafte		überhöhende, symbolisierende			lebens-weltl.
	«Regen»	Einsam-keit, Traurig-keit	Erwach-sensein u. a.	Lebens-raum/ Besitz	Wissen-schaft	Kinder-zimmer
18–40	7	2	1	–	1	1
40–70	3	2	1	2	1	7

Neben den stimmungshaften finden sich hier überhöhende Interpretationen, die teilweise Einzelbedeutungen überstrapazieren. Sie sind uns interessant, da sie – ganz gegen die objektive Textintention – privaten Deutungen des Autors nahekommen:

«Er tat den Schritt aus der kindlichen Gemeinschaft in die ungewisse Welt des Erwachsenseins.» (WC 31)
«Bewahrung, Schutz des Eigentums als Sinnbild für die schlechten Verhältnisse (Armut).» (OA 57)
«. . . daß wissenschaftliche Experimente über dem Chaos stehen.» (WD 3)

Schließlich private Assoziationen wie

«Schule mit Lehrer» (GB 73)

und andere, die auf einen lebensweltlichen Reiz reagieren, so sieben von älteren Lesern, deren Ordnungssinn irritiert ist:

«Gegenstände, die nicht ins Kinderzimmer gehören.» (WD 1)
«Angst um das Mikroskop. Warum ein so kostbares Instrument im Kinderzimmer?» (WD 9)

Insgesamt, die vom Stimulus-Satz produzierten einbezogen, beträgt der Anteil textüberschreitender Assoziationen, die einen Sinn oder neue Bedeutungen herstellen, 30,5%.

Als *Grundtendenz* formuliert, läßt sich zusammenfassen: Auf einen unterbestimmten Blöckchen-Schluß reagiert ein Sechstel der Leser wie auf einen kontextfreien Stimulus mit Assoziationen. Mehr als zwei Drittel der Leser konzentriert sich auf eine immanente Bedeutung des Kontextes, in die der Schlußsatz integriert wird. Insgesamt überschreiten weniger als ein Drittel aller Konkretisationen assoziativ die im Text festgelegten Bedeutungen.

3. Der Autor über den Text

Kempowski interpretiert den Text nach zwei Hinsichten. Es schätzt ein, welches Textverständnis dem Leser möglich sein wird und bezeichnet dann eine bildhafte Vorstellung und den Sinn, die der Entstehung der Passage zugrunde lagen.[328]

Dem *Leser* jedoch werde sich hier kein Sinn eröffnen: «Er kann hier nur die Arroganz des Älteren gegenüber dem ‹Kroppzeug› erkennen, das ist übertragbar. Er geht nicht ins Haus, weil da ja doch die Eltern dieses fremden Jungen sind, sondern er setzt sich von der Familie ab und nimmt es dann auch in Kauf, in den Garten zu müssen. Mehr überträgt sich nicht.» Als mögliche Reaktion auf den letzten Satz, «der sicherlich etwas vom Ende eines UFA-Films hat», verspricht sich Kempowski jedoch nur eine «oberflächliche Spannung»: «Hoffentlich gehen sie nicht doch ans Mikroskop . . . Aber dann wird diese Stelle vergessen.»

Die *bildhafte Vorstellung* der Situation und ihren *Sinn*, denen der Text entsprang, will Kempowski präzise aus der Zeit der Niederschrift erinnern («. . . das war mir ganz wichtig»). Die Situation hatte biographisch existiert, doch «der Sohn war jünger als ich. Es kann sein, daß ich mich ein bißchen selbst in dem gesehen habe, der da hinaus geht». Jedenfalls hatte sich das Erinnerte in der Vorstellung dann in Richtung auf einen Sinn verändert: «Ich dachte an die junge Generation, die unmittelbar vor der Einberufung steht – zwischen diesen kleinen Mädchen. Er ist vielleicht sechzehn, der Junge, und er geht hinaus in die Einsamkeit . . . ausgesetzt diesem doch Feindlichen, dieser Regen ist nicht freundlich . . . ‹Mikroskop›: ‹Hier faßt keiner was an›, sagt er und zeigt auf das Mikroskop. Es war ja manchmal so damals, daß, wenn ein Junge im Krieg fiel, man sein Zimmer unberührt ließ – den Arbeitstisch, seine Anzüge . . . Alles blieb so, als ob er noch lebe. Und er sagt es nun selbst geradezu.» Beim Wiederlesen notiert sich Kempowski dann (1973) in seinem Hand-Exemplar zu dieser Stelle: «Auch einer von denen, die später fallen.»

Des Autors leserbezogene Interpretation bedarf keines Kommentars, sie ist realistisch. Anders die Sinn-Deutung: Es handelt sich dabei um den uns ja bekannten Fall der «disziplinierten

Assoziation», die aus Text-Spuren wieder das von ihnen vertretene Sinn-Ganze herstellt, wie es sich ursprünglich mit der vorgestellten Situation für den Autor verbunden hatte. Diese Deutung ist einerseits sinn-verträglich mit dem Gesamt-Kontext im Roman (die Brutalität des Krieges wird jetzt auch in der Heimat deutlich), andererseits jedoch werden die Bedeutungen des Textes zu stark beschwert oder ausgeweitet. Einzig der letzte Satz verträgt dieses Maß an Konnotation. Sicherlich wäre die dargestellte Situation geeignet, den von Kempowski darin gesehenen Sinn zu vermitteln. Doch hätte es dazu zusätzlicher Signale bedurft, die auf ihn hinlenkten. Diese wurden vom Darstellungsverfahren nicht zugelassen, das gerade auf Sinn-Verzicht angelegt war. Anders als im vorhergehenden Beispiel, in dem ein Text-Sinn zumindest latent verblieben und für den Leser potentiell erreichbar war, gibt es hier nur noch für den Autor Reste davon. Nur für ihn kann an die Rudimente des aus dem Text Verdrängten das Ganze wieder anschießen.

4. *Zu den Textauffassungen der Leser und des Autors*
Wirkte der blöckchenschließende Satz als *kontextfreier Stimulus*? Der Autor hat sich nur einen vagen Effekt versprochen. Seine Einschätzung, daß er etwas vom «Ende eines UFA-Films» habe, trifft sich mit der Leserreaktion: Es sind Stimmungsvorstellungen, mit denen ein kleiner Teil (ein Sechstel) der Leser, für die der Kontext nicht mehr nachwirkt, auf den Anreiz des unterbestimmten Schlüsses antwortet. Überdies sind diese Vorstellungen durchweg nicht privat, sondern typisierte Konnotationen. Ein Klischee (Kempowski: «Ende eines UFA-Films») hat entsprechende Muster abgerufen. Wir müssen zugeben, daß wir uns einen sehr viel höheren Betrag an stimmungshaften und privaten Antworten erwartet haben. Gerade die Unterbestimmtheit des Reizes schien doch einen weiten Assoziationsraum zu öffnen. Eine Erklärung werden wir weiter unten versuchen.

69,4% der Leser waren vorrangig bemüht, den *Binnenzusammenhang des Textes* herzustellen. Da die Einzelaussagen darin äußerlich unverbunden präsentiert werden, jedoch über eine implizite Sachlogik zusammenhängen, ging es den Lesern um die Konkretisierung eben dieses Zusammenhangs: Dabei werden vorwiegend die Elemente der dargestellten Situation zusammengefügt und diese dann beschrieben; zu einem geringeren Teil wird die implizit gebliebene Charakterisierung einer Person «nachgeholt». Hier zeigt sich wieder ein für die *Tadellöser*-Rezeption wohl charakteristisches Bedürfnis, das auch bei der vorhergehenden Textvorgabe mit einem entsprechenden Prozentsatz (64,4%) markiert war: Man komplettiert den Text und überwindet seine «Implizitheit». Dabei wirkte der letzte, am wenigsten bestimmte, Satz gerade als Anreiz, sich auf den Kontext zurückzuwenden und diesem mehr Bestimmtheit zu verleihen. Das kann uns auch erklären, warum der Blöckchenschluß in so geringem Maße als eigenständiger Assoziationsreiz akzeptiert worden ist: Er fügt der Implizitheit des Textes eine weitere Unbestimmtheit hinzu. Der Leser reagiert auf dieses Überangebot mit der Anstrengung, gerade Bestimmtheit herzustellen.

Von den 30,5% *textüberschreitender Assoziationen* ging so auch fast die Hälfte aus der Befassung mit dem Kontext hervor. Sie bestehen in der Mehrzahl aus zusammenfassenden Überbegriffen, die einen *Textsinn* zu finden versuchen.

Der Einschätzung des Autors – sie deckt sich hier mit einer «richtigen» Beurteilung des objektiv vorhandenen Wirkungspotentials im Text – wird also von den Lesern fast vollständig entsprochen. Er hatte sich nicht mehr als die Konkretisierung der lebensweltlichen Situation erwartet.

Zur *thematischen Textkohärenz* gibt es keinen Befund, da hierzu diesmal nicht erhoben wurde. Die Thematisierung des Blöckchens durch seinen Kontext ist ja nicht erkennbar.

Kommen nun Leser der privaten – ursprünglichen und im Text nicht mehr repräsentierten – Sinngebung Kempowskis nahe? Wie gesagt, könnte der Text diesen Sinn vermitteln, besäße er einige in diese Richtung lenkende Signale. So kommen denn auch (wenige) Leser aus ihrer Gestimmtheit mit Vorstellungen wie «Einsamkeit», «Traurigkeit» (4) in atmosphärische Nähe. Die symbolisierende Deutung

> «Er tut den Schritt aus der kindlichen Gemeinschaft in die ungewisse Welt des Erwachsenseins» (WC 31)

deckt sich in der Sinn-Struktur fast ganz mit Kempowskis. Man muß aber sehen, daß (außer den als Stimmungen stimulierten) solche Annäherungen aus einer subjektiven Bereitschaft von Lesern resultieren, überhöhende Deutungen zu versuchen. Erfaßbare Sedimente eines ursprünglichen Sinns, die den Leser wie sonst so häufig im *Tadellöser* zu einer zweiten «Schicht» im Text gelangen lassen, gibt es hier für ihn nicht.

Es ist natürlich etwas anderes, wenn Kempowski mit einer weiteren möglichen Wirkungsdimension beim Leser rechnet:

«Es werden Bilder angerührt in einem, die nicht im Moment auftauchen, die aber unter Umständen Tage später plötzlich doch an die Oberfläche kommen können, oder in Träumen . . .» Diese Chance hat zweifellos auch die lebensweltlich so typisch angelegte Situation unseres Textes.

5.8 Zusammenfassung

Die Ergebnisse waren oftmals nur über eine komplizierte Auswertungsprozedur feststellbar. Entsprechend differenziert ist auch die Struktur dieser Ergebnisse, insbesondere bei den Text-Vorgaben. Sie setzen sich jeweils aus einer Reihe von Einzeleinsichten zusammen, die an ihrem Ort bereits diskutiert sind. Wir fassen deshalb im Folgenden nur Grundtendenzen zusammen.

5.8.1 *Allgemeine Tendenzen des Leserverhaltens. Überbrückung von Verstehensschwierigkeiten, inhaltliche Deutungen*

Die Reaktion auf Textstellen, zu deren Entschlüsselung (beispielsweise historisches) Vorwissen oder Lesekompetenz fehlt, ist nur zu einem geringen Grad Resignation oder einfaches Überlesen (um 16–20%). Weit überwiegend (bis zu 70%) wird erst einmal ein inhaltliches Verständnis der dargestellten Sachverhalte und Personen versucht, sie werden ausgedeutet und oftmals um passende Bedeutungen ergänzt. Obschon damit von einer Entschlüsselung komplexer Bedeutungen (Pointe, Symbol usw.) oder einem Text-Sinn noch entfernt, besteht die überwiegende Neigung, bei einem solch *inhaltlichen Textverständnis* zu verharren. Unsere Fragen führten dann über diese Trägheitsgrenze zu einer Ausschöpfung der jeweiligen Lesekompetenz. Was im normalen Leseprozeß für diesen Anreiz eintreten mag, ist schwer zu sagen. Wahrscheinlich werden sich dort unterschwellige oder Zufalls-Konkretisationen über die inhaltliche Deutung hinaus ergeben. – Eng mit solchem Verhalten ist die vorzugsweise *Rekonstruktion des Binnenzusammenhangs* einer Textpassage verbunden: Die Anstrengung gilt der

Konkretisierung des nur impliziert oder unzureichend verbunden Dargestellten zu einer befriedigenden Einheit von Bedeutungen. Davor stehen andere Angebote des Textes (beispielsweise Assoziations-Offerten) dann weit zurück. Dieser hohe Grad an Anstrengung, Bedeutungszusammenhänge zu komplettieren oder erst herzustellen, liegt zweifellos in zwei Eigenschaften des *Tadellöser* begründet: Blöckchen-Prinzip und implizierende Darstellung. Allerdings bedeutet dies auch gleichzeitig durch den Verstehensaufwand der Leser besonderes Engagement an der dargestellten Welt.

Besondere Erwartungen hatten wir auf Grund der nachgerade ostentativen «Offenheit» des Textes in Herstellung und Nutzung assoziativer *Spielräume* über den Text-Bedeutungen gesetzt. Hierzu müssen wir unsere Feststellungen auffächern: Generell gilt offensichtlich der Lese-Habitus, sich nicht vom Text zu entfernen, was dem Grundbedürfnis entspricht, ihn inhaltlich-syntaktisch noch auszuarbeiten und nachzuverstärken, wie wir schon gesehen haben. Wo über diese vorrangige Anstrengung hinaus noch die *Neigung* besteht, sich auf Anreize hin Spielräume zu eröffnen (30–60%), verdanken sie sich – auch nach ihrer Füllung – weiterhin zur Hälfte der Beschäftigung mit Wahrnehmungen an der Textoberfläche (einfache Assoziationen zum Darstellungsverfahren); nur ein Viertel der Spielraumnutzungen entfernt sich mit biographisch-historischen *Exkursen* eigenständig vom Text (ein hoher Anteil biographisch-historischer Erfahrung oder Einfühlung geht bereits in die inhaltlichen Ausdeutungen ein). Bietet der Text intentional einen Spielraum über Stimuli an, wird dies – gleichgültig, ob eine feste Assoziationsbahn (symbolisierende Pointe) vorgegeben ist oder der Assoziationsreiz unterbestimmt ist – nur von einem Sechstel aller Konkretisationen genutzt. Bemerkenswert ist, daß die Leser gerade auf einen semantisch-syntaktisch unterbestimmten Stimulus (letzter Satz als Blöckchenschluß) nicht mit reicher Assoziationstätigkeit reagieren, sondern mit erhöhter Unsicherheit, die sie noch intensiver auf den Text sich hinwenden ließ (hier fanden sich nur 30% textüberschreitende Assoziationen). Die Anstrengung des Lesers gilt also der Schließung des «offenen» Textes und damit seiner Stabilisierung. Das geschieht auf der vom Text festgelegten inhaltlichen-lebensweltlichen-Ebene. Freie Exkurse, gar private Assoziationen über diese Ebene hinaus leisten sich die Leser in sehr geringem Maße.

Thematische Text-Kohärenz in dem Verstande, daß ein Thema (Zusammenhang von Einzelbedeutungen über eine größere Strecke als übergreifende Information) kontinuierlich konkretisiert wird, läßt sich für die *Tadellöser*-Lektüre nicht behaupten. Wohl ist ein zureichender Zusammenhang als Verknüpfung der dargestellten Sachverhalte und Personen anzunehmen. Die konsequente Verfolgung von Themen jedoch gelingt tendenziell nur zu einem Drittel. Ähnliches gilt für die konsequente Herstellung eines – nun ja sowieso weitgehend latenten – *Text-Sinns,* der mit einem Thema oft identisch sein kann. Hier bewegt sich die Quote zwischen einem Sechstel und einem Drittel gelingender Konkretisationen.

5.8.2 *Reaktionen auf die semantisch-ästhetische Feinstruktur*

Die in der objektiven Textorganisation angelegten komplizierteren semantischen wie ästhetischen Informationen wurden nach literaturwissenschaftlichen Auslegungskonventionen bestimmt. Objektiv gerechtfertigt, waren sie offensichtlich auch für unseren überdurchschnittlich kompetenten Lesertypus viel zu rigide. Allerdings forderte diese Erfassungsebene vom Leser bewußte Artikulation des Wahrgenommenen. Man darf vermuten, daß noch manche Befragte, denen hier eine zureichende Konkretisation nicht gelang, im normalen Lesevorgang die entsprechenden Wirkungen des Textes beispielsweise als Anmutung erfahren können.

So erfaßte in der historisches Vorwissen voraussetzenden Vorgabe nur ein Viertel der Leser die kompliziertere Struktur der den Vater charakterisierenden Pointe. Mochte dies noch den spezifischen Grund mangelnder Information über die historischen Bedeutungen haben, wiederholte sich doch genau dieser Anteil (ein Viertel) in den «richtigen» Entschlüsselungen der symbolisierenden Pointe (am Kapitelschluß), der dann mit den Annäherungserschließungen auf ein Drittel stieg. Nimmt man die geringe Nutzung des kalkulierten Assoziationsangebots am Blöckchenschluß hinzu (ein Sechstel), läßt sich die *Tendenz* markieren: Die Erfassung der semantisch-ästhetischen Feinstruktur liegt bei einem Sechstel bis zu einem Drittel der Konkretisationen – aus unterschiedlichen Gründen (mangelnde Erschließungskompetenz, fehlendes historisches Vorwissen, Konzentration auf die inhaltliche Ausdeutung des Textes).

5.8.3 *Wahl der Erzählperspektive*

Die Erzählperspektive war uns aus schaffenspsychologischen Gründen interessant: als Ausdruck der ungewöhnlich intensiv fortlebenden Besetzung der Kindheit, anders: als Fortleben der Welthaltung des Zwölfjährigen im Erwachsenen, bei gleichzeitigem Verzicht auf die Persönlichkeit des Ich-Erzählers. Darstellungsästhetisch ergab sich daraus eine Mischperspektive aus «jungem» und «älterem» Erzähler.

Literaturkritik wie Leser nahmen den vermeintlichen kindlichen Ich-Erzähler als Persönlichkeit kaum wahr. Doch die Suggestion seines Alters bleibt erhalten. Bei einem Leser-Fünftel wird sie vom abweichenden Erzählstil (Alltagssprache) bewirkt. Ein Drittel der Antworten zu «Wer erzählt?» entscheidet sich für einen kindlichen Ich-Erzähler aus psychologischen Gründen (Einfühlung). Zwei Drittel der Leser, die sich an Beobachtungen am Darstellungsverfahren halten, erkennen jedoch, daß in *Tadellöser* ein «Erzähler des Erzählers» dominiert. Die Erzählperspektive stellt also ein Kontinuum dar, auf dem vom Leser die Position wählbar ist, aus der er (gegen andere dem widersprechende Feststellungen am Text) den Roman rezipieren will. Das komplizierte schaffenspsychologische Verhältnis Kempowskis zu seinem Darstellungsverfahren hat seine genaue Entsprechung in den Leserreaktionen.

5.8.4 *Gibt es eine altersspezifische Rezeption?*

Da *Tadellöser & Wolff* als Roman einer vergangenen Epoche (Generationenroman) eingeschätzt wurde, erwarteten wir eine ausgeprägte Altersspezifik in der Rezeption. Diese ist für unseren Lesertypus ausgeblieben. Sicherlich hatten die jungen Leser (18–40 Jahre alt) mehr Schwierigkeiten mit der zeitgeschichtliches Wissen voraussetzenden Vorgabe. Hier dürfte für sie für die Feinstruktur des Romans auch auf der reinen Inhaltsebene eine leichte Rezeptionsbehinderung liegen. Generell jedoch finden sich auch die jungen Leser in die lebensweltlichen Situationen und Sachverhalte – und sei es durch Einfühlung – gut hinein. Sie treten bei der Rezeption der Erzählperspektive in Gegensatz zu einem Drittel der Älteren, da sie sich fast geschlossen für den «älteren» Erzähler entscheiden; hier sehen sie aus biographischer Fremdheit keinen Grund zur psychologischen Einfühlung und halten sich an die eindeutigen Textsignale. Generell ist ein geringerer relativer Anteil an Ausstattung der Rezeption mit lebensweltlich-biographischem Material festzustellen und schließlich fehlt unter den einzelnen Antworten natürlich die individuelle Betroffenheit: «Genau so war es.» Wie es nun genau war, vermögen sich die jungen Leser jedoch – mit manchmal höherem Verstehensaufwand – aus dem Roman ohne ins Gewicht fallende Behinderung zu erlesen. Im übrigen gleicht auch ihr Lektüre-Habitus (Vorrang inhaltlicher Text-Ausdeutung, Zurückhaltung bei assoziativen Text-Überschreitungen usw.) bei punktuellen Differenzen dem der älteren Leser. Der Generationenroman *Tadellöser & Wolff* wird von den einzelnen Altersgruppen sicherlich affektiv unterschiedlich, in seiner Informationsdimension jedoch nicht generationsspezifisch rezipiert.

5.8.5 *Autor, Text und Leser*

Die Beobachtungen an Kempowskis kommentiertem *Tadellöser*-Exemplar zum Wiederlesen zeigen eine bemerkenswerte *Rezeptionshaltung* an: Der Autor geht mit seinem Produkt nicht vornehmlich als Kritiker oder Genießender der eigenen Schöpfung um, sondern er befindet sich weiterhin im Dialog mit der erinnerten Wirklichkeit; er ergänzt sie, erklärt sich Handlungsweisen der dargestellten Personen, entdeckt tiefere lebensgeschichtliche Bezüge hinter dem Dargestellten. Das von den Verzichten des Verfahrens gelöschte Ganze wird wieder aufgerufen.

Wie die meisten Leser steht der Autor dann aber auch in Differenz zur hermeneutisch festgelegten *«objektiven Textorganisation»*. Die literaturwissenschaftlich ermittelten ästhetisch-semantischen Feinstrukturen kann er als seine Absicht nicht bestätigen: Die historisch bestimmte Vorgabe sollte nach ihm nur einen engeren, auf den Vater bezogenen thematischen Hinweis enthalten. Die erzählerische Mischperspektive sei ebenfalls nicht beabsichtigt gewesen, Kempowski bestreitet die Fiktion eines kindlichen Erzählers und sieht die Erzählerposition mit dem empirischen Autor festgelegt. Die komplexe assoziative Gesamtstruktur der symbolisierenden Pointe hat für ihn nur die einfachere des Analogieschlusses. Den offenen Blöckchen-Schluß sieht er lediglich als schwachen Assoziationsanreiz, zeigt dann aber gerade hier die

Befrachtung des Textes mit einem zurückgehaltenen massiven privaten Sinn. Hat sich nun der Literaturwissenschaftler der Überinterpretation schuldig gemacht? Immerhin sind seine Festlegungen unabhängig nachvollziehbar, ein kleiner Teil der Leser beweist das. Wir können uns für die Differenz zur Autorenintention zwei Gründe denken: Einmal können sich bestimmte Texteigenschaften als nicht bewußt artikulierte hergestellt haben (Assoziationsbahn der Pointe, erzählerische Mischperspektive), wie das ja auch großen Anteilen in Kempowskis Schaffensprozeß entspricht. Zum andern gibt es Konnotationsangebote, die der Autor zwangsläufig bei einer Bedeutung mitsetzt, ohne das zu wissen oder zu wollen (Beispiel: Sinn der historischen Vorgabe als zeittypisch gemeint).

Stellen wir nun die Autorintention den *Leser-Konkretisationen* gegenüber: Daß sowohl die Literaturkritik wie unsere Leser die Eltern, insbesondere den Vater, vorwiegend als Typen rezipiert haben, dürfte weiterhin die erheblichste (schmerzlichste) Differenz zur Absicht, besser: Hoffnung des Autors ausmachen. Noch in seinem Kommentar-Exemplar hält sich Kempowski seine Enttäuschung darüber fest, daß man seinen Vater für einen Nazi hielte. Diese typisierende Leseweise aber wurde nun einmal von der mangelnden Ausdifferenzierung der Vater-Figur (Sinn-Verzicht!) provoziert. Dennoch konnten wir bei beiden Lesergruppen auch eine ausgeprägte Tendenz feststellen, den Vater individuell-lebensweltlich werten zu wollen, wo dies eben angängig war. Kempowskis Hoffnung auf eine weitere individualisierende «Schicht» unter der typisierenden bleibt damit durchaus legitim, wenn auch schwerer für die Roman-Figuren einlösbar, als für das Verständnis der dargestellten lebensweltlichen Situationen.

In welchem Maße trifft sich die Absicht Kempowskis mit den einzelnen Konkretisationen? Die Charakterisierung des Vaters in der historischen Vorgabe (er verstößt gegen seine «typischen» Prinzipien) erfaßt ein Viertel der Leser. In seiner Intention, einen «Erzähler des Erzählers» berichten zu lassen, also die Suggestion des kindlichen Ich-Erzählers auszuschalten, bestätigen ihn Zweidrittel der Konkretisationen. Dabei erfaßt nur scheinbar paradoxerweise das andere Leserdrittel, das auf eine psychische Realität im Text reagiert, ihn ebenfalls richtig. Die assoziative Analogie-Struktur der symbolisierenden Pointe, wie sie Kempowski gewollt hat, verfehlen zwei Drittel. Zum Ausgleich jedoch reagiert ein großer Teil auf den gesetzten signalhaften Anreiz (Melone) mit einem intensiven textüberschreitenden Bedenken der biographisch-historisch interessanten Situation, die der Text inhaltlich bietet. Insofern werden die Absichten des Autors insgesamt von fast Zweidritteln der Leser erfüllt. Indem viele autobiographische oder einfühlende assoziative Anteile in die Konkretisationen – neue Bedeutungen stiftend – eingehen, wird hier ebenfalls die Erwartung, bei Lesern stelle sich eine weitere «Schicht» her, erfüllt. Daß schließlich auf den «freien Stimulus» (Blöckchenschluß) nur in geringem Umfange reagiert wird, entspricht Absicht und Einschätzung Kempowskis. Anders allerdings das Schicksal des Sinns, den der Autor dieser Passage zuspricht, indem er an die Rudimente einer sinnhaften Vorstellung aus dem Schaffensprozeß diese nun wieder anschließen läßt. Diese Dimension war von den Lesern natürlich nicht erreichbar. Kempowskis Hoffnung, daß sich in einem ganz anderen unbewußten Rezeptions-Bereich dennoch auch hier eine Gemeinsamkeit mit Lesern herstelle – «es werden Bilder angerührt» in ihnen – wird nur indiziell bestätigt. Nur ein Leser, der die dargestellte Situation als Sinn-Bild versteht («Er tat den Schritt aus der kindlichen Gemeinschaft in die ungewisse Welt des Erwachsenseins»), trifft ihren ursprünglichen Gehalt.

Formulieren wir eine *resümierende Grundtendenz:* Autor-Intention und Leser-Konkretisation sind in keinem Falle in vollem Umfang deckungsgleich. Je nach dem aufzubringenden Verstehensaufwand, den die jeweiligen Textpassagen abfordern, liegen die Gemeinsamkeiten auf einer Skala zwischen einem Viertel und nahezu zwei Dritteln. Der Autor wird nie «voll verstanden». Wie ist dies Ergebnis einzuschätzen? Es gibt keine Vergleiche. Wir können hier nur ein Urteil aus der Erfahrung (des Hochschullehrers mit relativ kompetenten Lesern) wagen: Es handelt sich um ein «normales» Verhältnis von Autorintention und Leserrezeption, bezogen auf unseren Lesertypus und auf einen spezifischen Text: *Tadellöser & Wolff* wird in dem Maße mit der Autorintention vereinbar rezipiert, wie die Schwierigkeit abnimmt von semantisch-ästhetischen Informationen hin zur lebensweltlichen Darstellung von Personen und Sachverhalten. Das bezeichnete «Manko» hat für die Gesamtrezeption wenig zu besagen. Es dürfte bei einem Textumfang von über 470 Seiten der «Normalfall» sein. Deshalb halten wir diese abschließende quantifizierende Feststellung unserer empirischen Untersuchung für bei weitem weniger wichtig als die vielen Einzeleinsichten, die sie uns ermöglicht hat.

Kapitel V: Markenzeichen

6. *«Tadellöser & Wolff» prägt das Markenzeichen «Kempowski».*
   Was sein Markenzeichen dem Autor zufügt und was es ihm
   einträgt

Nach dem Erscheinen von *Tadellöser & Wolff* stellte sich Kempowskis öffentliche Rolle her, sein «Markenzeichen», das weitgehend von der Einschätzung des Romans und mit ihm zusammenhängenden biographischen Besonderheiten bestimmt wurde. Wir
nutzen die selten günstige Voraussetzung, die subjektiven Bedingungen des Autors und die Entstehungsgeschichte seines Werks
gut zu kennen, um zu beobachten, in welche öffentliche Erscheinungsform sie übergehen.

6.1 *Einige theoretische Überlegungen zum empirischen Beispiel*

Daß eine gesellschaftliche Institution wie der «Literaturbetrieb»
Rollenzuweisungen und Rollenerwartungen erzwingt, ist zureichend beklagt worden. Es scheint jedoch, daß als gegeben hinge-
nommen werden muß, daß Gesellschaften bestimmten Komple-
xionsgrades die Verteilung von Wissen und Sinn nur so zu regeln
vermögen. Dies gilt zumal dann, wenn es sich um die Vermittlung
von Inhalten einer «Subsinnwelt» handelt, wie man, ohne noch
provozieren zu wollen, den «Literaturbetrieb» wissenssoziologisch
definieren kann: Innerhalb der einer Gesellschaft gemeinsamen
Sinnwelt stellen sich Sinnstrukturen her, die «von einer bestimmten Gemeinschaft ‹getragen› werden, das heißt, von der Gruppe,
welche die betreffende Sinnhaftigkeit ständig produziert und in der
sie objektive Wirklichkeit geworden ist»[329]. Mit dieser «Gruppe»
meinen wir die Produzenten und Vermittler von Literatur in all
ihren Verarbeitungsformen, nicht aber die Rezipienten. Dabei
haben wir es mit dem Paradox zu tun, daß die Subsinnwelt des
«Literaturbetriebs» sich sowohl als ein Teil der gesellschaftlichen
Öffentlichkeit versteht wie faktisch auch in Anspruch nimmt, eine
allgemeine symbolische Sinnwelt «als die Matrix aller gesellschaft-
lich objektivierten und subjektiv wirklichen Sinnhaftigkeit»[330]
wenn nicht zu unterhalten, so doch ständig zu interpretieren. (Der
Literatur Schaffende oder diese öffentlich Vermittelnde als eine

Erscheinungsform des «Sinn-Experten» neben beispielsweise dem Wissenschaftler.)

Das soll konkretisiert werden: Jenen Teil des Literaturprozesses, der die Sphären Produktion und Distribution zur Wechselwirkung kurzschließt und damit den nicht-professionellen empirischen Leser ausgrenzt, verstehen wir als «Literaturbetrieb». Es handelt sich um den Bezirk, in dem sich die Instanzen Autor, Verlag/Vertrieb, Literaturkritik und ihre Medien finden. Hier herrschen einerseits die Gesetze des Marktes, die jeder kennt und die jeder befolgt («Literatur als Ware»). Dieser Markt bedarf jedoch wie kaum ein anderer der Verhüllung, da er es mit einem Produzenten- und Warentyp zu tun hat, der geradezu für die Enthebung von materiellen Zwängen steht. Dieser Widerspruch kann ausgehalten werden, indem alle am Literaturbetrieb Beteiligten sich auf Werte verpflichten, die es über den Markt durchzusetzen gelte: auf die Notwendigkeit von Literatur für die Gesellschaft (von ihrer Funktion als Lebenshilfe bis hin zur stummen Kritik der «dunklen Lyrik»), auf den Autor als den «Sinn-Experten» (für Sinn-Neuschöpfung und für Vernichtung von überständigem Sinn), auf die Funktion der Vermittler als den letztlich doch Dienenden. Über die Verpflichtung auf diese Werte existiert ein ebenso labiles wie beharrliches Sub-Sinnsystem; labil, da die Erfordernisse des Marktes mit den heterogenen Werten kollidieren, beharrlich, weil es für die Tätigkeit aller Beteiligter vorderhand keine andere Legitimation gibt. In diesem Zusammenhang spielen kritische politökonomische Analysen allerdings herunter, daß für die Werte des «Literaturbetriebs» bei den an ihm Beteiligten ein wie auch immer (am besten wohl psychologisch) zu definierendes Bedürfnis besteht. Ein in der jeweiligen Ausprägung zwischen kreativem und rezeptivem Genießer von Ästhetischem liegender Persönlichkeitstypus kommt hier zu seinem Recht.

Es macht nun im Unterschied etwa zur medizinischen diese Sub-Sinnwelt besonders instabil, daß der Wertspender, die Literatur, ihren Anspruch auf Welterklärung selten von außen nachdrücklich bestätigt findet, wie etwa die Medizin ihre «objektive» Nützlichkeit, die ihr durch die kritikhemmende Bedürftigkeit ihrer Klientel von selbst zukommt. Die Rückmeldung der Klientel des «Literaturbetriebs», also der empirischen Leser, erfolgt am nachdrücklichsten über die Absatzziffern (deren Zustandekommen oft nur über die marketing-Investitionen, also wieder nur von Seiten des

Betriebs her, erklärbar wird). Andere Formen der Rückmeldung (Leserbriefe, Lesungen, Diskussionen in den Medien bis hin zum Pseudodialog des «Autor-Skooters» im Fernsehen) sind weder in der Anzahl noch vom Typus des Lesers her repräsentativ. Es gibt wohl kaum einen anderen Produktionsverband in unserer Gesellschaft der so unbefriedigend wenig weiß über den Konsumenten seiner Ware, wie der «Literaturbetrieb» über den «Leser».[331] Das liegt daran, daß prinzipiell von diesem Intiminformationen verlangt werden müßten, die man nach den gegebenen Kommunikationsstrukturen eben nur sehr schwer erhalten kann. Der solchermaßen bestehenden Funktionsunsicherheit der Beteiligten am hermetischen Betrieb wird natürlich ständig mit Legitimationsprozeduren entgegengewirkt. Die wichtigste Prozedur ist dabei die Herstellung von Öffentlichkeit mit den Veranstaltungen zur Frankfurter Buchmesse als Höhepunkt: Gerade hier – auf dem materialiter sichtbaren Hintergrund des Marktes – erklärt sich eine Subsinnwelt zu einer gesamtgesellschaftlichen Instanz für Konstruktion oder Interpretation von Sinn. (Die alljährlich vom Literaturbetrieb selbst ausgehenden Zweifel und Gegenaktionen sind habitualisiert und affirmativer Teil des Gesamtvorgangs.) Dies Paradox, von sämtlichen Medien täglich reproduziert, daß nämlich eine abgeschlossene Sinn-Provinz sich nicht allein als jedem zugängliche, sondern als von jedem auch mitgeschaffen darstellt, macht die Notwendigkeit von *Rollen* doppelt deutlich. Dem literarisch interessierten Publikum als dem Kollektiv der empirischen Leser muß eine Kompetenzverteilung innerhalb des präsentierten Sinn-Deutungssystems deutlich gemacht werden, etwa im Viereck «Autor – Kritiker – Verbreiter (Verleger; Reporter) – Vertreter des Lesepublikums», wobei Kompetenzmischungen möglich sind (Autor-Kritiker). Die Kompetenzzumessung folgt dem jeweiligen Typus der Sinn-Konstruktion (verschlüsselt, «tiefer» usw. durch den Autor, erklärend, bewertend durch den Kritiker usw.). Innerhalb dieser fachlichen Rollenverteilung wird überdies die individuelle Ausgestaltung der Rolle durch ihren Träger notwendig und zwar nicht nur, indem sein Wissen und sein Sinn-Angebot (also sein literarisches Produkt) unverwechselbar wird, sondern indem er selbst als empirische Person unverwechselbar wie sein Produkt erscheint. Dabei muß das, was man öffentlich über den Schöpfer erfährt, in einer plausiblen Beziehung zu seinem Werk stehen. Die öffentliche Rolle eines Autors verfestigt sich zum Stereotyp, wie es der Ökonomie der Massenkommunikation notwendig zu entsprechen scheint.[332] Dies Stereotyp funktioniert quasi als «ikonisches Zeichen» für das Werk, das heißt, es hat mit diesem gemeinsame Eigenschaften. Die Erscheinung des Günter Grass (und was man sonst von ihm zu erfahren bekam) schien lange Jahre identisch mit der Vitalität und Exotik seiner Romane.[333] Thomas Manns öffentliches Auftreten (und was er über sich mitteilte) schien die Grundkonstante seines Werkes abzubilden: deutsche Repräsentanz. Nicht nur Zwänge des Marktes also formen solche Markenzeichen, sondern Bedingungen, nach denen in der Gesellschaft öffentliche Information eindeutig und konstant gehalten werden muß. Jedermann weiß, daß eine empirische Person nicht identisch ist mit den Rollen, die sie spielen muß, und weiß doch auch, daß Sanktionen dem drohen, der die an ihn gestellten Erwartungen enttäuscht. Dort, wo sich der Literaturbetrieb jedoch als Sinngebungs-Instanz in die Öffentlichkeit wendet, gestalten sich die Verhältnisse heikler. Da es letztlich doch um Existentielles geht, will man über die «Persönlichkeit» eines Autors etwas erfahren, bekommt aber ja nur seine Rolle angeboten, die dann notwendig mit jener gleichgesetzt wird. Tritt hier nun die empirische Person eines Autors in eine nicht mehr zu übersehende Differenz zu seiner gewohnten Rolle (wie Thomas Mann posthum[334]) oder verändert sich seine Produktion (wie bei Grass seit *Örtlich betäubt*) entsprechend, werden die Enttäuschungen offensichtlich «persönlich» genommen.

Sie sind schwerer korrigierbar als in vergleichbaren Rollenfeldern wie etwa dem der Politik. Die Aufdeckung der tatsächlichen und immer vorhandenen Differenz von Rolle und Persönlichkeit des Autors ist offensichtlich schmerzhaft. Das Merkwürdige ist allerdings, daß es ja keineswegs das große Literaturpublikum ist, das diese Feststellung trifft. Es ist die Literaturkritik, die als Teil des Literaturbetriebs ja genug Insider-Wissen besitzt, um die Opposition Autor vs. Rolle seit je zu kennen. Tatsächlich gehört das auch zum Grundwissen in der Subsinnwelt und ist dort auch zentrales Gesprächsthema. Dies Wissen bleibt gewöhnlich ohne Folgen, bis es unter bestimmten Bedingungen in Zusammenhang mit einem bestimmten Autor nicht mehr ertragen wird, wobei dann dieser dafür zu büßen hat. Zu büßen hat er für zweierlei. Einmal droht er (sofern man ihm seine zutage getretene Abweichung nicht als «Entwicklung» auslegen kann) die Literaturkritik vor ihrem Publikum zu diskreditieren; sie hat ihn also nicht richtig einzuschätzen vermocht oder er vergeht sich an ihren Werten. Auch wird dabei deutlich, daß sie eben mit Stereotypen arbeitet, wo doch das Persönlichste in Rede steht. Hier hat dann unser Autor die öffentliche Fiktion, der Literaturbetrieb (hier in seiner Instanz Literaturkritik) sei gesamtgesellschaftlich zuständig für Sinn-Konstruktion und deren «richtige» Auslegung, lädiert. Als er unübersehbar politisch wurde, war «Grass nicht mehr Grass»[335]. Zu büßen hat unser Autor jedoch zum anderen, insofern er das labile Selbstverständnis *innerhalb* des Sinn-Subsystems erschüttert hat. Es findet sich ja dort eine schwierige Sprachregelung. Einerseits weiß man, daß man mit Stereotypen umgeht, sie gezielt herstellt; daß «in Wirklichkeit» die Person eines Autors anders oder komplizierter beschaffen ist, daß Wesentliches von seiner empirischen Individualität permanent unterschlagen wird. Andererseits behält ein öffentlich durchgesetztes Stereotyp auch innerbetrieblich seine Geltung, weil es mit Werten des Sub-Sinnsystems verbunden ist.[336] Die öffentliche Rolle eines Autors steht immer für etwas, was «die Literatur» zu leisten oder zu geben vermag, so: didaktischen Realismus (Lenz), gesellschaftliches Gewissen (Böll), zu Sprache bringen existentieller Grenzerfahrung (Celan). Es ist oben gezeigt worden, daß es diese Werte sind, die den Literaturbetrieb in die Lage versetzen, die kruden Gesetze des Warenmarktes (während er sie befolgt) im eigenen Bewußtsein nicht durchschlagen zu lassen. Glück eines Autors ist, fest und öffentlich mit solchen Werten verbunden zu sein. Er wird deshalb seine Rolle nach besten Kräften spielen. Er kann sich dabei voll an sie assimilieren oder sie langsam verändern («Entwicklung») oder in ständiger privater Differenz zu ihr verharren.

6.2 *Deutscher Chronist, Dokumentarist, Bürger, Landlehrer*

Die Überschrift zitiert die wesentlichen Elemente der Autorenrolle Walter Kempowskis, wie sie öffentlich akzeptiert und reproduziert wird. Im Folgenden soll diese Rolle beschrieben werden. Es wird dabei deutlich werden, daß – nach allem, was wir nun wissen – Walter Kempowski notwendig in Differenz zu seiner Rolle steht. Es geht dabei nicht um die Enthüllung von Vortäuschungen des Literaturbetriebs. Jedes Stereotyp enthält prinzipiell Wahres. Ein Rollenstereotyp könnte von seinem Träger nicht lange durchgehalten werden, wenn er nicht in Grundzügen mit ihm übereinstimmte.

Doch muß ein Stereotyp auch verschweigen – Widersprüchlichkeiten und andere Informationen, die seine Ökonomie übersteigen. Insofern ist es unwahr. Wie ist es zu beschreiben?[337] Im Vordergrund steht heute (1981) sicherlich die historiographische Leistung Kempowskis. Nachdem er mit *Tadellöser & Wolff* (1971), *Uns geht's ja noch gold* (1972), schließlich mit *Ein Kapitel für sich* (1975) episch die deutsche Geschichtsstrecke von 1939 bis 1956 durchmessen hatte, präsentierte er 1978 sein Geschichtsbild der *Großen Zeit* 1900 bis 1918. Flankiert ist die erzählerische Produktion von interpretierend durchkomponierten Umfrageveröffentlichungen zu «deutschen» Themen: *Haben Sie Hitler gesehen?* (1973), *Immer so durchgemogelt* (1974), dem nach der «Holocaust»-Erschütterung des Jahres 1979 hochaktuellen Zeugnis-Band *Haben Sie davon gewußt?*. Diese Nebenveröffentlichungen verstärken in ihrem Dokumentarcharakter die Authentizität der epischen Montagen aus Biographie, Familien-Geschichte und Zeitgeschehen. Kempowski ist dabei mehr als ein auf diese Thematik spezialisierter Erzähler. Da er mit hoher Detailpräzision und (von betroffenen Lesergenerationen nachprüfbarer) Plausibilität im notwendig Fiktiven (Dialoge!) Alltagswirklichkeit verbürgt, bietet er heutigen Lesern Erklärungsmöglichkeiten an, die sie in der akademischen Geschichtsschreibung nicht vorfinden. Kempowski erscheint als Experte für einen Sektor aktuell relevanten gesellschaftlichen Wissens und wird häufig von den Medien zu entsprechenden Fragen konsultiert.

Eine Einschränkung macht dabei sein Wissen noch spezifischer, «ungewöhnlicher»: Kempowski versteht sich als Chronist der deutschen *Bürgerlichkeit* dieses Jahrhunderts, bestimmt durch Herkunft (als Rostocker Bürgersohn) und durch Fixierung an sein Erzähl-Sujet (die Geschichte seiner Familie). Dabei ist es Kempowski gelungen, seine erklärte Sympathie mit dem «Bürgertum» (soziologisch: mit der «mittleren Mittelschicht») gegen die starke negative Besetzung dieses seit einem Jahrzehnt in der Bundesrepublik doch streng politökonomisch definierten Begriffs durchzuhalten. Was ihm anfänglich 1971 als Kuriosität zugute gehalten worden ist, wird ihm offensichtlich heute als Expertenwissen zugestanden: nicht nur Genaueres über Ideologie, Institutionen und Alltagsleben des «Bürgertums» zu wissen, sondern auch dessen Rechte und Verdienste zu verteidigen, wie sie historisch auch in diesem Jahrhundert noch vorzuzeigen sind. So weist er historische Positiva der bürgerlichen Geschichtsbilanz vor: daß die «Bekennende Kirche» eine bürgerliche Widerstandsaktion gewesen ist (*Tadellöser & Wolff*); daß «Bildung» als Persönlichkeitsideal im Zuchthaus zum Überleben helfen kann (*Ein Kapitel für sich*); daß «Vaterlandsliebe» eine ebenso mißbrauchte wie originäre und werthafte Haltung gegenüber der Gesellschaft sein konnte (*Aus großer Zeit*). Kempowski werden solche Auskünfte offenbar als komplementäres Wissen zur generellen Kritik am «Bürgertum» zugestanden. Er ist Experte für das, von dem die Kritik weiß, daß sie es unterschlägt.

Ein anderes Rollenelement blieb bislang ohne innere Verbindung zu den anderen: der «Landlehrer» Kempowski. Als sich Kempowskis Rolle herstellte, war es zweifellos höchst signifikant, daß er dem Literaturbetrieb fern auf dem flachen Land lebte, in einer Dorfschule unterrichtete und in seiner Freizeit, umstellt vom Familienarchiv, Romane geschrieben hatte. Es soll hier nicht ausführlich darüber vermutet werden, welche Assoziationen sich um dies bereits in seiner Lautgestalt so eingängige Etikett versammelt haben. Eines nur soll angenommen werden: Der voll professionalisierte Literaturbetrieb fand hier vor, was in ihm als längst widerlegte Idealvorstellung davon weiterleben mag, wie – fern dem Markt und ohne Zwecke – «Literatur» entstehe.

Nach Erscheinen von *Tadellöser & Wolff* wurde dies Rollenelement sofort in der Literaturkritik fixiert. «Führende» d. h. über ein Stereotyp entscheidende Kritiker befaßten sich intensiv mit der Person des Autors. Das – wie in Kritiken häufiger hervorgehoben – «intelligent gemachte» Hanser Bulletin zu *Tadellöser & Wolff* hatte den «Landlehrer» angeboten: «Ich lebe auf dem Lande und bin zeitweilig von Kartoffeltreckern eingekreist»; dazu Fotomaterial, das eine fast schon kleinbürgerliche Wohnwelt, aber auch eine dazu stimmige amateurhafte Besessenheit und Akribie des Autors suggeriert. Der Verlagsprospekt zu *Uns geht's ja noch gold* verstärkt dieses Angebot mit einem dann oft veröffentlichten Foto Kempowskis in seiner Schulklasse (Anfang 1972). Der Tenor Trend setzender Kritiken, die die Vorgabe aufnehmen, sieht bald so aus: «Die Bauern von Nartum haben schon Molesten mit ihrem Lehrer.» (Gerd Fuchs in «konkret»). «Und stopft sich zwischendurch, wenn ihn der Lärm der Kartoffeltrecker stört, Ohropax in die Ohren.» (Rolf Seeliger in den «Nürnberger Nachrichten»); «. . . als Lehrer in einem Dorf bei Hannover, wo er mit seiner Frau eine ‹Zwergschule› betreut» (Hans Klingbeil in «Welt der Arbeit»); «Schulmeister Kempowski schreibt in seiner Freizeit Bücher» (Franz Josef Görtz in «Nachrichten», 11. 9. 1971). «Und dann haben Sie studiert und sind jetzt seit zwölf Jahren Volksschullehrer in Nartum bei Bremervörde . . . Sie haben dort mit ihrer Frau eine Schule.» (Heinz Ludwig Arnold in «Kulturkritik», 3. 11. 1972[338]). Es hat den Anschein, als ob sich das Motiv «Landschullehrer» günstig mit dem eifrigen Sammelns und genauen Archivierens verbindet. (Die notorische Vorliebe von Lehrern für Lokalgeschichte und Heimatkunde hat da sicherlich mitgespielt). Die Verfestigung des Stereotyps wird natürlich vom Fernsehen schnell befördert, da es ausgemacht medienspezifischen Reiz (indem für den Literaturbetrieb ungewöhnlich) besitzt. Eine rekonstruierende Analyse allein der zahlreichen Fernsehproduktionen, die das «Landlehrer»-Motiv eindringlich vorführen, wäre eine medienwissenschaftliche Aufgabe für sich. Höhepunkte sind hier das Autorenporträt «Wer will unter die Soldaten» (SFB-feature, 1974) und der «Autor-Skooter» des NDR (1977), als Nachhall das Sozial-Feature über Kempowskis Wohnort «Ein Dorf wie jedes andere» (ARD, 1980). Natürlich darf dieser Prozeß einer Stereotypenbildung nicht als gesteuerte Täuschung gewertet werden, sondern als selegierende und sich selbst verstärkende Information über einen ja tatsächlich existierenden und wichtigen biographischen Umstand, der jedoch zunehmend gegen die Wirklichkeit übertrieben und verzeichnet wurde. Der biographische Kontext kann eben als Überinformation nicht mitgegeben werden (hier würde das Artistisch-Spielerische in der Person Kempowskis erheblich stören), und dann ist für jedes Medium die Reproduktion des Bekannten sowohl Aufwandsersparnis wie auch, am Rezipienten orientiert, notwendiges Konstanthalten von Information.

Mittlerweile löst sich das Rollenelement «Landlehrer» längst wieder auf. Es war lange schon schwer vereinbar mit Kempowskis häufigem Erscheinen im Fernsehen, der dort gezeigten erheblichen intellektuellen Gewandtheit und der ersichtlichen Gleichbehandlung durch andere Prominenz als akzeptierter Mitspieler im Betrieb; die Außenseiterposition des «Lehrers auf dem Lande» wurde hier zwar zuweilen noch apostrophiert, ihre Merkmale aber waren bei solchen Präsentationen nicht mehr wahrzunehmen. Es ist absehbar, daß der «Landlehrer» in ein angemesseneres Rollenelement übergeht, das des «Pädagogen». Über seine literarische

Geltung bot sich Kempowski die Möglichkeit, die eigenen pädagogischen Konzepte öffentlich vorzustellen. Sie beruhen auf Ansätzen der «Reformpädagogik» (vor allem Ottos und Reichweins), die das Studium vermittelt hatte und die Kempowski im Unterricht nach seinen Erfahrungen ausarbeitete. In den Jahren seiner Lehrertätigkeit hat er viele Lehrmaterialien selbst hergestellt und didaktisch originell begründet. Schon die Kinderbücher profitierten von diesem Fundus, *Der Hahn im Nacken* (1973), *Alle unter einem Hut* (1976) sind nach dem Prinzip der «Eigenfibeln» geschrieben, die für die eigenen Schüler verfaßt worden waren. *Unser Herr Bökelmann*, das anekdotische Portrait eines «altmodischen» Lehrers, hat 1979 erklärlichen Erfolg bei vielen Eltern. Mit seiner Verbindung von Einfühlungspädagogik und kühler Wirklichkeitsbeobachtung hat Kempowski andererseits viel gemein mit der sich seit einigem formierenden Anti-Didaktik an den Hochschulen, die ihrerseits eine links orientierte Reaktion auf die erstarrte Schulreform darstellt. Kempowskis pädagogische Vorstellungen mit ihrer Akzentuierung von Subjektivität und Orientierung am Kinde, auch die von ihm vertretene «kleine Schule am Wohnort» haben zweifellos Aktualität. Wie ein pädagogisches Programm nimmt sich die Beschreibung der praktischen Tätigkeit des Lehrers Kempowski im Klassenraum aus, die 1980 ein Schulbuch-Verlag mit vielen Fotografien vorgelegt hat: *Kempowski, der Schulmeister;* das Vorwort des eigenen Kultusministers gibt ihm bildungspolitische Dimension. Die kürzlich erschienene *Kempowski-Fibel* wird das Rollenelement «Landlehrer» völlig in das des «bürgerlichen» Pädagogik-Experten überführen.

In enger Verbindung zum «deutschen Chronisten» Walter Kempowski steht die Faszination durch seine Arbeitsweise. Der «Dokumentarist» ist ein Element seiner Rolle geworden. Kritiken, Werkstattberichte[339], die Fernsehreports[340] und schließlich auch die Literaturwissenschaft[341] haben diese Signatur festgeschrieben. Das Verfahren der «Spurensicherung» durch Tonbandinterviews mit Vergangenheitszeugen, akribisches Studium von Fotos mit der Uhrmacherlupe auf stillstehende Handlung, erstarrte Mimik hin, die Auswertung von Briefen und «offiziellen» Dokumenten der Zeitgeschichte, auch das Umstelltsein bei der Arbeit von realen Requisiten der Familien-Geschichte und dem Stadtmodell Rostocks, schließlich die Existenz von 40 000 Zetteln, auf denen das alles (und noch anderes) fixiert und systematisiert ist, verleihen

228

dem Autor und seiner Produktion archivalische Wirklichkeits-
treue. Erzeugt wird der Effekt, als spiegele die Vergangenheit sich
materialiter wie sie einst gewesen. Hinzu tritt das Kompositions-
verfahren des auf Zetteln bereits in Sprache Übersetzten (quasi
Protokollierten), es läßt scheinbar keinen Raum für die spontane
Erfindung, wird über Ablaufschemata auf großen Tafeln fortwäh-
rend kontrolliert.

Prinzipiell ist dabei dieser Dokumentarismus in der deutschen
Literatur überhaupt nicht neu. Wir kennen ihn aus den Vorstudien
Gerhart Hauptmanns zu den «Webern», aus der organisierten
Montage Brechts, von der «Scheingenauigkeit» Thomas Manns
her. Allerdings finden wir bei keinem die außerordentliche Konse-
quenz Kempowskis, das einmal fixierte Wirklichkeitsdokument
sich kommentarlos selbst zu überlassen (wie es jedenfalls den
Eindruck macht) und so zu präsentieren.

Es wird viele Gründe geben, warum der «Dokumentarist» Kempowski so fasziniert. Zwei Gründe stehen sicherlich obenan. Der
eine liegt in der nie befriedigend abschließbaren Diskussion um
den «Realismus» in der Literatur, in der ästhetisch wie ideologisch
gestellten Grundfrage nach der Differenz zwischen Fiktion und
Wirklichkeit. Kempowski scheint eine mögliche Antwort darauf zu
geben: Höchste Beobachtungsschärfe am Material, ein systemati-
sches, quasi-technisches Verfahren seiner sprachlichen Reproduktion, der Verzicht auf sinngebende Einmischung des Autors ver-
bürgen einen hohen Grad an Plausibilität, das «So war es». Eine
negative Faszination entspringt dem zugleich: Hier wird – jedenfalls vom Stereotyp des «Dokumentaristen» – eine tradierte Vorstellung von Literatur verletzt, die Imagination, Subjektivität und
Verpflichtung zu Sinngebung einfordert.

«Deutscher Chronist», «Dokumentarist», «Bürger», «Landlehrer» – diese Stereotypen wurden als Kern der öffentlichen Rolle
Walter Kempowskis beschrieben. Eine Reihe weiterer Informationen, eine Zeitlang seit *Tadellöser & Wolff* von den Vermittlungsin-
stanzen häufig wiederholt, haben jedoch an Interesse verloren.
Dazu gehört merkwürdigerweise die Häftlingszeit Kempowskis in
Bautzen. Nachdrücklich wurde ja noch einmal durch den Fernseh-
erfolg von *Ein Kapitel für sich* an sie erinnert. Als wichtiger Teil der
Biographie ist die Haft bekannt, in das literarische Markenzeichen
ist sie als Merkmal jedoch nicht aufgenommen worden. Das hängt
offensichtlich mit einem anderen Sachverhalt zusammen: Kem-

powski begründet seine politische Position, umschreibbar mit «bewahrend liberal», vorwiegend mit seiner Haft-Erfahrung, eine Begründung, der schwer zu widersprechen ist. Nun ist jedoch die politische Position Kempowskis einerseits Ärgernis und wird innerhalb des Literaturbetriebs teilweise mit Ablehnung der Person sanktioniert. Andererseits wird sie durch ihre lebensgeschichtliche Begründung schwer angreifbar. Da die deutsche literarische Öffentlichkeit überdies nur einen recht eng definierten Stereotyp für «politisch konservativ» hat, der mit den anderen Rollenelementen schwer vereinbar wäre, bleiben Haft und politische Position aus dem Markenzeichen ausgeblendet.

6.3 Rollenperformanz. Ausblick: Der Charakter der Texte hat sich verändert, das Stereotyp ist geblieben

Seit *Tadellöser & Wolff* (1971) ist Walter Kempowskis Rolle im Literaturbetrieb mit den oben herausgearbeiteten Kernelementen fest umschrieben und auch als veröffentlichte so seitdem fixiert. Natürlich hat Kempowski die Zuschreibung angenommen. Wie Bourdieu wohl richtig erklärt, ist das erst in zweiter Linie Kalkül, sondern dankbar akzeptierte «Objektivierung der ursprünglichen Konzeption», ein Herausstellen der «objektiven Wahrheit des Werks», womit dem Autor eine allgemein akzeptierte Position im Literaturgeschehen angeboten wird: Der Autor bekommt eine Funktionsstelle im Sub-Sinnsystem des Literaturbetriebs zugewiesen, er wird Experte für einen bestimmten Bezirk von Wissen und Sinngebung. Damit zugleich erfolgt noch eine weitere Zuschreibung, deren ein Autor dringend bedarf: Ihm wird «sein» Publikum vordefiniert, seine Zielgruppe unter den Lesern. Bedenkt man, wie zahlenmäßig gering und wenig repräsentativ gewöhnlich die Rückmeldung von Lesern an einen belletristischen Autor zu sein pflegt, ist dies hoch einzuschätzen. Für Kempowski ist diese Zuweisung in der Reaktion des Literaturbetriebs auf *Tadellöser & Wolff* mit fast sozialwissenschaftlicher Genauigkeit erfolgt: es sei «der» Leser, der sich nach Alter und Herkunft «wiedererkennen» kann. Auch hier bringt das Stereotyp Verzicht mit sich. Jugendliche Leserschaft wird Kempowski abgesprochen. (Es wäre dagegen zu fragen, ob diese ihn mittlerweile nicht doch als historischen Romancier entdeckt hat. – Zur Oberschullektüre jedenfalls kann man seine Texte bereits rechnen. Sie zu verstehen dürfte, wie wir gesehen haben, für junge Leser keine Schwierigkeit sein.)

Mittlererweile hat sich das literarische Werk Kempowskis interessant vom öffentlichen Stereotyp seines Autors entfernt. Seit *Ein Kapitel für sich* (1975) nähern sich die Texte zunehmend klassischen Erzählformen: Der Stoff wird auf mehrere Erzähler verteilt, so erscheint das Dargestellte perspektivisch und damit individueller. Handlungsstränge werden über längere Zeit durchgehalten, wenn auch das Blöckchenprinzip nicht aufgegeben wurde. Mit *Aus großer Zeit* (1978) stellt sich überdies, obschon Kempowski weiterhin auf Psychologie verzichtet, eine Innensicht der Figuren her: Kindheit und Jugend der *Tadellöser*-Personen werden dargestellt und damit kalkuliert die Gründe für ihr späteres Verhalten angeboten. So stellt sich von selbst eine psychologische Dimension im wachsenden Gesamtwerk her, die Personen geraten zu Charakteren. Der Detaillismus und die «dokumentarische» Sicherung sind geblieben, sie haben jedoch an Kühle verloren; die ausgebreiteten Einzelheiten (Stationen «erster Liebe» etwa) sind mit mehr Wohlwollen ausgewählt. Gefühle werden zwar noch nicht ausgedrückt, aber doch benannt und sind aus den jeweiligen Situationen erkennbar. Es ist anzunehmen, daß die Leser aus unserer empirischen Untersuchung nach der Lektüre von *Aus großer Zeit* entschieden stärker die Individualität der Romanpersonen bemerken und sie psychologisch – und damit günstiger – beurteilen würden. Für die Figur des Vaters beispielsweise existiert jetzt im Gesamtwerk die individualisierende zweite «Schicht», die Kempowski im *Tadellöser* nur signalhaft anzulegen vermocht hatte. Ohne sein Darstellungsverfahren prinzipiell zu verändern, hat Kempowski so durch das wachsende Werk die Lebenswelt der Familie um die Bereiche Individualität und Gefühl erweitert. Es ließe sich zeigen, daß der chronikalische Charakter des vorliegenden Gesamtwerks zunehmend mit den Merkmalen humoristischen und «fiktionalen» Erzählens durchsetzt wird, ohne sich allerdings aufzulösen. Beobachtungen am Publikum der Vorlesungen Kempowskis zeigen das ebenfalls an. Man reagiert hier vornehmlich auf episch-humoristische Passagen. Zu vermuten ist, daß Kempowskis Stammleserschaft sich längst ein anderes Bild von Werk und Person des Autors macht, als es das noch geltende Stereotyp aussagt. Es wird interessant sein zu beobachten, wie die Instanzen der Stereotypenbildung allmählich darauf reagieren werden.

Werkübersicht und biographisches Gerüst

Auf eine Übersicht über alle bis 1971 entstandenen Arbeiten (ca. 90), die zudem häufig in mehreren Fassungen vorliegen, muß verzichtet werden.

In das Werkverzeichnis bis zu *Tadellöser & Wolff* wurden nur die von uns herangezogenen Arbeiten – auch Skizzen, nicht-literarische und pädagogische Versuche – aufgenommen. Veröffentlichungen sind durch Kapitälchen angezeigt.

Siglen: B = zum Haft-Thema gehörig; F = Fassung; M = zum *Margot*-Komplex gehörig; T/W = zum Thema von *Tadellöser & Wolff* gehörig; V = Vorstufe von . . .

WERKE

BIOGRAPHISCHE DATEN

* 1929 als Sohn des Reeders Karl Georg Kempowski und seiner Frau Margarethe in Rostock
Realgymnasium in Rostock
Dezember 1944 Einberufung
April 1945 der Vater gefallen
1946 Beginn einer Drucker-Lehre
1947 Arbeit in einem amerikanischen Versorgungsbetrieb in Wiesbaden
1948 Rückkehr nach Rostock. Verhaftung durch russische Soldaten. Gemeinsam mit dem Bruder Robert zu 25 Jahren Zwangsarbeit verurteilt, abzubüßen im Zuchthaus Bautzen
Verurteilung der Mutter zu 10 Jahren Zwangsarbeit
1954 Freilassung der Mutter

1956 Beginn der Notizen über die Haftzeit

1957 Erste Pläne eines «Buches über Bautzen». Befragungen von Zeugen. Erzählungen der Mutter und des Bruders in den folgenden Jahren auf Tonband. Skizzen, darunter: *Zelle* (B), *Gespräche im Knast* (B)

Freilassung W. Kempowskis zur Mutter nach Hamburg
Amnestierung des Bruders
Abitur
Studium an der Pädagogischen Hochschule Göttingen 1957–60

1958	Skizzen, darunter: *Krümeleien* (B), *Das Auge* (B) Fragment: *Knast* (B) Entwurf zu *Polykephalopolis* (B)	
1959	Seminararbeit: *«Draußen vor der Tür»: Versuch einer Form- und Sinndeutung* (B) Skizze: *Meine Erfahrungen in der Haftzeit* Examensarbeit: *Pädagogische Arbeit im Zuchthaus. Ein Erfahrungsbericht* Romanskizze: *Vor dem Gewitter* (M, F 1)	
1960	Beginn der *Familienchronik* (T/W) Beginn *Der Restaurator* (M)	Erste Lehrerprüfung Heirat mit Hildegard Janssen. Gemeinsame Tätigkeit an der Dorfschule von Breddorf/Ns
1961	Die *Familienchronik* (T/W) beendet Briefroman *Der Restaurator* (M) beendet Romanfragment: *Vor dem Gewitter* (VM) *Briefroman: Margot* (F 1)	Geburt des Sohnes
1962	*Margot* (F 2) 1. Buch: «Der Fahrstuhl» (F 1, F 2) 2. Buch: «In der Stadt» 3. Buch: «Beim Grafen» (F 1, F 2) Weitere – skizzenhafte – Varianten	Geburt der Tochter Bekanntschaft mit dem Rowohlt-Lektor Raddatz
1963	Überarbeitung von *Margot*	Zweite Lehrerprüfung
1964	*Collagen-Versuch* zu einem Haft-Bericht, Präsens-Fassung eines «Protokolls» (VB)	
1965	*Das Protokoll* (F 1), Umarbeitung des *Collagen-Versuchs* (VB) *Wassagrynn* = Überarbeitung des *Protokolls* (VB)	Versetzung des Lehrerehepaars nach Nartum/Ns

233

Überarbeitung von *Margot* (F 3)

Fortan selbstgeschriebene *Fibeln* für den Schulgebrauch

1966 Fortsetzung der Ende 1965 begonnenen Neufassung von *Protokoll/Wassagrynn* (= F 2, VB)

1967 *Protokoll/Wassagrynn* (F 3, VB), Endfassung
Die Konkurrenzstadt (Didaktisches Planspiel)
Zinn-Gedichte

1968 Überarbeitung von *Protokoll/Wassagrynn* (VB) für den Druck
Umgang mit Größen (Träume)
August: Beginn des Romans *Im Strom* (= *Tadellöser*)

1969 IM BLOCK. EIN HAFTBERICHT
Das Zwischenbuch
Fortsetzung von *Im Strom* (= *Tadellöser*)

1970 Oktober: *Im Strom* (= *Tadellöser*) beendet
Oktober: *Missing Link* (= *Gold*) begonnen

1971 TADELLÖSER & WOLFF
TRÄUMEREIEN AM ELEKTRISCHEN KAMIN (Hörspiel)
Förderpreis des Lessingpreises der Stadt Hamburg

1972 UNS GEHT'S JA NOCH GOLD
AUSGESCHLOSSEN (Hörspiel)
Wilhelm-Raabe-Preis

Förderungspreis des Andreas-Gryphius-Preises

1973 HABEN SIE HITLER GESEHEN?
DER HAHN IM NACKEN
Wie T/W entstand

1974 *Von der Auferweckung der Bilder*
Mutter und die Hitlerei
Mein Vater und Hitler
Die Harzreise aus «Tadellöser & Wolff» – erklärt

234

	WALTER KEMPOWSKIS HARZREISE – ERLÄUTERT	
1975	EIN KAPITEL FÜR SICH	
	BEETHOVENS V. (Hörspiel)	
1976	ALLE UNTER EINEM HUT	
	WER WILL UNTER DIE SOLDATEN?	
1978	AUS GROSSER ZEIT	1977: Karl-Sczuka-Preis
1979	UNSER HERR BÖCKEL-MANN	Niedersachsen-Preis
	HABEN SIE DAVON GE-WUSST?	
1980	MEIN LESEBUCH	Jakob-Kaiser-Preis
	MOIN VADDR LÄBT (Hör-spiel)	(zus. mit Eberhard Fechner)
	KEMPOWSKIS EINFACHE FIBEL	
1981	SCHÖNE AUSSICHT	Hörspielpreis der Kriegsblinden

Anmerkungen

1 Werktagebuch (TB) '57, 20.

2 Diesen Entwurf für das Leben nach der Haftentlassung verbürgt auch die Aussage des Bruders Robert Kempowski (1979). Er ist also keine stimmige Rückprojektion aus der Sicht des *Block* oder des *Kapitels für sich*, nachdem sich für Kempowski die öffentliche Rolle als «Landlehrer» hergestellt hatte.

3 TB '57, 6.

4 TB '59, 46.

5 TB '59, 58.

6 TB '59, 60.

7 TB '60, 108.

8 TB '59, 24, 60.

9 TB '59, 57, 58.

10 TB '59, 50.

11 TB '60, 84; '60, 113.

12 TB '59, 59.

13 TB '59, 15.

14 Nach der Aussage Kempowskis (Juli 1979) entstand der Wunsch, «Dichter zu sein» während der späten Kindheit und wurde in der Haftzeit oft erinnert. Die Notiz zitiert einen ironischen Angriff des Bruders Robert im Laufe einer persönlichen Auseinandersetzung und bezeugt die Betroffenheit durch die absprechende Ironie, zugleich die Aktualität dieses Wunsches.

15 Siehe den Bezug des Träumers in TB '58, 8 zu Kafka; dann TB '59, 49; in TB '59, 59 erscheint ein Tonbandgerät im Größentraum, es dient realiter bereits den Aufzeichnungen zum «Knast»-Stoff.

16 TB '59, 50.

17 TB '59, 16; TB '59, 60; TB '60, 87; TB '60, 98.

18 TB '59, 19.

19 TB '59, 19; TB '60, 83. – Diese Einfälle sind durchaus nicht immer literarisch ambitioniert. Sie beziehen sich auf Film-Grotesken oder auch auf ein «Handbuch zur Witzkunde» mit musikalischer Notation. Kempowski ist von Anfang an nicht festgelegt auf die literarischen Ausdrucksmöglichkeiten, sondern eröffnet sich eine erhebliche Bandbreite potentieller Produktivität, wie sie sich später in seiner «multimedialen» Produktion (Tonbandexperimente zu Beethovens V., ein Hörbild in selbsterfundenem Dialekt, Bildbände, Mitarbeit bei Filmen usw.) ja auch realisiert.

20 TB '59, 12.

21 TB '56, 1g–1i.

22 TB '59, 17.

23 TB '59, 23.

24 TB '60, 92.

25 TB '59, 17.

26 TB '59, 34f.

27 TB '59, 56.

28 TB '58, 10.

29 So: TB '59, 41, 62–64.

30 TB '59, 63.

31 TB '59, 66.

32 TB '59, 41.

33 TB '59, 46.

34 TB '59, 46.

35 TB '59, 15.

36 TB '59, 29; TB '59, 59; TB '59, 62.

37 TB '59, 59.

38 TB '59, 62.

39 TB '59, 28.

40 TB '59, 24.

41 TB '59, 16.

42 Zur Verdeutlichung wird ausnahmsweise aus einem bereits ausgearbeiteten Fragment *Knast* (1958), S. 3, im Kontext der Tagebücher zitiert. Die Anspielung meint Posa (über das Don Carlos vom väterlichen Tyrannen zugefügte Unrecht):
    «*Der* Brief entschied. Der Würdigste warst du.
    Mit stolzer Freude sahst du nun das Schicksal
    Der Tyrannei, des Raubes überwiesen.
    Du jauchztest, der Beleidigte zu sein;
    Denn Unrecht leiden schmeichelt großen Seelen.»

43 TB '59, 41.

44 TB '57, 1; TB '58, 8; TB '59, 56; TB '60, 107.

45 So eine eigene Traumdeutung TB '59, 55.

46 TB '59, 43.

47 TB '58, 8; TB '59, 62; TB '59, 68.

48 TB '59, 42.

49 In der Examensarbeit *Pädagogische Arbeit im Zuchthaus. (Ein Erfahrungsbericht)* vom September 1959, S. 6. Die Arbeit gab die erste Möglichkeit einer zusammenhängend argumentierenden «Rechtfertigung» gegenüber einer respektierten und neutralen Instanz. Hier wird die Haft im Zusammenhang eines Lebensplanes gesehen, der auch die Spekulation über eine «metaphysische Schuld, deren Folge meine Lage sein mußte» (S. 6) aufnehmen konnte.

50 TB '58, 8.

51 TB '60, 84.

52 TB '60, 87.

53 Hierzu Goffman 1961, insbesondere den Abschnitt über «The Inmate World» und dort zu den «dominant themes of inmate culture» (66–70).

54 Goffman 1970 stellt diese Differenz zwischen den gesellschaftlichen Typen der sozialen und persönlichen Identität und dem dar, was das Individuum als «das subjektive Empfinden seiner eigenen Situation und seiner eigenen Kontinuität und Eigenart als ein Resultat seiner verschiedenen sozialen Erfahrungen erwirbt» (132), der «Ich-Identität».

55 TB '59, 27.

56 TB '59, 60–61.

57 TB '57, 3.

58 TB '61, 156.

59 Nach einer Aussage Walter Kempowskis (Juli 1979), die gestützt wird durch das völlige Fehlen von diesbezüglichen Notizen in den Tagebüchern und schließlich durch die Aussparung des Schicksals der Mutter im *Block* und seinen Vorstufen. Kempowski: «Ich hatte Angst vor dem Thema.»

60 Bericht von A. S., S. 128.

61 TB '60, 84.

62 *Zelle* (ca. 1957), *Krümeleien* (1958), *Das Auge* (1958).

63 1958.

64 *Knast*, S. 51.

65 *Krümeleien*, S. 6.

66 *Zelle*, S. 1.

67 *Zelle*, S. 1.

68 «Symbol» wird hier allgemein als «substitutives Zeichen» in der Definition durch Schaff (1973, 168 ff.) verstanden. Nach dem Konzept von Link (1975, 168 ff.) ist der Symbolisierungsprozeß so faßbar, als hier zu einer bereits existenten *subscriptio* (Haftsituation) die *pictura* aufgefunden wird.

69 *Knast*, S. 3.

70 Siehe S. 22.

71 Entwurf zu *Polykephalopolis* um 1958.

72 *Knast*, S. 7. Unkorrigierte Fassung.

73 Nach Mukarovsky 1970, 46–49.

74 Siehe Wolff 1971, bes. 158–160.

75 Sachs 1924, 69.

76 Sachs 1924, 72.

77 Sachs 1924, 72.

78 Freud VII, 213 ff.; vgl. XI, 390 f., 90.

79 Freud, 387, ebenso VII, 218 f. *(Der Dichter und das Phantasieren)*.

80 Freud X. *(Zur Einführung des Narzißmus)*, 140 f.

81 Nach Laplanche/Pontalis 1973, 321, die die Diskussion bis 1966 sichten.

82 Laplanche/Pontalis 1973, 321.

83 Kohut 1976 (1971), 45.

84 Kohut 1976 (s. auch 1977) befaßt sich hauptsächlich mit narzißtischen Störungen und Formen der Übertragung bei ihrer Behandlung. Er entwickelt dabei jedoch auf der pathologischen Folie eine Theorie des psychischen Narzißmus überhaupt.

85 Kohut 1976, 43.

86 Kohut 1976, 347–349, 351, 355. – Hier sehen wir auch eine Korrektur zu Kohut 1966, 574–578, wo die Untersuchung von Kreativität sich nur auf den Abkömmling des Selbst-Objektes (Idealisierungsvermögen) konzentriert.

87 Hierzu Kohut 1976, 13–15.

88 Wir folgen weiterhin in Darstellung und Einschätzungen fast ausschließlich den Tagebüchern, um von (ungewollten) interpretierenden und Einheitlichkeit herstellenden Aussagen Walter Kempowskis unabhängig zu bleiben.

89 TB '64, 241.

90 TB '61, 148.

91 TB '62, 185; während der Arbeit an *Margot*.

92 TB '62, 190; während der Arbeit an *Margot*. Der Traum zieht den familiären Umgang mit den beiden «Größen» schließlich selbst in Zweifel («wird es mir fraglich, ob die Herren überhaupt in unserem Haus wohnen»), was aber am thematischen Kern, der spezifischen Wunscherfüllung, nur wenig verändert.

93 TB '64, 239/40 u. ö.

94 TB '62, 187.

95 TB '62, 187.

96 TB '63, 205.

97 TB '64, 226. *Sommertage im Försterhaus* von Erich Kloss war eine Lieblingslektüre des Zehnjährigen.

98 TB '64, 225.

99 TB '64, 229.

100 TB '63, 209. Sicherlich ist in dieser Identifizierung ein Moment magischen Spielens mit vergleichbaren Daten usw. enthalten, wie es aus vielen Biographien, nicht zuletzt der Thomas Manns, bekannt ist. Bewußter voller Ernst drückt sich hier wohl nicht aus, wenn Kempowski seine acht Zuchthausjahre mit jenen vergleichen kann, die Hans mein Igel hinter dem Ofen verbringt, bevor er ins tätige Leben eintritt, das ihm nach einiger Zeit weiterer Prüfungen Verwandlung zu seiner «eigentlichen» Gestalt, Gemahlin und schließlich Erhöhung beschert.

101 Wysling 1974, 170 und pass. Vgl. zum gesamten Komplex Narzißmus

und Erhöhungsphantasien bei Thomas Mann auch Wysling 1976, 18 f. und Wysling 1978, 289.

102 Nach Sachs 1924 sind es vor allem die im Ödipuskomplex enthaltenen Wünsche, die zur Darstellung gelangen. Ebenso Freud IX, 229. Nach Kohuts Theorie liegen bei narzißtischen Personen die strukturbildenden «Größen-Selbst-Konfigurationen» noch vor der ödipalen Phase (Kohut 1976, pass.).

103 Zur unterschiedlichen Fixierung des Tagtraums an einige wenige und schnell erreichte «Szenen, die mit geringen Varianten bis ins Unendliche wiederholt werden» siehe Sachs 1924, 66.

104 Als Terminus gehört «Lebensplan» mit anderen Voraussetzungen eigentlich der Adler-Schule. Sinngemäß wird er auch in der Psychoanalyse verwendet, so in Freuds Beschreibung des unbewußten Lebensentwurfes Napoleons im Brief an Thomas Mann vom 29. 11. 1936.

105 Hiervon besonders kennzeichnend TB '64, 238 f. und TB '64, 255.

106 Siehe Kohut 1976, 348 f. zur produktiven Notwendigkeit eines Maßes an nicht neutralisiertem Exhibitionismus beim Künstler.

107 Sachs 1924, 72–73.

108 TB '61, 150.

109 TB '61, 160.

110 TB '64, 242.

111 TB '64, 237.

112 TB '61, 150.

113 TB '64, 247.

114 TB '64, 239.

115 TB '64, 242.

116 TB '62, 177–180 (11. 3. 1962). Zur Konzipierung des *Tadellöser* siehe w. u. – Der Anlaß für diese Skizze dürfte die erste begründete Aussicht einer Veröffentlichung gewesen sein. Der präsumtive Buchautor erklärt sich seine thematischen und stilistischen Vorlieben, mit deutlicher Hinwendung zu einem Publikum. Der Text findet sich nach dem ersten Besuch von Raddatz und kurz vor dessen in Aussicht gestelltem Urteil zu einem *Margot*-Manuskript («Die Stadt»). Siehe die Dokumente von März 1962 in der ZEIT-Veröffentlichung.

117 TB '61, 155.

118 TB '60, 88.

119 TB '62, 172.

120 TB '66, 338.

121 TB '64, 241.

122 TB '64, 235.

123 TB '62, 145 f.

124 TB '62, 146.

125 Zimmer 1975, 8.

126 TB '62, 177–180. Siehe Seite 53.

127 TB '59, 59.

128 TB '62, 191.

129 TB '68, 377.

130 TB '62, 191.

131 Freud XIII, 265 *(Das Ich und das Über-Ich/Ichideal)*; XVI, 217.

132 Freud XIII, 256–267; XV, 62–86.

133 Wie intensiv diese Regressionstendenz die gesamte psychische Konstitution beherrscht, können wir nicht beobachten. Hier wie an anderen vergleichbaren Stellen begnügen wir uns mit der Konstatierung einer psychischen Rückneigung, die wir als einen der Antriebe künstlerischer Produktion annehmen müssen. Sehr wohl mögliche Spekulationen darüber hinaus verbieten sich, da sie zu Korrektur oder Bestätigung der psychoanalytischen Grundsituation bedürften. So wäre es ja sehr reizvoll, das (von Kempowski bestrittene) objektiv schlechte Abschneiden der Vaterfigur im *Tadellöser* und den heftigen Wunsch nach Wiederherstellung des leiblichen Vaters in den Träumen in Beziehung zu ödipalen Konflikten zu setzen. Man könnte dann zu einer Hypothese gelangen, die den Sachverhalt aus der Ambivalenz von Tötungswunsch und Schuldgefühl erklärte; im *Tadellöser* entspräche dem die Reduktion und Verzerrung der Vaterfigur. Wir werden jedoch dazu eine flachere Erklärung anbieten, die eine solche Hypothese zwar zuläßt, aber nicht voraussetzt.

134 Freud II/III, 358.

135 TB '59, 46.

136 TB '60, 108. Das Klavierspiel hat Ähnlichkeit mit «Glücks genug», einem Lieblingsstück des Vaters.

137 TB '62, 190.

138 Freud II/III, 697, vgl. 359.

139 Freud XVI, 217.

140 TB '59, 46. Die Traumnotiz schließt: «Dann sah ich seinen linken Arm, die Nägel waren unsauber.» Dies als Hinweis auf die bekannte Verkrüppelung des linken Arms Wilhelms II. zu deuten, dürfte wohl nicht überziehen.

141 «Glücks genug», TB '60, 108.

142 TB '61, 148.

143 Freud VII, 229 (*Der Familienroman der Neurotiker;* gemeint ist hier aber auch neben dem Neurotiker «jede höhere Begabung»).

144 Freud VII, 231.

145 Erstsendung Hessischer Rundfunk, März 1980. – Der merkwürdige «Dialekt» des Textes hat sich ohne Vorstudien, lexikalische Informationen udgl. «von selbst» eingestellt. Zur Annäherung an das Jiddische soll nur angemerkt werden, daß es sich dabei um – wie es wohl geläufige Konnotation sein dürfte – die Sprache des patriarchalischen Volkes par excellence handelt.

146 Da die Tagebücher kontinuierlich und mit gleichbleibender Aufmerksamkeit (mit Ausnahme des TB '69) geführt wurden, kann diese
thematische Gruppe nicht aus organisatorischen Gründen (Verlage-
rung des Notierenswerten von inneren auf äußere Vorgänge udgl.) als
einzige weggefallen sein.

147 *Gespräche* 1977/78 mit dem Verf. (Protokoll), 129.

148 Siehe 2.2.3.

149 Sachs 1942, 75. – Sachs, der der auf die Sexualtriebe eingeengten
Sublimierungs-Hypothese Freuds folgt, meint die Phantasien ödipalen
Ursprungs und verbindet Schuldbewußtsein direkt mit dem Ödipuskomplex. Nun läßt sich eine Erscheinungsform des Schuldbewußtseins, das einerseits aus einer realen Tat des Erwachsenen resultiert,
andererseits aber persistiert und sich zu einer Kategorie der privaten
Ideologie auswächst, zweifellos auf eine ödipale Grundlage zurück-
führen. Es aktualisiert und nährt die ödipale Reaktion weiterhin. Eine
solche Hypothese würde den bei Kempowski beobachteten Vorgang
erklären. Entsprechend unserer methodischen Selbstbeschränkung
müssen wir diese Möglichkeit dahingestellt sein lassen.

150 *Gespräche* 1977/78, S. 129.

151 *Gespräche* 1977/78, S. 151.

152 TB '63, 204.

153 TB '63, 206.

154 TB '65, 328.

155 TB '66, 343.

156 TB '63, 215.

157 *Gespräche* 1977/78, 139.

158 TB '63, 215.

159 TB '58, 8.

160 TB '58, 9. Kempowski notiert die «Idee», er mache eine Führung
durch St. Marien mit. Der Assoziationskern ist, daß es «zwölf läutet»
und die Tür der Kirche vor ihm zuschlägt. Wir bedürfen nicht der
Deutung dieser Einzelassoziation (wohl auf der Linie: abgelaufene
Zeit, Aus- oder Eingeschlossensein), sondern veranschlagen nur die
traumsemantische Grundschicht von «Kirche/ St. Marien», wie wir sie
für den Gesamtcorpus der Traumtexte festgestellt haben.

161 Diese Rezeptionsphase wird geprägt von den Kafka-Interpretationen
Grenzmanns (1950), Camus' (1950), Emrichs (1957) und Ides (1957).

162 Vgl. Iser 1976, 114–132; Fietz 1976, 17.

163 Der in verschiedenen Fassungen vorliegende Romantext hat drei
Teile: «Der Fahrstuhl», «In der Stadt», «Beim Grafen». Den Kern
stellt der zweite Teil «In der Stadt» dar, der auch den Kritikern
vorgelegen hat.

164 Der Anteil der Träume, deren Text in den Roman eingetragen wird
oder die stoffliche bzw. Gestaltungsidee liefern, ist bemerkenswert

hoch. Siehe hierzu TB '59, 75–76; TB '60, 104–105; TB '62, 186–187.
Die Aussagekraft, die Kempowski seinen Träumen auch für andere
beimißt, wird auch aus einem Entwurf während der *Margot*-Phase
markiert:
> «Ein Buch mit dem Titel: Im Zuchthaus. Es enthält alle Träume. Im
> Mittelpunkt steht die Rauchpause. Wenn ich auch hier ins Unwirkli-
> che, Gespenstische gehe, kann ich allerhand bringen.» (TB '61,
> 150).

Die Differenz dieses Vorhabens zum tatsächlichen Text des *Block*
wird uns noch beschäftigen.

165 TB '61, 156. Die Notiz fährt fort: «Wenn es fertig ist, versiegt womög-
lich das Wasser.» Diese Besorgnis dürfte ein normales Quantum
Zukunftsangst sein und keine Einschränkung des bezeugten Grundge-
fühls. Sie findet sich bei Kempowski nämlich sehr selten in bezug auf
das Versiegen der Produktivität, sondern durchweg als Befürchtung
äußerer Behinderung (wie eines politisch begründeten Schreibver-
bots).

166 TB '62, 187.

167 TB '63, 195.

168 TB '64, 221.

169 TB '64, 225.

170 TB '64, 229.

171 TB '64, 231.

172 TB '69 (12. 11.).

173 TB '70, 411.

174 Kohut 1976, 355 und pass.

175 Sachs 1924, 76.

176 Siehe Stichwort und Literaturbericht zu «Sublimierung» bei Laplan-
che/Pontalis 1973. M'Uzan resümiert geradezu, daß «das Wesen der
künstlerischen Sublimierung» sich der psychoanalytischen Disziplin
entzieht (de M'Uzan 1965, 151).

177 So Wilson 1954, 164–170; de M'Uzan 1965, pass.; Guillaumin 1974
pass.

178 Dies Schuldbewußtsein ist natürlich zu unterscheiden von Sachs'
Konzept des Schuldbewußtseins als Abkömmling des Ödipus-Kom-
plexes (Sachs 1924, 74ff.).

179 Guillaumin 1974, 189, nach dessen Konzept dieser Effekt entsteht,
wenn der Autor aus der Position des von ihm projizierten Lesers sein
Werk beurteilt.

180 Das allerdings scheint die Folge einer tradierten Vorstellung vom
Dichter, der «hinter sein Werk zurücktritt», wie sie wohl kaum je
zugetroffen hat: «Er will die Anerkennung auch gar nicht für sich,
sondern für sein Werk. Er zieht es gewöhnlich vor, unbeachtet beiseite
zu stehen . . .» Zwar sieht Sachs auch, daß über Werk und Ruhm

schließlich doch wieder ein personenbezogener Narzißmus Befriedigung erlangt, veranschlagt das aber nicht hoch genug und bedenkt auch nicht die Möglichkeit von dessen Antizipation im schöpferischen Prozeß (Sachs 1924, 77).

181 Sachs 1924, 72.
182 In: Die Zeit, Nr. 16, 8. April 1977, S. 34–35.
183 Über den Zusammenhang von ästhetischer Norm, zeitlicher und gesellschaftlicher Normskala und Normträgern siehe Mukarovsky 1970, 62–68 und pass.
184 TB '63, 202 (Mitte Mai 1963).
185 21. 11. 1963 an Raddatz.
186 TB '63, 215 (18. 12. 1963).
187 An Raddatz 7. 1. 1964.
188 An Raddatz 21. 11. 1963.
189 An Raddatz 7. 1. 1964.
190 Pädagogische Arbeit im Zuchthaus, 5.
191 Seminararbeit zu Draußen vor der Tür 1959, 1.
192 Zum Zusammenhang von «ästhetischem Wert» als «Maß ästhetischem Wohlgefallens» und veränderlicher ästhetischer Norm siehe Mukarovsky 1970, 36–37.
193 Sachs 1924, 72.
194 Sachs 1924, 72.
195 Sachs 1924, 73.
196 Vgl. Sachs 1924, 72.
197 An Raddatz; vgl. auch TB '64, 254: «Das mit Schmerz Erfahrene zu Stilübungen mißbrauchen.»
198 Collagen-Versuch, Bd. 1, 35–37.
199 TB '57, 3; vgl. 2.2 zur psychischen Grunddisposition: «Die Phantasieziele ‹Größe› und ‹Dichten/Schreiben› bleiben konstant angenähert . . .»
200 Das Protokoll. Vorläufige Niederschrift (August 1965), Bd. 1, 11.
201 Wassagrynn. Dritte Fassung des Protokolls (Korrigierte Kapitel), Bd. 1, 27a.
202 Telefonnotiz zu Gespräch mit Raddatz 4. 3. 1968. ZEIT-Dokumentation, 35.
203 Zur «Thematisierung der Reality-Fact-Fiction-Problematik» in modernen biographischen Romanen (Lawrence Durell, Aldous Huxley, Margaret Drabble) vgl. Fietz 1976, 146–154.
204 S. 14f.
205 Siehe den oben zitierten Brief an Raddatz vom 8. 12. 1964.
206 Siehe die Bibliographie in Dierks 1978b.
207 TB 15. 11. 1961.
208 Aus dem oben zitierten Brief an Raddatz vom 8. 12. 1964.
209 TB '66, 351, 353.

210 Das – unveröffentlicht gebliebene – *Zwischenbuch* enthält u. a. die Sammlung der notierten Größen- bzw. Vaterträume. Die ja bereits fertigen Texte werden nun nach dem Block-Prinzip umgeschrieben, d. h. ihre syntaktisch-semantische Kompliziertheit wird vereinfacht und die Wirkungsabsichten auf die Konnotationsangebote, räumlichen Pointierungen usw. verschoben.

211 TB 11. 3. 1970.

212 TB '62, 187.

213 TB '63, 193.

214 TB '65, 331 (30. 12. 65).

215 TB '70, 422. Gemeint ist das vierte Buch des bereits geplanten fünfbändigen Zyklus.

216 Zur Schichtung des Gedächtnisses in «mnestische Systeme» und zur möglichen Bewußtwerdung der dort eingetragenen Erinnerungsspuren siehe Freud II/III *(Traumdeutung)*, Kap. VII, besonders 544–547.

217 TB '58, 10. Vgl. 2.2.2.

218 TB '59, 28. Vgl. 2.2.2.

219 TB '70, 424. Vgl. *Tadellöser*, Abschnitt 30.

220 TB '70, 423.

221 Zimmer 1975, 8.

222 MS *Wie T & W entstand*, Notiz 192 zur *Biografie*; unsere Hervorhebung.

223 TB '63, 195; unsere Hervorhebung.

224 *Kapitel*, 382, vgl. *Tadellöser*, 32.

225 Gregor-Dellin 1971.

226 Ross 1971.

227 Linder 1973.

228 *Gespräche* 1977/78, 65.

229 *Gespräche* 1977/78, 70.

230 Unsere Hervorhebungen.

231 *Von der Auferweckung der Bilder* (29. 5. 1974), unveröffentl. TS, 2–5.

232 Unsere Hervorhebungen.

233 Freud II/III *(Traumdeutung)*, 544: «Unsere Wahrnehmungen erweisen sich auch im Gedächtnis miteinander verknüpft, und zwar vor allem nach ihrem einstigen Zusammentreffen in der Gleichzeitigkeit. Wir heißen das die Tatsache der Assoziation. . . . Das erste dieser Er(innerungs-)Systeme wird jedenfalls die Fixierung der Assoziation durch Gleichzeitigkeit enthalten, in den späteren Systemen wird dasselbe Erregungsmaterial nach anderen Arten des Zusammentreffens angeordnet sein, so daß etwa Beziehungen der Ähnlichkeit u. a. durch diese späteren Systeme dargestellt würden.»

234 Zur Unterscheidung von «Sachvorstellungen» im Unbewußten und «Wortvorstellungen» im Bewußtsein siehe Freud X *(Das Unbewußte)*, 299 ff. Die Verbindung beider kennzeichnet das System «Vorbewußt»,

245

also die ins Bewußtsein abrufbare Erinnerung, oder den konkreten bewußten Erinnerungsprozeß selbst.

235 Freud X, 301.

236 Natürlich arbeiten wir bei unserer Einschätzung mit einer Hypothese zur «normalen Realisierung» des Textes, die wir im Verlauf unserer empirischen Untersuchung gewonnen haben. Ein anderes Ergebnis wäre zu erwarten, wenn der Leser intensiv auf den Textabschnitt eingestellt und zu mehrmaligem Lesen gezwungen würde, wie bei einem Teil der Vorgaben in der Untersuchung geschehen. Hier würden sicherlich auch Realisierungen der zusammenhängenden Bedeutung beider Bilder und ihres Sinnes entstehen.

237 *Gespräche* 1977/78, 55.

238 Wapnewski 1979, 184f.

239 Metken 1977, 11; siehe auch *Dokumenta*-Katalog 1977, 254f.

240 Metken 1977, 21–29.

241 Psathas 1973, 271. Zum gesamten Komplex der Theorien und (Untersuchungs-)Methoden des symbolischen Interaktionismus und der phänomenologisch bestimmten neueren Wissenssoziologie (Schütz), die sich insbesondere mit dem «Alltagswissen» befassen, siehe den Reader der Arbeitsgruppe Bielefelder Soziologen 1973.

242 Siehe die Vorträge auf der Tagung «Biographie in handlungswissenschaftlicher Perspektive» Februar 1980 in Nürnberg, die 1981 publiziert werden (darunter auch Beiträge von Kempowski und dem Verf.).

243 Ein informatives Zeugnis für die rasche Ausbreitung des «Spuren-Sicherungs»-Gedankens – als Alltagsgeschichte des Alltäglichen – gibt Glaser 1979. Er begründet das mit der gegenwärtigen Aporie der Sozialwissenschaften, zeitlich also bei weitem zu kurz gegriffen.

244 TB '59, 16.

245 TB '61, 144.

246 TB '65 (19. 1.), 267.

247 Über diesen im Nachhinein das Selbstverständnis eines Autors auch mit dem Risiko der Verfälschung steuernden Prozeß der «Objektivierung» einer so zuvor nicht bewußten «ursprünglichen Konzeption» durch die Literaturkritik siehe Bourdieu 1970, 92–102.

248 Hierzu Döhl 1971, 276. Man muß natürlich sehen, daß die «Konkreten» in vielem nur die seit Dada über Schwitters bestehende Tradition wieder belebten, die Kempowski bekannt war.

249 Die Texte sind nicht mehr auffindbar, jedoch die Kataloge. Die Rekonstruktion gibt einen Angebotstext von 1967 aus dem Versandhaus Sixtus Maier, Fürth. – Als Reminiszenz siehe die «Zinnfiguren-konstellation: Gefangener sitzend, Gefangener stehend usw.» im *Block*, 135.

250 Daß sich die Autoren der «Konkreten Poesie» über ihre Rezeption

täuschen, der Leser sehr wohl einen Bedeutungsbezug herstellt, zeigt wünschenswert deutlich van der Auwera 1976, 39f.

251 Nach Döhl 1971, 278.
252 *Gespräche* 1977/78, 40.
253 Einhorn 1970, 2 und pass.
254 Alle Zitate nach *Gespräche* 1977/78, 57–59, 131.
255 Rotzler 1972, 180.
256 *Gespräche* 1977/78, 133.
257 *Gespräche* 1977/78, 133.
258 *Gespräche* 1977/78, 19f.
259 Wir erörtern keine systematisch-ästhetische oder semiotische Fragestellung und brauchen deshalb weder «die bislang ungelösten und sehr komplexen Probleme der definitorischen Merkmale von ‹Literatur›» (Titzmann 1977, 65) zu diskutieren noch die Abgrenzung von «natürlicher» zu «literarischer» Sprache. Es kommt lediglich darauf an zu sehen, daß Kempowski sich zu literarischen Zwecken jetzt an die Normalsprache halten muß. Inwieweit der dabei entstehende Literaturtyp *faction* noch unter die Lotman'sche Bestimmung vom «sekundären modellbildenden System» fällt, soll an anderer Stelle bedacht werden.
260 Zitate nach Nash 1964, 101, der kreative Rollenvielfalt und Persönlichkeitsmerkmale über Ergebnisse des Rohrschachtests in Beziehung setzt.
261 Siehe hierzu die statistischen Vergleiche insbesondere zur Arbeitszeit bei Engelsing 1976, 348ff. und pass. sowie Seidel 1977 (zu Brecht) 87–90 und pass.
262 Aus einem unveröffentlichtem Entwurf von 1973 *Wie T/W entstand*, 196.
263 MS *Wie T/W entstand*, 196.
264 In: Curtius 1976, 23. Siehe auch Curtius' gesamte kritische Diskussion der verschiedenen Schöpfungsphasen-Theorien, die schließlich mangels akzeptabler Modelle in ein eigenes Postulat mündet; 19–30. – Sofern diese Theorien sich aus der Beobachtung ergeben, bevorzugen sie kurzfristige Prozesse – literaturbezogene Verallgemeinerungen beziehen sich erkennbar auf Lyrik; die Entstehung eines Gedichts ist eben überschaubarer (von dessen «Inkubations»-Zeit einmal abgesehen). Transfer zu den ungleich weiträumigeren kreativen Vorgängen in der Epik ist dabei sehr problematisch. Vereinfacht: Der Epiker schreibt faktisch jeden Tag ein Gedicht im Gedicht.
265 TB '61, 156.
266 TB '59, 51.
267 Unveröffentl. MS *Wie T/W entstand*, 193.
268 *Wie T/W entstand*, 192–197.
269 TB '70 (28. 5. 1970), 423.

270 MS (1974) *Die Harzreise aus «Tadellöser & Wolff» – erklärt!* zu *Walter Kempowskis Harzreise – erläutert* (1974); Kommentar zu den Text-Blöcken 32–33.

271 TB '58, 10.

272 Zehm 1969.

273 Unterschiedliche Verstehens-Konzepte nach *Wie T/W entstand*, 193 und *Mutter und die Hitlerei* (1974), *Mein Vater und Hitler* (1974).

274 Nach den in Anm. 273 genannten MSS über das Verhältnis der Eltern zu Hitler.

275 Zu den konversationsanalytischen und erzähltheoretischen Begründungen und zur Anlage des Interviewverfahrens siehe Schütze 1979, pass.

276 Schütze 1979, 20.

277 Transskript, 60–61.

278 Transskript, 1590–91. Die Mutter erzählt dieselben Ereignisse im Laufe der Jahre mehrmals.

279 Es ist klar, daß wir unseren Zugang nur über die eigene Vertrautheit mit eben diesem Sprachgebrauch nehmen.

280 TB '70 (14. 1. 70), 403.

281 TB '70 (9. 2. 70), 408.

282 Diesen Sachverhalt stellt beispielsweise Thomas Mann sehr klar heraus zur Differenz vom weiterhin wirksamen biographischen Kern zur schließlichen Darstellungsform des *Tod in Venedig*:

«Daß aber die Novelle im Kern hymnisch geartet, ja eines hymnischen Ursprungs ist, kann Ihnen nicht entgangen sein. Der schmerzhafte Prozeß der Objektivierung, der sich aus den Notwendigkeiten meiner Natur zu vollziehen hatte, ist geschildert in der Einleitung zu dem sonst verfehlten ‹Gesang vom Kindchen›:
‹Weißt du noch? Höherer Rausch, ein außerordentlich Fühlen
Kam auch wohl über dich einmal und warf dich danieder,
Daß du lagst, die Stirn in den Händen. Hymnisch erhob sich
Da deine Seele, es drängte der ringende Geist zum Gesange
Unter Tränen sich hin. Doch leider blieb alles beim Alten.
Denn ein versachlichend Mühen begann da, ein kältend Bemeistern, –
Siehe, es ward dir das *trunkene Lied* zur *sittlichen Fabel*.›»

(4. 7. 1920 an Carl Maria Weber) Der «schmerzhafte Prozeß der Objektivierung» des hier zugrundeliegenden starken homoerotischen (narzißtischen) Erlebnisses läßt sich nach Sachs' Hypothese heute wohlbegründet als Verschiebung narzißtischer Libido auf das Werk begreifen.

283 TB '70 (11. 12. 70), 519.

284 TB '70 (8. 10. 70), 512.

285 Nach Alfs 1978, 105, der ein repräsentatives Sample der Rezensionen zu *Tadellöser* untersucht hat.

286 Alfs 1978, 112f.

287 Alfs 1978, 98f.

288 TB '71 (28. 6. 71), 550.

289 Bourdieu 1970, 93.

290 Bourdieu 1970, 93.

291 Bourdieu 1970, 101.

292 TB '70 (21..2. 71). – Die Kritiken sind zu diesem Zeitpunkt noch nicht erschienen. Das öffentliche Urteil ist jedoch schon präjudiziert bei Lesungen, Verlagseinladungen, insbesondere durch die Meinung des Lektors und durch das sehr geschickte, auf die Erstkritiken recht einflußreiche Hanser-Verlagsbulletin 1/71 («– interessant ist nicht das ‹ich›, das erzählt, sondern die Zeit und das Milieu, die da rekonstruiert werden»).

293 Sachs 1924, 74.

294 Alfs 1978, 108.

295 Zur Frage der Simulation gesprochener Sprache in literarischen (hier dramatischen) Texten siehe Hess-Lüttich 1977, pass. Die Problemstellung wäre über unser Beispiel noch zu differenzieren: Wie wird literarisch eine im Grenzbereich von gesprochener Sprache situierte, sie aber simulierende, Erzählrede kommuniziert?

296 W. Schmid 1974, 407f. hat die Existenz eines «abstrakte(n) Subjekt(s) der die Darstellung leitenden Regeln und sie entfaltenden schöpferischen Akte», eine «Urheberinstanz» oberhalb des Erzählers, herausgearbeitet. Schmids Modell deckt nicht ganz unsere Text-Verhältnisse, da er von reiner Fiktion ausgeht. Über die glaubhaft gemachten Anteile von Biographisch-Faktischem rücken ja im *Tadellöser* der «implizite» und der empirische Autor in der Text-Leser-Kommunikation viel enger zusammen.

297 Sachs 1924, 72.

298 *Gespräche* 1977/78, 16. Kreativitätspsychologisch ist eine solche Berufung auf das Fortwirken bewahrter Kindlichkeit keine Seltenheit. Nachdrücklich findet sie sich in psycho-analytischer Argumentation bei Thomas Mann. Vgl. Wysling 1976, 9.

299 Sachs 1924, 72.

300 Sachs 1924, 72.

301 Über den «animistischen» (ontogenetisch: narzißtischen) engen Zusammenhang von Name und Person Freud IX, 71f. u. ö.

302 *Gespräche* 1977/78, 24.

303 Zettelgruppe 48.

304 Die beiden Grundhypothesen lauteten:
1. ««Bürgerliche› Leser, die ‹Nazizeit und Krieg› miterlebt haben, beurteilen *Tadellöser & Wolff* als eine historisch zutreffende Schilde-

rung der Situation und des Verhaltens einer ‹durchschnittlichen bürgerlichen Familie›. Sie erkennen sich in seiner Typik wieder. Sie halten den Roman nicht für eine falsche Beschönigung oder für eine Rechtfertigung des Verhaltens des ‹durchschnittlichen Bürgers› in jener Zeit.»

2. «Bestimmte Behauptungen einer nichtempirischen Rezeptionsästhetik zum Konkretionsverhalten von Lesern haben auch empirisch Plausibilität. Sie können nicht empirisiert und überprüft werden. Jedoch können diese Behauptungen für einen empirischen Gegenstandsbereich umdefiniert werden und ergeben hier Annahmen sui generis.»

Diese Grundhypothesen zerfallen zu jeder Rezeptionsvorgabe in Einzelhypothesen, die an ihrem jeweiligen Ort beschrieben werden.

305 Siehe Literaturverzeichnis unter Alfs, Blessmann, Drzyzga/Pflicht, Krüger, Rabes, Reichardt.

306 Hierzu auch Groeben 1977, 89 ff. und Frey 1974, besonders 143–154.

307 Siehe Hillmann 1974, 441 zu seiner Rezeptionsformel. Die Kritik von J. E. Müller 1979 an Hillmanns theoretischer Fundierung und an seinem Erhebungsverfahren akzeptieren wir dabei gleichermaßen. Hillmanns Formel beruht auf unzureichenden Voraussetzungen, sie hat aber Plausibilität im Sinne der Ausformulierung von Erfahrungswerten, denen jeder Leser zustimmen wird.

308 infratest-Bericht «Kommunikationsverhalten und Buch» (1978). Abweichungen unserer Daten in den verglichenen Befunden, die aber – relativ zum Gesamtbild – tendenziell nicht erheblich sind, ergeben sich daraus, daß sich infratest auf die Gesamtbevölkerung ab 18 Jahren als Grundgesamtheit bezieht. Differenzen ergeben sich insbesondere zur erhobenen Altersstruktur, zu den weiter gefaßten Typen und durch unsere genauere Auffächerung von Belletristik. Für unseren «VHS-Lesertypus» werden wir, auf die Gesamtbevölkerung ab 18 Jahren abgebildet, in folgendem bestätigt:

– Zur erheblichen Überdurchschnittlichkeit von Buchbestand und darin wiederum Belletristik: Tab. 24, S. 107 Angaben für Schicht II und III

– tendenziell zur Altersverteilung des «Viel-Lesers mit breitem Interessenspektrum» (2/3 Frauen): vgl. Übersicht 1, S. 169, Typ IV

– geringere Berufstätigkeit: ebda

– Buchnutzung: Vorrang von erzählender Literatur (Epik) und moderner Literatur: vgl. Übersicht 3, S. 171.

309 Siehe hierzu van Dijk 1975, 273–294, van Dijk/Kintsch 1975, 98–116. Vor der Paraphrasenerhebung haben wir uns mit diesem Konzept auseinandergesetzt, es aber für *Tadellöser* nicht nutzen können. Hierzu Krüger 1979, 106 f. – Einen wissenschaftsgeschichtlichen Überblick

über die Bearbeitung von Text-Konsistenz und Text-Kohärenz gibt jetzt S. J. Schmidt 1980, 77–79.

310 Referiert bei S. J. Schmidt 1980, 244f.: Die Bemühung, in jeder Information Sinn zu finden, wird als anthropologische Konstante eingeschätzt.

311 Mit dieser heuristisch notwendigen Trennung in eine Text-Substanz und eine virtuelle, vom Leser aufzubauende Textdimension schaffen wir uns erst die Möglichkeit, «Spielräume» für den Leser abzugrenzen, wie das empirisch nötig ist. Zu dem hier unausweichlichen theoretischen Dilemma siehe 5.2.2 und Groeben 1977, 164–167.

312 Die Chiffren geben jeweils die Informanten an.

313 Reichardt 1978, 187f. und pass.

314 Siehe hierzu und zum Folgenden Alfs 1978, 112f., 104f., 106f.

315 Alle folgenden Zitate aus *Gespräche* 1977/78, 14–15.

316 Diese Behauptung war befragungstechnisch notwendig. Sie hat ersichtlich nicht als Suggestion gewirkt, sicherlich aber für eine Profilierung der Antworten zu Frage 1 gesorgt.

317 Leser WD 27, genauso WD 3.

318 Das Folgende nach *Gespräche* 1977/78, 15–18.

319 Iser 1976, 284–301.

320 Iser 1976, 301. Den «Suspense-Effekt», den Iser bei solcher «Schnitt-Technik» annimmt, können wir für *Tadellöser* nicht behaupten. Es fehlt hier die durcherzählte «Geschichte».

321 Die «Fragebatterie» dieser Seite war offenbar zu anstrengend. Einmal beteiligten sich hier fast nur (Ausnahmen OA 53, OA 54, ED 108) Leser, die ohnehin noch im Zuge waren (aus den 72), zum andern gehen die Antworten nicht auf die Spezifik der Fragen ein. Diese sind offensichtlich nur noch als allgemeine Aufforderungen genommen worden, ein Verständnis des Kapitelschlusses zu produzieren. Das haben die Antworten mit den 9 verfehlten Symbolentschlüsselungen gemein. Wir können sie deshalb zum Gesamt von 35 zusammenfassen.

322 Vier davon bekräftigen hier damit noch einmal, jedoch differenzierter, Sinn-näher ihre Wahl der entsprechenden ersten Vorgabe (WC 38, OA 62, OA 63, GB 68).

323 «Wanderer» zwischen zwei Welten» (WD 03), «Im Westen nichts Neues» (OA 51).

324 Alles Folgende nach *Gespräche* 1977/78, 7–9.

325 *Gespräche* 1977/78, 14.

326 Ein Vergleich mit klassischen (psycholinguistischen, semantischen) Assoziationsexperimenten ist nur begrenzt möglich, da dort fast ausschließlich mit Ein-Wort-Stimuli gearbeitet wird. Hierzu Hörmann 1970, 115–156 und pass., List 1972, 39–41. Auch Wolff 1977 kann im literaturpsychologischen Experiment überwiegend nur Assoziationen

zu Ein-Wort-Stimuli und allenfalls zu zweigliedrigen Metaphern messen.

327 Mit dieser Unterscheidung folgen wir im wesentlichen Hannappel/ Melenk 1979, 128–135, 196–200. Die Konnotation als «emotiv und evaluativ» von den Assoziationen zu scheiden, denen sie «irgendwie» (59) doch wieder angehöre, wie es Andringa 1979, 57–62 tut, trägt wenig ein. Diese Merkmale lassen sich in allen Assoziationstypen finden.

328 Alle Zitate nach *Gespräche* 1977/78. 10–12.

329 Berger/Luckmann 1972, 90.

330 Berger/Luckmann 1972, 103.

331 Die verschiedenen «Leser und Buch»-Reports (wie die Allensbacher Umfragen) sind Markt-Erkundungen. Hierzu gehört auch die im Auftrag der Bertelsmann-Stiftung durchgeführte infratest-Untersuchung zu «Kommunikationsverhalten und Buch» (1978), die wohl differenzierteste Erfassung bestimmter Einstellungen und Bedürfnisse, insbesondere zur Situation des Leser-Nachwuchses. Einen Dialog mit der empirischen Leserschaft können solche Datenermittlungen dem «Literaturbetrieb» jedoch nicht simulieren.

332 Hörmann 1970, 98, 300 und pass. macht die Stereotypenbildung im sozialen Bereich als «Tendenz zur biologisch sinnvollen Ökonomie» deutlich.

333 Empirisch ungewöhnlich gut gesichert beschreibt Görtz 1978 die Herstellung des «Markenbildes» Günter Grass in der Literaturkritik und deren Enttäuschung, als Grass allmählich in öffentliche Differenz zum Klischee tritt.

334 Das Rollenbild Thomas Manns, das sich nach dem Krieg wieder stabilisierte, ließ ihn in Ost und West kaum angefochten als Repräsentant des «besseren Deutschland», von Demokratie und Humanität, erscheinen. Die Identifizierung insbesondere von Werten wie Humanität im Sinne von «Mitmenschlichkeit» mit seiner empirischen Person geriet fast total. Die vielen im fiktionalen Werk von Thomas Mann selbst untergebrachten Hinweise – man könnte von einer konstanten Gegenthematik sprechen – auf das höchst Zweifelhafte, Vorgetäuschte, Geschauspielerte in den Hervorbringungen des Künstlers, das Insistieren auf dem Rollencharakter der Künstlerbiographie wurden von Kritik und Publikum offenbar der Fiktion zugute gehalten. Die geradezu augenfällig autobiographisch gemeinten Elemente «aristokratischer» Ich-Bezogenheit und der Liebesunfähigkeit in Charakteren wie Aschenbach, Krull oder Leverkühn wurden sowohl von der Tageskritik wie von der Literaturwissenschaft als abgetrennt literarische behandelt, obschon es an «Thomas-Mann-Bildern» (also biographisch gehaltenen Beschreibungsversuchen) nicht fehlt. Der Literaturbetrieb seiner Zeit hat das natürlich immer richtig erkannt, aber die

Rolle öffentlich nicht angetastet (mit den Ausnahmen Kerrs und Theodor Lessings). Das Bedürfnis, das Humanitätsprogramm Thomas Manns von diesem biographisch vorgeleistet zu bekommen, die öffentliche Notwendigkeit eines solchen Stereotyps (insbesondere nach 1933) deckte sich mit dem existentiellen Bedürfnis Thomas Manns, die Attribute der «Größe» und der «Menschlichkeit» von außen ständig bestätigt zu bekommen. Entsprechend nachdrücklich waren seine Angebote sowohl im Werk wie im öffentlichen Auftreten (was den angeführten Warnungen vor sich selbst nicht widersprechen muß). Schockierend und der Rolle anscheinend nicht zu integrieren wirkte nun das Erscheinen des zweiten Tagebuchs (1935–1936). Was die Literaturkritik bei Erscheinen des ersten noch mit Etiketten wie «Nebensächlichkeiten», «Übergenauigkeit im Detail» u. ä. hatte weg-schieben können, muß sie jetzt als das psychologische Material inter-pretieren, das es ist: Dokumente eines höchst schwierig ertragenen Narzißmus, dem alles, auch die eigene Familie, zur Staffage der eigenen Existenz geraten muß, der von der ungemäßigten kalten Größenvorstellung bis zu Fixierungen an Details der Körperpflege, der Toilette geradezu klinische Symptomatik zeigt. Die Literaturkritik war durchweg schockiert, ihre Reaktion reicht von Befremdung bis Abscheu. Insbesondere mochte erbittern, daß Thomas Mann sein Rollenangebot so genau kalkuliert hatte. Es scheint also, daß der Literaturbetrieb noch posthum auf eine Selbstverletzung der zuge-schriebenen Rolle empfindlich reagieren muß. Einerseits muß er sich getäuscht und damit diskreditiert sehen, zum andern ist gerade einer der konstitutiven Werte – Literatur als Ort der Mitmenschlichkeit – von einem seiner Garanten (scheinbar) verletzt worden. Es wird einiger Anstrengungen bedürfen, die bisherigen Inhalte des Stereo-typs «Thomas Mann» mit dem hinzugekommenen Wissen zu versöh-nen. Hierzu: Wysling 1978, 275–299, Dierks 1972, 141–142 und Kohut 1957, 1976 pass.

335 Görtz 1978, 117–126, 298 f. zeichnet präzise nach, wie die entscheiden-de Großkritik auf die Enttäuschung ihrer literarästhetischen Einstel-lungen durch Günter Grass reagiert hat. (Es bleibt zu Görtz nachzutra-gen, daß sie den «Politiker» Grass inzwischen akzeptiert, das «Mar-kenbild» neu errichtet hat. Allerdings wird, wie die Rezensionen zum *Butt* gezeigt haben, ihm weiterhin die frühere Anerkennung als «Voll-bluterzähler» usw. vorenthalten.)

336 Daß die Beteiligten am Literaturbetrieb Werte wie die genannten vertreten und damit verbundene Autorenrollen jeweils mehrheitlich respektieren (bei unterschiedlichen Einschätzungen in den jeweiligen Kritikergruppen) dürfte beobachtbare Tatsache sein. Wir haben das in Anlehnung an Berger/Luckmann phänomenologisch zu beschreiben versucht. Die darunter liegenden Mikroprozesse ökonomischer und

sozialpsychologischer Art sind empirisch kaum ansatzweise erkundet. So scheint jedoch (was man immer wußte) jetzt empirisch hinreichend bestätigt, daß auch die dominierenden (und immer in verfolgbaren Phasen kopierten) Literaturkritiker von höchst subjektiven und verschiedenen literarästhetischen Wertungspositionen ausgehen. Daß sich dennoch bei allen ein gemeinsames «‹Wissen eines Zusammenhangs› bestimmter literarischer Werte respektive literaturbezogener Ziele» (Viehoff 1976, 123) herstellt, eine gemeinsame Sub-Sinnwelt existiert, ist also wohl kaum literarästhetisch erklärbar. Hierzu: Viehoff 1976, pass., Faulstich 1977, 28 und Görtz 1978, 212–233.

337 Die folgende Beschreibung stützt sich auf diese Materialien: + die lückenlose Sammlung aller Zeitungs-/Zeitschriftenäußerungen zu Person und Werk seit Erscheinen des *Block* (1969); + Fernsehmitschnitte von «Wer will unter die Soldaten?» (ARD 1974), «Tadellöser & Wolff» (ZDF 1975), «Autor-Skooter» (ARD 1977), «Ein Kapitel für sich» (ZDF 1979), «Ein Dorf wie jedes andere» (ARD 1980) und auf die ZDF-Materialien zu den Verfilmungen; + Werbematerial des Carl Hanser Verlags aus den Jahren 1971 bis 1975; + Hörspiel «Träumereien am elektrischen Kamin» (NDR 1971).

338 Studio Karlsruhe des Süddeutschen Rundfunks.

339 Linder 1973, Zimmer 1975.

340 Das Schreibverfahren und die archivalische Ausstattung des Arbeitszimmers kommen besonders prononciert heraus in dem Autorenporträt des SFB und in dem eingespielten Film zu «Autor-Skooter». Für die Verfilmung des *Tadellöser* wurde für den kommentierenden und erzählenden «Autor» der Arbeitsraum Kempowskis originalgetreu nachgebaut.

341 Mecklenburg 1977, 11–15 und pass., Weber 1977, 282 und pass., Dierks 1978b, 3f.

Werkverzeichnis Walter Kempowski

«Im Block. Ein Haftbericht.» Reinbek bei Hamburg 1969. Zweite Auflage München (Hanser) 1971

«Tadellöser & Wolff. Ein bürgerlicher Roman.» München 1971

«Uns geht's ja noch gold. Roman einer Familie.» München 1972

«Haben Sie Hitler gesehen? Deutsche Antworten.» Nachwort Sebastian Haffner. München 1973

«Der Hahn im Nacken. Mini-Geschichten.» Reinbek bei Hamburg 1973

«Walter Kempowskis Harzreise – erläutert.» München 1974

«Immer so durchgemogelt. Erinnerungen an unsere Schulzeit.» München 1974

«Ein Kapitel für sich. Roman.» München 1975

«Alle unter einem Hut. Über 170 witzige und amüsante Alltagsminiminige-schichten in Großdruckschrift.» Bayreuth 1976

«Wer will unter die Soldaten?» Photographiert von Rolf Betyna und Jürgen Stahf. München 1976

«Aus großer Zeit. Roman.» Hamburg 1978

«Unser Herr Böckelmann.» Hamburg 1979

«Haben Sie davon gewußt? Deutsche Antworten.» Nachwort von Eugen Kogon. Hamburg 1979

«Mein Lesebuch.» Hg. von Walter Kempowski. Frankfurt am Main 1980

«Kempowskis Einfache Fibel.» Illustriert von Limmroth. Braunschweig 1980

«Schöne Aussicht. Roman.» Hamburg 1981.

Hörspiele

«Träumereien am elektrischen Kamin.» NDR 1971

«Ausgeschlossen.» NDR 1972

«Haben Sie Hitler gesehen?» WDR 1973

«Beethovens Fünfte.» NDR 1975

«Moin Vaddr läbt.» HR 1980

Zitierte Literatur

Alfs, G. 1978: Untersuchung zur Konfiguration des Romans «Tadellöser & Wolff» von Walter Kempowski anhand des Textes, der Literaturkritik und der Leserkonkretisationen. Examensarbeit Oldenburg

Andringa, E. 1979: Text. Assoziation. Konnotation. Königstein/Ts

Arbeitsgruppe Bielefelder Soziologen (Hg.) 1973: Alltagswissen, Interaktion und gesellschaftliche Wirklichkeit. Bd. 1.2. Reinbek bei Hamburg

Berger, P. L./Luckmann, Th. 1972: Die gesellschaftliche Konstruktion der Wirklichkeit. Frankfurt am Main

Beutin, W. (Hg.) 1972: Literatur und Psychoanalyse. München

Bourdieu, P. 1970: Zur Soziologie der symbolischen Formen. Frankfurt am Main

Curtius, M. (Hg.) 1976: Seminar. Theorien der künstlerischen Produktivität. Frankfurt am Main

Dierks, M. 1972: Studien zu Mythos und Psychologie bei Thomas Mann. Bern, München

– /Zander, H. 1975: Sprachgebrauch und Erfahrung. Kronberg/Ts

– 1978a: Die Aktualität der positivistischen Methode – am Beispiel Thomas Mann. In: Orbis Litterarum, Vol. 33, 1978, H. 2

– 1978b: Walter Kempowski. In: Kritisches Lexikon der deutschsprachigen Gegenwartsliteratur, hg. von H. L. Arnold, München

Döhl, R. 1971: Konkrete Literatur. In: Durzak, M. (Hg.): Die deutsche Literatur der Gegenwart. Stuttgart 1971

Dokumenta 6, 1977: Katalog. Bd. 1. Kassel

Einhorn, C. 1970: Zeigen was gezeigt wird. In: Text + Kritik, 1970, H. 25

Engelsing, R. 1976: Arbeit, Zeit und Werk im literarischen Beruf. Göttingen

Faulstich, W. 1977: Domänen der Rezeptionsanalyse. Kronberg/Ts

Fietz, L. 1976: Funktionaler Strukturalismus. Tübingen

Freud, S.: Gesammelte Werke. Bde I–XVIII. London, Frankfurt am Main 1940–1968

Frey, E. 1974: Franz Kafkas Erzählstil. Bern, München

Friedrichs, J. 1976: Methoden empirischer Sozialforschung. Reinbek bei Hamburg

Glaser, H. 1979: Spurensicherung. Über die Notwendigkeit der Erforschung und Erhaltung von Industriekultur. In: Frankfurter Rundschau, Nr. 292, 15. 12. 1979

Görtz, F. J. 1978: Günter Grass. Zur Pathogenese eines Markenbildes. Meisenheim am Glan

Goffmann, E. 1961: Asylums. Garden City, New York

– 1970: Stigma. Frankfurt am Main

Gregor-Dellin, M. 1971: Präparate eines Zeit- und Lebensbewußtseins. In: Bücher-Kommentare, München 1971, Nr. 1

Groeben, N. 1972: Literaturpsychologie. Stuttgart

– 1977: Rezeptionsforschung als empirische Literaturwissenschaft. Kronberg/Ts

Guillaumin, J. 1974: Das poetische Schaffen und die bewußte Bearbeitung des Unbewußten. In: Curtius (Hg.) 1976

Hannappel, H./Melenk, H. 1979: Alltagssprache. München

Hemmen, J./Blessmann, H. B./Blessmann, B. 1978: Untersuchungen zu den Hörtexten Walter Kempowskis. Examensarbeit Oldenburg

Hess-Lüttich, E. W. B. 1977: Empirisierung literarischer Textanalyse. In: Klein, W. (Hg.): Methoden der Textanalyse. Heidelberg 1977

Hillmann, H. 1974: Rezeption – empirisch. In: Müller-Seidel, W. (Hg.): Historizität in Sprach- und Literaturwissenschaft. München 1974

Hörmann, H. 1970: Psychologie der Sprache. Berlin

infratest medienforschung 1978: Kommunikationsverhalten und Buch. Endbericht. München

Iser, W. 1976: Der Akt des Lesens. München

König, T. 1980: Von der Neurose zur absoluten Kunst. In: Ders. (Hg.): Sartres Flaubert lesen. Reinbek bei Hamburg 1980

Kohut, H. 1957a: Thomas Manns «Tod in Venedig». In: Mitscherlich, A. (Hg.): Psycho-Pathographien. Frankfurt am Main 1957

– 1967b: Introspektion, Empathie und Psychoanalyse. In: Kohut 1977

– 1960: Jenseits der Grenzen der Grundregel. In: Kohut 1977

– 1966: Formen und Umformungen des Narzißmus. In: Psyche, Jg. 20, 1966, S. 561–587

– 1976: Narzißmus. Frankfurt am Main

– 1977: Introspektion, Empathie und Psychoanalyse. Frankfurt am Main

Krüger, A. 1979: Rezeptionsuntersuchungen zur «Normalisierung» eines ästhetischen Textes. Erhebungen (Tiefeninterviews) und Analysen zu Walter Kempowskis «Tadellöser & Wolff». Examensarbeit Oldenburg

Laplanche, J./Pontalis, J. B. 1973: Das Vokabular der Psychoanalyse. Frankfurt am Main

Lehnert, H. 1965: Thomas Mann – Fiktion Mythos Religion. Stuttgart

Linder, Ch. 1973: «Ich hasse die Natur.» In: Frankfurter Rundschau, 21. 4. 1973

List, G. 1972: Psycholinguistik. Stuttgart

Mann, Th.: Gesammelte Werke in dreizehn Bänden. Frankfurt am Main 1974

– Tagebücher 1933–1934; 1935–1936; 1918–1921. Frankfurt am Main 1977, 1978, 1979

Mecklenburg, N. 1977: Faschismus und Alltag in deutscher Gegenwartsprosa. Kempowski und andere. In: Wagener, H. (Hg.): Gegenwartsliteratur und Drittes Reich. Stuttgart 1977

Mejlach, B. 1977: Künstlerisches Schaffen und Rezeptionsprozeß. Berlin, Weimar

Metken, G. 1977: Spurensicherung. Köln

Müller, J. E. 1979a: Literaturwissenschaftliche Rezeptionstheorien und empirische Rezeptionsforschung. MS (Mimeo) Bochum

– 1979b: Unterschiede und Gemeinsamkeiten des wissenschaftlichen Umgangs mit Face-to-Face-Situationen und mit Texten. In: Soeffner, H.-G. (Hg.): Interpretative Verfahren in den Sozial- und Textwissenschaften. Stuttgart 1979

Mukarovsky, J. 1970: Ästhetische Funktion, Norm und ästhetischer Wert als soziale Fakten. In: Ders.: Kapitel aus der Ästhetik. Frankfurt am Main 1970

de M'Uzan, M. 1965: Zum Prozeß des literarischen Schaffens. In: Curtius, M. (Hg.) 1976

Nash, D. 1975: Der entfremdete Komponist. In: Wilson, R. N. (Hg.) 1975

Neumann, M. 1980: Kempowski der Schulmeister. Braunschweig

Pflicht, J./Drzyzga, E. 1980: Untersuchungen zu Formen und Möglichkeiten der literarischen Erwachsenenbildung in der Institution Volkshochschule. Am Beispiel Wilhelmshaven. Examensarbeit Oldenburg

Psathas, G. 1973: Ethnotheorie, Ethnomethodologie und Phänomenologie. In: Arbeitsgruppe Bielefelder Soziologen (Hg.) 1973

Rabes, M. 1978: Text, Textverarbeitung und die Reaktion der Kritik. Textanalyse und empirische Untersuchungen zu Walter Kempowskis «Tadellöser & Wolff», seiner Adaption durch das Fernsehen und zu der Beurteilung in Literatur- und Fernsehkritik. Examensarbeit Oldenburg

Reichardt, D. 1978: Literarische Rezeption in Literaturkritik und bei bestimmten Lesergruppen. Untersuchungen zu Walter Kempowskis «Tadellöser & Wolff», zu seiner Aufnahme in der Literaturkritik und empirische Erhebungen zu Lesereinstellungen gegenüber dem Nationalsozialismus. Examensarbeit Oldenburg

Ross, W. 1971: Scharfe Schnappschüsse. In: Die Zeit, 9. 4. 1971

Rotzler, W. 1972: Objekt-Kunst. Köln

Sachs, H. 1924: Gemeinsame Tagträume. In: Beutin, W. (Hg.) 1972

– 1926: Psychoanalyse und Dichtung. In: Urban, B. (Hg.): Psychoanalyse und Literaturwissenschaft. Tübingen 1973

Schmid, W. 1974: Rezension von D. Janik, Die Kommunikationsstruktur des Erzählwerks. In: Poetica, Jg. 1974, H. 6

Schmidt, S. J. 1973: Texttheorie. München

– 1980: Grundriß der empirischen Literaturwissenschaft. Bd. 1. Braunschweig, Wiesbaden

Schörken, R. 1979: Geschichte im Alltag. In: Geschichte in Wissenschaft und Unterricht, Jg. 30, 1979, S. 73–88

Schütze, F. 1977: Die Technik des narrativen Interviews in Interaktionsfeldstudien – dargestellt an einem Projekt zur Erforschung von kommunalen Machtstrukturen. Universität Bielefeld, Fakultät für Soziologie (Hg.): Arbeitsberichte und Forschungsmaterialien, August 1977

Seidel, G. 1977: Bertolt Brecht. Arbeitsweise und Edition. Stuttgart

Titzmann, M. 1977: Strukturale Textanalyse. München

van der Auwera 1972: Theorie und Praxis konkreter Poesie. In: Text + Kritik, Jg. 1972, H. 30

van Dijk, T. A. 1972: Some Aspects of Text Grammar. The Hague, Paris
– 1974: Action, Action-Description and Narrative. In: New Literary History, Jg. 1974/75, No 6
– /Kintsch, W. 1975: Comment on se rappelle et résume des histoires. In: Langages, Jg. 40, 1975, S. 98–116

Viehoff, R. 1976: Über einen Versuch, den Erwartungshorizont zeitgenössischer Literaturkritik empirisch zu objektivieren. In: Zeitschrift für Literaturwissenschaft und Linguistik, Jg. 6, 1976, H. 22

Wapnewski, P. 1973: Die dokumentarische Wendung in der Erzählliteratur der Gegenwart. In: Ders.: Zumutungen. Düsseldorf 1979

Weber, D. 1977: Walter Kempowski. In: Ders. (Hg.): Deutsche Literatur der Gegenwart. Bd. 2, Stuttgart 1977

Wienold, G. 1972: Semiotik der Literatur. Frankfurt am Main

Wilson, R. N. 1954: Poetic Creativity. Process and Personality. In: Psychiatry, Wash., Vol. 17, No 2
– 1975: Der Dichter in der amerikanischen Gesellschaft. In: Wilson, R. N. (Hg.) 1975
– (Hg.) 1975: Das Paradox der kreativen Rolle. Stuttgart

Wolff, E. 1971: Der intendierte Leser. In: Poetica, Jg. 1971, H. 4

Wolff, R. 1977: Strukturalismus und Assoziationspsychologie. Tübingen

Wysling, H. 1974: Dokumente und Untersuchungen. Bern, München
– 1976: Thomas Mann heute. Bern, München
– 1978: Krull als Narziß und Prospero. In: Festschrift für Steffen Steffensen. München 1978

ZDF-Information und Presse (Hg.) 1979: Walter Kempowski, Eberhard Fechner: «Tadellöser & Wolff», «Ein Kapitel für sich». München

Zehm, G. 1969: Purgatorium in Bautzen. In: Die Welt, 13. 3. 1969

Die Zeit: Wie einer Schriftsteller wurde. In: Die Zeit, Nr. 16, 8. 4. 1977

Zimmer, D. E. 1975: Die Kempowski-Saga. In: Zeit-magazin, Nr. 27, 27. 6. 1975

WALTER KEMPOWSKI

DIE DEUTSCHE CHRONIK

AUS GROSSER ZEIT. Roman. 1978, 448 Seiten, Leinen.

SCHÖNE AUSSICHT. Roman. 1981, 541 Seiten, Leinen.

IMMER SO DURCHGEMOGELT. Erinnerungen an
unsere Schulzeit. 1974, 253 Seiten, Gebunden.

TADELLÖSER & WOLFF. Roman. 1971, 476 Seiten,
Leinen und Sonderausgabe.

HABEN SIE HITLER GESEHEN? Deutsche Antworten.
Nachwort Sebastian Haffner. 1972, 118 Seiten, Broschiert.

UNS GEHT'S JA NOCH GOLD. Roman. 1972, 371 Seiten,
Leinen und Sonderausgabe.

HABEN SIE DAVON GEWUSST? Deutsche Antworten.
Nachwort Eugen Kogon. 1979, 152 Seiten, Broschiert.

EIN KAPITEL FÜR SICH. Roman. 1975, 388 Seiten,
Leinen und Sonderausgabe.

Ferner sind erschienen

UNSER HERR BÖCKELMANN. Mit Illustrationen von
Roswitha Quadflieg. 1979, 96 Seiten, Gebunden,
Vorzugsausgabe numeriert und signiert, Halbleder.

WER WILL UNTER DIE SOLDATEN? 1976, 144 Seiten
mit 185 Abbildungen, Gebunden.

IM BLOCK. Ein Haftbericht, 1969 (vergriffen).

ALBRECHT KNAUS VERLAG